au bord des routes

1 TOURTERELLE TRISTE
2 MOINEAU DOMESTIQUE
3 QUISCALE BRONZÉ
4 ÉTOURNEAU SANSONNET
5 VACHER À TÊTE BRUNE
6 CAROUGE À ÉPAULETTES
7 MARTIN-PÊCHEUR D'AMÉRIQUE
8 GEAI BLEU
9 MOQUEUR POLYGLOTTE
10 BRUANT CHANTEUR
11 PIE-GRIÈCHE
12 PIC FLAMBOYANT
13 MERLEBLEU DE L'EST
14 ENGOULEVENT D'AMÉRIQUE
15 MERLE D'AMÉRIQUE
16 PLUVIER KILDIR
17 FAISAN DE COLCHIDE
18 HIRONDELLE NOIRE
19 HIRONDELLE RUSTIQUE
20 HIRONDELLE À FRONT BLANC
21 CRÉCERELLE D'AMÉRIQUE
22 CARDINAL ROUGE
23 STURNELLE DES PRÉS
24 TYRAN TRITRI
25 ALOUETTE HAUSSE-COL
26 MOUCHEROLLE PHÉBI
27 COLIN DE VIRGINIE
28 CORNEILLE D'AMÉRIQUE

LES GUIDES PETERSON

Les oiseaux
de l'est de l'Amérique du Nord

texte et illustrations de
ROGER TORY PETERSON

cartes de
VIRGINIA MARIE PETERSON

traduction de
Philippe Blain, André Cyr, Ph.D.
Normand David et Michel Gosselin

Recommandé par la National Audubon Society
et la National Wildlife Federation

Édition révisée en 1999
par Normand David

97-B, Montée des Bouleaux, Saint-Constant, Qc, Canada, J5A 1A9
Tél. : (450) 638-3338 / Télécopieur : (450) 638-4338
Site Internet : www.broquet.qc.ca
Courriel : info@broquet.qc.ca

Données de catalogages avant publications (Canada)

Peterson, Roger Tory, 1908-1997

Le guide des oiseaux du Québec et de l'est de L'Amérique du Nord

Édition révisée

(Les Guides Peterson)
Traduction de : A field guide to the birds.
Comprend des références bibliographiques et un index.
Publié antérieurement sous les titres : Les oiseaux de l'est de
l'Amérique du Nord c1989; Guide des oiseaux de l'Amérique du Nord
à l'est des Rocheuses. Montréal :France-Amérique, c1984.

ISBN 2-89000-481-3

1. Oiseaux - Amérique du Nord. 2. Oiseaux - États-Unis (Est). 3.
Oiseaux - Canada (Est). 4. Oiseaux - Québec (Province). I. Titre. II. Titre:
Oiseaux de l'est de l'Amérique du Nord. III. Titre: Guide des oiseaux de
l'Amérique du Nord à l'est de des Rocheuses. IV. Collection.

QL681.P4514 1999   598'.097   C99-940485-7

Titre original :
Peterson Field Guide
Eastern Birds
publié par Houghton Mifflin Compagy, Boston
Copyright© 1980 by Roger Tory Peterson
Allrights reserved

pour l'édition en langue française :
Copyright©1989
Éditions Marcel Broquet Inc.
Dépôt légal - Bibliothèque nationale du Québec
Nouvelle édition 1994, édition revisée 1999
ISBN 2-89000-481-3

À la mémoire de
CLARENCE E. ALLEN
et
WILLIAM VOGT

Les chants et les cris des oiseaux

On ne peut faire entrer dans un guide de poche tout ce qui peut servir à l'identification des oiseaux. Dans les descriptions des espèces, l'auteur ajoute de brefs commentaires tout à fait personnels sur la **voix**, en tentant de donner au lecteur quelque indication verbale sur le chant ou le cri qu'il entend. Les auteurs de livres d'ornithologie ont tenté, avec un succès variable, de traduire les chants en syllabes, en mots et en phrases. Certains ont utilisé des notations musicales, des descriptions comparatives et même des codes ingénieux. La venue des enregistrements a éclipsé ces anciennes techniques. L'enregistrement a également permis l'utilisation d'une nouvelle représentation visuelle, le sonogramme, mais la plupart des gens n'ont pas les prédispositions requises pour pouvoir l'interpréter facilement.

Utilisez donc le *Field Guide to Bird Songs* (n° 1R de la série des guides Peterson). Il se vend sous la forme d'un coffret de deux microsillons de 30 cm, ou sous la forme de cassettes. Dans ce répertoire exhaustif, on retrouvera les chants et les cris de plus de 200 espèces, tant terrestres qu'aquatiques, soit un fort pourcentage de toutes les espèces présentes dans l'est et le centre de l'Amérique du Nord. Avant de partir en excursion, écoutez les enregistrements pour vous préparer; lisez ensuite les descriptions des chants dans le guide: vous y trouverez des indices utiles et une analyse complémentaire. Pour apprendre les chants — et certains ornithologues font 90 pour cent de leurs identifications à l'oreille — rien ne peut remplacer les chants eux-mêmes.

Introduction

En 1934 paraissait mon premier *Field Guide*, sur l'avifaune de l'Amérique du Nord à l'est du 90ᵉ méridien. Ce guide était conçu pour que les oiseaux vivants puissent être identifiés aisément à distance par leurs caractéristiques externes, sans devoir recourir à la méthode du spécimen en main qu'utilisaient les premiers naturalistes. Durant les cinquante dernières années, les jumelles et le télescope ont donc remplacé le fusil sur le terrain.

Le «**système Peterson**», comme on l'appelle aujourd'hui, est basé sur des dessins schématiques et des flèches indiquant les principales caractéristiques. Ces illustrations quelque peu simplifiées et la comparaison directe entre espèces semblables sont l'essentiel de ce système pratique reconnu non seulement en Amérique du Nord mais aussi en Europe, où des guides du genre existent aujourd'hui en 12 langues. Ce système qui est, en un sens, une clé illustrée basée sur des observations visuelles immédiates plutôt que sur des caractères techniques, a été appliqué à d'autres branches des sciences naturelles: la série de guides Peterson compte maintenant plus d'une vingtaine de titres, dont certains paraîtront sous peu en français.

La présente édition de ce guide, vaisseau amiral de la collection, compte 136 planches. Toutes les espèces sont représentées en couleurs; certaines sont également illustrées en noir, mais seulement lorsque les motifs de l'oiseau en vol sont mieux représentés de la sorte.

On trouvera également 390 cartes en couleurs. Ma femme, Virginia Marie, et moi-même les avons établies ensemble, puis elle les a dessinées avec minutie. Ses compétences avaient déjà été mises à contribution au Centre de recherche et de développement de la Garde côtière américaine, où elle a élaboré des méthodes exactes d'identification des déversements de pétrole par spectroscopie infrarouge. Elle a écrit le premier *Infrared Field Manual for Oil Spill Identification*.

Avec cette quatrième édition, le *Field Guide to the birds* a atteint la maturité. Il y a de cela des années, j'avais conclu que, pour fins de comparaison, le nombre idéal d'espèces par planche en couleurs, était 4 (plutôt que de 10 à 12 comme dans les éditions antérieures), mais le coût avait empêché cette présentation idéale. En fait, il n'y avait que 4 planches en couleurs et 26 en noir dans l'édition de 1934. En 1939, 4 nouvelles planches en noir se sont ajoutées. Lorsque le livre a été révisé en profondeur en 1947, et que le territoire couvert a été étendu jusqu'au 100ᵉ méridien, toutes les anciennes planches ont été remplacées par 60 nouvelles, dont 36 en couleurs. Le succès du guide et du système pratique qu'il utilise a crû constamment au cours des années; les coûts de distribution et les progrès techniques dans l'impression offset permettent maintenant de surmonter les contraintes antérieures.

L'utilisateur de ce guide trouvera un grand changement de présentation particulièrement utile: les descriptions des espèces font face aux illustrations. Au cours des années, de nombreux observateurs d'oiseaux m'avaient pressé d'adopter cette présentation. Je suis fier de pouvoir faciliter ainsi le travail de consultation dans la présente édition.

Territoire couvert par le guide: Ce guide couvre l'Amérique du Nord à l'est du 100e méridien comme l'illustre la carte en p. 16. Une limite écologique est plus utile qu'une limite politique arbitraire. Aux États-Unis, la division logique de l'avifaune se situe dans une bande se trouvant entre le 100e méridien (au milieu de l'Oklahoma, du Kansas, du Nebraska et des Dakotas) et le pied des Rocheuses. Cette limite n'est certes pas précise, mais les habitants de cette «zone grise écologique» trouveront dans *A Field Guide to Western Birds* toutes les espèces qu'ils sont susceptibles d'y rencontrer. En règle générale, les oiseaux de l'est remontent les vallées vers l'ouest, alors que les espèces de l'ouest s'avancent vers l'est dans les hautes-terres plus arides. Au Canada, l'influence orientale s'étend beaucoup plus loin à l'ouest, les oiseaux de l'est comblant la zone de transition jusqu'aux Rocheuses via la forêt de conifères au nord de la Prairie.

Les oiseaux qui habitent l'est du Texas sont traités adéquatement dans le présent guide. Quant à ceux de la vallée du Rio Grande et des côtes centrale et méridionale de l'État où de nombreuses espèces de l'ouest atteignent la limite de leur répartition et quelques oiseaux mexicains s'y rencontrent, ils sont présentés dans *A Field Guide to the Birds of Texas* (no 13 de la série Peterson). Le Texas est le seul État américain doté de son propre guide.

Cartes: Des cartes détaillées des aires de répartition sont réunies en annexe à la fin du livre. La plupart des échelles utilisées permettant d'indiquer les limites des provinces et des États, les aires de répartition n'en sont que plus précises. Les notes figurant sur les cartes sont autant de renseignements supplémentaires. Le coin gris des pages de cartes facilite leur repérage. Notre connaissance de la répartition des espèces se précise continuellement grâce à la prolifération des ornithologues amateurs. En groupant ainsi les cartes, il sera facile de les mettre périodiquement à jour sans devoir remanier le reste de l'ouvrage.

Bien que les cartes de répartition continentale de certains oiseaux (oiseaux-gibiers, oiseaux de mer) figurent déjà dans le *Handbook of North American Birds* (R.S. Palmer) et dans d'autres ouvrages, Mme Peterson et moi-même avons établi nos propres cartes à partir de documents régionaux et d'États, mais nous les avons trouvés de qualité très inégale. Nous recommandons expressément à quiconque prépare une publication de ce

INTRODUCTION

type de le faire consciencieusement et d'y inclure des cartes. Les territoires suivants disposent d'ouvrages dotés de cartes: Canada, (W.E. Godfrey), Alabama (T.A. Imhof), Floride (A. Sprunt; H.M. Stevenson), Kentucky (R.M. Mengel), Maryland (R.E. Stewart et C. Robbins), Minnesota (J.C. Green et R.B. Janssen), New York (J. Bull), Nord-Dakota (R.E. Stewart), Pennsylvanie (W.E.C. Todd; E.L. Poole), Sud-Dakota (*South Dakota Ornithologists Union*), Texas (H.C. Oberholser et E.B. Kincaid, Jr.), Wisconsin (O.J. Gromme; S. Robbins) et les États de la Prairie (P.A. Johnsgard). Les cartes de répartition des oiseaux qui nichent au Canada apparaissent dans *Les oiseaux du Canada* de W.E. Godfrey. Quinze autres États et provinces disposent de bons ouvrages malheureusement dépourvus de cartes. À l'aide de tous ces ouvrages, nous avons réussi à esquisser un bon nombre de cartes approximatives, parfois incertaines. Six ou sept États ne disposent de rien d'autre que de quelques listes locales, certaines imprécises. Nous avons consulté tous les ouvrages régionaux et d'États de la bibliographie annotée préparée par S.R. Drennan et incluse dans le *Special Book Supplement* publié par *American Birds*, ainsi que les dossiers de cette revue rédigée sous la direction de R. Arbib (*National Audubon Society*, 950 Third Ave., New York, N.Y. 10022).

Aires de répartition: Certaines espèces se sont ajoutées à l'avifaune de l'est de l'Amérique du Nord depuis la parution de ce guide en 1947. Notamment, le Héron garde-boeufs s'est multiplié et propagé remarquablement depuis qu'il est arrivé de ses propres ailes aux États-Unis vers 1952. La progression du Roselin familier, relâché à l'origine par des oiseliers, a été tout aussi rapide. Certains visiteurs exceptionnels, comme la Mouette pygmée et la Mouette rieuse de l'Ancien-Monde, sont devenus réguliers et commencent à nicher ici. Le Goéland brun pourrait faire de même. Plusieurs oiseaux exotiques, s'étant échappés de captivité, se sont bien acclimatés, en particulier en Floride.

L'aire de nombreuses espèces a changé considérablement au cours des trente ou quarante dernières années. Certains oiseaux ont progressé, grâce à la protection dont ils font l'objet depuis longtemps; d'autres ont diminué de façon alarmante ou ont disparu dans certaines parties de leur aire à la suite de changements du milieu. L'engouement pour les mangeoires a contribué à étendre l'aire du Cardinal rouge, de la Mésange bicolore, du Gros-bec errant, de la Tourterelle triste et de plusieurs autres oiseaux. Le guide Peterson a sans doute joué un rôle significatif dans ces expansions d'aire, en faisant connaître les oiseaux à tant de gens.

Dessins et photos: À cause des exigences grandissantes des amateurs d'oiseaux, j'ai poussé le détail de mes nouvelles illustrations, tout en m'efforçant de conserver l'aspect schématique utilisé dans les éditions antérieures. Un dessin peut mettre en lumière les traits caractéristiques tellement mieux qu'une photo! La photo enregistre un moment fugace; un dessin est la synthèse de l'expérience de l'artiste. Le dessinateur peut corriger, mettre en valeur une caractéristique, supprimer les détails inutiles.

Il peut choisir la pose et mettre en relief les couleurs et la livrée de base sans qu'elles soient modifiées par la lumière et l'ombre du moment. La photo est sujette aux caprices de la température des couleurs, de la marque du film, de l'heure du jour, de l'angle de la prise, du talent du photographe et, avouons-le, de la chance. Le dessinateur a plus de latitude et plus de contrôle, même s'il se réfère à l'occasion à des photos. Je ne veux pas me lancer dans une diatribe contre la photographie: étant moi-même un photographe obsessionnel en plus d'être un artiste, je suis bien conscient des différences. La photo peut capter l'intimité de la vie, mais un bon dessin est vraiment plus instructif.

Races: Les races correspondent à de simples subdivisions dans l'aire géographique d'une espèce. Elles se distinguent habituellement par des caractéristiques morphologiques subtiles comme, entre autres, de légères différences dans les mensurations et dans la couleur. Ces catégories ne peuvent généralement être identifiées que par la comparaison des oiseaux en main avec des collections de spécimens naturalisés. Souvent vagues, les distinctions sont rarement apparentes sur le terrain et ne devraient pas préoccuper l'observateur. Exemple: le Troglodyte familier de la côte atlantique (*Troglodytes aedon aedon*) ne diffère que très légèrement de celui des Appalaches (*T. a. baldwini*) et appartient à une race différente. Seul un expert pourrait les distinguer, en comparant des séries de spécimens. Contrairement à l'espèce, la race ne constitue pas une population isolée au niveau de la reproduction; en d'autres termes, les individus de deux races peuvent se reproduire ensemble si leurs populations respectives viennent en contact.

Les races ont de l'importance pour l'étude de la répartition et de l'évolution des oiseaux et ont un intérêt pratique en conservation et en gestion de la faune. Le cas échéant, le professionnel ou l'universitaire pourront se référer à la liste de l'*American Ornithologists Union* qui donne le détail des races et de leur aire. Ne nous préoccupons donc pas des races. On en donnait la liste dans les éditions précédentes, mais les pages qui leur étaient consacrées ont été mieux utilisées dans la présente édition. Certaines races sont cependant identifiées lorsque les distinctions sont évidentes sur le terrain. L'exemple le plus connu et le plus controversé est celui de l'Oriole «de Baltimore», aujourd'hui regroupé avec l'Oriole «à ailes blanches» sous le nouveau nom d'Oriole du Nord. Signalons également la Paruline «d'Audubon» (race de la Paruline à croupion jaune), le Junco «à dos roux» (race du Junco ardoisé) et le Bruant «d'Ipswich» (race du Bruant des prés).

Remerciements: William Vogt, le premier rédacteur en chef du magazine *Audubon*, m'avait suggéré de réaliser un guide en utilisant mes méthodes d'enseignement de l'identification sur le terrain. Il fut ma bougie d'allumage. J'avais déjà écrit des articles sur le sujet pour le magazine *Nature* (goélands et mouettes) et pour *Field and Stream* (canards). Vogt et moi-même excursionnions souvent durant mes années de beaux-arts et lorsque nous étions tous deux à l'emploi de la *National Audubon Society*. Il devait se distinguer plus tard comme l'un des premiers gourous du mouvement écologique.

Durant ma jeunesse, il n'existait pas de bon guide d'oiseaux au sens moderne du terme. J'utilisais le petit *Reed's Bird Guide*, du format d'un chéquier, mais ce n'est qu'après avoir rencontré les jeunes membres du *Bronx County, Bird Club*, Allan Cruickshank, Richard Herbert, Joseph Hickey, Irving Kassoy et les frères Kuerzi, que j'ai vraiment appris à connaître les oiseaux. Nous devions tous notre motivation et notre savoir à Ludlow Griscom du *Museum of Comparative Zoology* de Cambridge (Massachusetts). Il représentait le tribunal de dernière instance en matière d'identification sur le terrain et c'est à lui que je recourais toujours pour un jugement final sur les espèces difficiles et les problèmes épineux. Pendant toute la préparation des premières éditions de ce guide, il m'a généreusement fait bénéficier de sa riche et longue expérience sur le terrain. Charles A. Urner d'Elizabeth (New-Jersey), dont la spécialité était les oiseaux aquatiques, a gracieusement commenté mon premier manuscrit. Francis H. Allen de Boston, mon premier éditeur, fit de même. Il a fourni de nombreuses notes précieuses; je lui dois également le polissage du texte original et des deux versions suivantes.

Je ne donnerai pas à nouveau la liste des cent personnes ou plus qui m'ont fourni des notes ou aidé autrement pour les éditions antérieures. Leurs noms figurent dans la préface de l'édition de 1947. Cependant, je voudrais remercier ici ceux qui m'ont offert leurs suggestions pour la présente édition, ou qui m'ont aidé d'autres manières: Ira J. Abramson, E. Ahlquist. Forrest Alexander, Horace Alexander, Robert Arbib, Mme R.A. Arny, Elisha Atkins, Harold et Rachel Axtell, H.D. Bain, James Baird, Wesley Biggs, Dr. J.D. Black, Don Bleitz, Bradford G. Blodget, Leonard C. Brecher, Paul Brooks, Maurice Broun, Carter Bundy, A. Chamberlain, J. Cohn, C. Collins, Mme C.N. Collister, G.D. Constantz, R. Crawford, Davis Crompton, Mme Allan D. Cruickshank, Robert H. Curry, Owen Davies, Susan Roney Drennan, Sam Elliot, Owen W. Ellis, John G. Ericson, Richard Ferren, John Farrand, Jr., Mme Bradley Fisk, E.R. Ford, N.L. Ford, William Foster, Mme Leonard I. French, Peter Gilchrist, F. Gill, Earl Greene, Fred Hall, Samuel A. Harper, Mlle O.C. Hazlett, Donald S. Heintzelman, Fred J. Helgren, R.E. Herman, Philip B. Heywood, Joseph J. Hickey, D.H. Hirth, Stuart Houston, J.B. Hubbard, S.H. Hubbard, Sara Hugus, H. Roy Ivor, Joseph R. Jehl, Jr., Herbert W. Kale II, J. Kleiman, John Lane, David Lank, M.A. Linton, Mme R. Cutler Low, George H. Lowery, Jr., J. Ludwig, Elizabeth F. MacDonald, J. Steven Makasa, Carl Maslowski, Russell Mason, Ian McLaren, Gordon M. Meade, James, K. Merrit, Roy Moore, J. Morlan, B.G. Murray, Jr., Robert J. Newman, Isabel O'Brien, John Ogden, Oscar T. Owre, Henry E. Parmer, Wayne Peterson, Allan R. Phillips, Helen Phillips, Charles Chauncey Pool, Peter Post, J.S. Prendergast, Frank W. Preston, Noble Proctor, J.V. Remsen, Tudor Richards, Sam Robbins, William

B. Robertson, Jr., Dudley et Vivian Ross, William C. Rowe, Alvah W. Sanborn, D.B.O. Saville, F.G. Scheider, Fritz Scheider, Seymour Schiff, Ralph Schreiber, Paul W. Schueler, Charles W. Schulze, Frank Shields, William J. Sladen, Mme Charles L. Smith, Doug Smith, J. Murray Speirs, Sally Spofford, Henry M. Stevenson, Robert W. Storer, M. et Mme S.J. Strickler, Robert Sundell, Wendell Taber, Harrison B. Tordoff, Mary M. Tremaine, Peter Vickery, Robert B. Weeden, F.D. Weinstein, Harold Werner, Mimi Westervelt, Francis M. Weston, S.F. White, David Wingate, P. Woodward, William Shepherd et Paul Sykes.

Pour l'aide fournie dans la préparation des cartes, Mme Perterson et moi-même sommes particulièrement obligés envers Noble Proctor, le Rév. Sam Robbins, Richard Ferren, Wayne Peterson et Peter Vickery.

Les spécimens naturalisés qui ont servi à la préparation des nouvelles planches en couleur proviennent presque entièrement du Musée d'histoire naturelle de New York. Je suis profondément reconnaissant envers les conservateurs et le personnel du Département d'ornithologie du Musée pour leur aide, en particulier envers Dean Amadon, John Bull, Allan O'Connor, Eugen Eisenmann, John Farrand et Wesley Lanyon.

Je veux exprimer une gratitude toute spéciale à Cornelia Eastland, Elaine Giambattista, Kerry Pado et Barbara C. Peterson pour leur travail de secrétariat et de soutien administratif en rapport avec cet ouvrage, et particulièrement à Charles W. Schulze qui a tapé et retapé plusieurs fois le manuscrit définitif. Les membres du personnel de la maison Houghton Mifflin qui ont dû se débrouiller avec les corrections, la production et la publication de la présente édition sont Morton Baker, Carol Goldenberg, Richard McAdoo, Austin Olney, Stephen Pekich, Richard Tonachel et surtout Lisa Fisher, Peggy Burlet et James Thompson, qui sont des modèles de minutie.

La qualité des couleurs est le résultat d'une collaboration étroite avec l'imprimeur, Case-Hoyt de Rochester (New York); le travail de Anson Hosley, Directeur de la recherche du développement, de Gary Meicht, Directeur technique et de Paul Nederlk a été précieux. Madame Peterson a revu attentivement toutes les épreuves des cartes avec Charles Cruickshank, W.C. Pevc et D.L. Milligan. En plus du talent de ces artisans et de ceux du service de la production chez Houghton Mifflin, dirigé par Morton Baker, j'ai également profité des compétences en matière de couleurs de Ian Ballantine ainsi que de Robert et Richard Lewin de la maison Mill Pond Press, qui a produit des tirages limités de mes dessins d'oiseaux.

L'espace me manque pour énumérer ici encore la masse de documents ornithologiques digérés en vue de la préparation des premières éditions du *Field Guide*, de même que les ouvrages d'envergure régionale, les listes, les mémoires et les périodiques qui sont entrés dans la préparation de la présente édition. Je les ai tous consultés minutieusement. La liste de ces sources est en dossier dans ma bibliothèque.

Table des matières

Introduction	7
Carte du territoire couvert par le guide	16
Liste systématique	17
Comment identifier les oiseaux	23
Nageurs : canards et autres oiseaux nageurs	32-73
Plongeons : Gaviidés	32
Grèbes : Podicipédidés	34
Pingouins, guillemots, etc. : Alcidés	36
Cormorans : Phalacrocoracidés	40
Anhingas : Anhingidés	40
Sauvagine (cygnes, oies, canards) : Anatidés	42
Cygnes : Cygninés	42
Oies : Ansérinés	42
Oies et cygnes en vol	46
Dendrocygnes : Dendrocygninés	48
Canards barboteurs : Anatinés	48
Canards plongeurs : Aythyinés	54
Érismatures : Oxyurinés	60
Harles : Merginés	62
Nageurs ressemblant aux canards (foulques, gallinules) : Rallidés (en partie)	64
Canards en vol	66
Voiliers : oiseaux pélagiques, goélands, etc.	74-79
Puffins, fulmars, etc.: Procellariidés	74
Océanites : Hydrobatidés	76
Pélicans : Pélécanidés	78
Frégates: Frégatidés	78
Fous : Sulidés	80
Phaétons : Phaéthontidés	80
Labbes : Stercorariidés	80
Mouettes, goélands et sternes : Laridés	84
Mouettes et goélands : Larinés	84
Sternes : Sterninés	94
Bec-en-ciseaux: Rynchopidés	98

TABLE DES MATIÈRES

Grands échassiers   100-111
    Hérons, butors, etc. : Ardéidés   100
    Tantales : Ciconiidés   106
    Grues : Gruidés   106
    Courlan : Aramidés   108
    Ibis et spatules : Threskiornithidés   108
    Flamants : Phœnicoptéridés   110
Petits échassiers   112- 143
    Râles Gallinules, Foulques : Rallidés (en partie)   112
    Huîtriers : Hæmatopodidés   116
    Avocettes et échasses : Récurvirostridés   116
    Pluviers : Charadriidés   118
    Pluviers et tournepierre en vol   122
    Bécasseaux, chevaliers, etc. : Scolopacidés   124
    Limicoles en vol   140
Gallinacés   144-149
    Dindons : Méléagrididés   144
    Gélinottes, tétras, etc. : Tétraonidés   144
    Faisans : Phasianidés (en partie)   144
    Perdrix, colins, etc. : Phasianidés (en partie)   148
Rapaces   150-175
    Buses, aigles, etc. : Accipitridés   150
        Milans et élanions : Milvinés et Élaninés   150
        Éperviers, autours : Accipitrinés   152
        Busards : Circinés   152
        Buses : Butéoninés (en partie)   154
        Aigles et pygargues : Butéoninés (en partie)   158
    Balbuzards : Pandionidés   158
    Urubus : Cathartidés   160
    Caracaras et faucons : Falconidés   160
        Caracaras : Caracarinés   160
        Faucons : Falconinés   162
    Rapaces diurnes en vol   164
    Hiboux et chouettes: Tytonidés (effraies) et Strigidés   172
Oiseaux terrestres différents des passereaux   178-193
    Perroquets, perruches, etc. : Psittacidés   178
    Pigeons, tourterelles et colombes : Columbidés   180
    Coulicous, anis, etc. : Cuculidés   182
    Engoulevents : Caprimulgidés   184
    Colibris : Trochilidés   186

TABLE DES MATIÈRES

Martins-pêcheurs : Alcédinidés 186
Pics : Picidés 188
Martinets : Apodidés (avec les hirondelles, p. 204)
Passereaux 194-289
Tyrans et moucherolles : Tyrannidés 194
Alouettes : Alaudidés 200
Pipits : Motacillidés 200
Hirondelles : Hirundinidés 202
Corneilles, geais, etc. : Corvidés 206
Mésanges : Paridés 210
Sittelles : Sittidés 212
Grimpereaux : Certhiidés 212
Troglodytes : Troglodytidés 214
Gobemoucherons et roitelets (Sylviidés) 216
Bulbuls : Pycnonotidés 216
Moqueurs : Mimidés 218
Grives, merles, etc. : Turdidés 220
Pies-grièches : Laniidés 224
Jaseurs : Bombycillidés 224
Viréos : Viréonidés 226
Parulines : Parulidés 230
Carouges, orioles, etc. : Ictéridés 252
Étourneaux : Sturnidés 256
Tangaras : Thraupidés 260
Moineaux : Plocéidés 262
Gros-becs, bruants, etc. : Fringillidés 262
Espèces exceptionnelles, introduites et échappées 290-304
Espèces océaniques exceptionnelles 290
Espèces exceptionnelles d'Eurasie 294
Espèces tropicales exceptionnelles 298
Espèces exotiques (introduites ou échappées) 302
Espèces exceptionnelles de l'Ouest 304
Cartes de répartition 305
Index 371
Pages de garde
Avant : Silhouettes du bord des routes
Arrière : Silhouettes en vol

**TERRITOIRE COUVERT PAR
LE GUIDE**

L'est et le centre de l'Amérique du Nord, jusqu'au
100ᵉ méridien environ, incluant l'Arctique canadien
mais non le sud du Texas.

T.-N.-O.

*Baie
d'Hudson*

LAB.

T.-N.

MANITOBA

QUEBEC

ONTARIO

N.-B.

N.-É.

ME

N.-D.

MINN.

VT

N.-H.

N.-Y.

MASS.

WISC.

MICH.

CONN.

S.-D.

PENN.

N.-J.

*Océan
Atlantiqu*

NEBR.

IOWA

ILL.

IND.

OHIO

VIRG
OCC

VIRG.

DEL.
MD

KANS.

MO

KY

CAR. du N

OKL.

ARK.

TENN.

CAR. du S

MISS.

ALAB.

GEOR.

TEXAS

LOUIS.

FLOR

*Golfe
du Mexique*

Liste systématique

On peut tenir une liste de contrôle en cochant les espèces que l'on observe.

La présente liste couvre le territoire situé à l'est du 100e méridien. Elle ne comprend que les espèces décrites et illustrées dans le corps de ce guide. En sont exclues les espèces exceptionnelles, introduites et échappées, qui sont énumérées ou illustrées aux pp. 290-304, ainsi que certains des psittacidés d'origine captive décrits aux pp. 178-179, mais ces espèces exceptionnellement observées peuvent être rajoutées dans l'espace laissé libre à la fin de cette liste.

Dans cette liste, les espèces sont d'abord groupées à l'intérieur d'un ordre (terminaison latine -iformes), ensuite dans une famille (terminaison -idae) et parfois dans une sous-famille (terminaison -inae) ou une tribu (terminaison -ini). La liste suit la plus récente classification établie par l'American Ornithologists' Union.

Le texte de ce guide est une traduction intégrale de l'édition américaine originale qui suivait une classification antérieure. Le lecteur pourra toutefois retracer les changements intervenus en comparant les groupes d'espèces constitués en familles et sous-familles dans le texte à ceux de la liste systématique.

Les noms américains et scientifiques (latins) donnés aux espèces sont ceux établis par l'*A. O. U.* Les noms français sont ceux établis par la Commission internationale des noms français des oiseaux, sous la coprésidence de Messieurs Pierre Devillers et Henri Ouellet, et publiés sous le titre *Noms français des oiseaux du monde*, coédition des Éditions MultiMondes (Québec) et Éditions Chabaud (France). Dans le texte général de l'ouvrage, l'éditeur a jugé bon d'inscrire entre parenthèse les noms français utilisés au Canada depuis 1983 et qui diffèrent de cette nouvelle nomenclature.

GAVIIFORMES
Gaviidae
_PLONGEON CATMARIN
_PLONGEON DU PACIFIQUE
_PLONGEON HUARD
_PLONGEON À BEC BLANC

PODICIPEDIFORMES
Podicipedidae
_GRÈBE À BEC BIGARRÉ
_GRÈBE ESCLAVON
_GRÈBE JOUGRIS
_GRÈBE À COU NOIR
_GRÈBE ÉLÉGANT

LISTE SYSTÉMATIQUE

PROCELLARIIFORMES
Procellariidae
_FULMAR BORÉAL
_PÉTREL DES BERMUDES
_PÉTREL DIABLOTIN
_PUFFIN CENDRÉ
_PUFFIN MAJEUR
_PUFFIN FULIGINEUX
_PUFFIN DES ANGLAIS
_PUFFIN D'AUDUBON
Hydrobatidae
_OCÉANITE DE WILSON
_OCÉANITE CUL-BLANC

PELECANIFORMES
Phaethontidae
_PHAÉTON À BEC JAUNE
Sulidae
_FOU MASQUÉ
_FOU BRUN
_FOU DE BASSAN
Pelecanidae
_PÉLICAN D'AMÉRIQUE
_PÉLICAN BRUN
Phalacrocoracidae
_CORMORAN VIGUA
_CORMORAN À AIGRETTES
_GRAND CORMORAN
Anhingidae
_ANHINGA D'AMÉRIQUE
Fregatidae
_FRÉGATE SUPERBE

CICONIFORMES
Ardeidae
_BUTOR D'AMÉRIQUE
_PETIT BLONGIOS
_GRAND HÉRON
_GRANDE AIGRETTE
_AIGRETTE NEIGEUSE
_AIGRETTE BLEUE
_AIGRETTE TRICOLORE
_AIGRETTE ROUSSÂTRE
_HÉRON GARDE-BOEUFS
_HÉRON VERT
_BIHOREAU GRIS
_BIHOREAU VIOLACÉ
Threskiornithidae
_IBIS BLANC
_IBIS FALCINELLE
_IBIS À FACE BLANCHE
_SPATULE ROSÉE
Ciconiidae
_TANTALE D'AMÉRIQUE
Cathartidae
_URUBU NOIR
_URUBU À TÊTE ROUGE

PHOENICOPTERIFORMES
Phoenicopteridae
_FLAMANT ROSE

ANSERIFORMES
Anatidae
Dendrocygninae
Dendrocignini
_DENDROCYGNE FAUVE
Anserinae
Anserini
_OIE RIEUSE
_OIE DES NEIGES
_OIE DE ROSS
_BERNACHE DU CANADA
_BERNACHE CRAVANT
_BERNACHE NONNETTE
Cygnini
_CYGNE TUBERCULÉ
_CYGNE SIFFLEUR
Anatinae
Anatini
_CANARD BRANCHU
_CANARD CHIPEAU
_CANARD SIFFLEUR
_CANARD D'AMÉRIQUE
_CANARD NOIR
_CANARD COLVERT
_CANARD BRUN
_SARCELLE À AILES BLEUES
_SARCELLE CANNELLE
_CANARD SOUCHET
_CANARD PILET
_SARCELLE D'HIVER
Aythyini
_FULIGULE À DOS BLANC
_FULIGULE À TÊTE ROUGE
_FULIGULE À COLLIER
_FULIGULE MORILLON
_FULIGULE MILOUINAN
_PETIT FULIGULE
Mergini
_EIDER À TÊTE GRISE
_EIDER À DUVET
_ARLEQUIN PLONGEUR
_MACREUSE À FRONT BLANC
_MACREUSE BRUNE
_MACREUSE NOIRE
_HARELDE KAKAWI
_PETIT GARROT
_GARROT À OEIL D'OR
_GARROT D'ISLANDE
_HARLE COURONNÉ
_GRAND HARLE
_HARLE HUPPÉ
Oxyurini
_ÉRISMATURE ROUSSE

FALCONIFORMES
Accipitridae
Pandioninae
_BALBUZARD PÊCHEUR
Accipitrinae
_MILAN À QUEUE FOURCHUE

18

_ÉLANION À QUEUE BLANCHE
_MILAN DES MARAIS
_MILAN DU MISSISSIPPI
_PYGARGUE À TÊTE BLANCHE
_BUSARD SAINT-MARTIN
_ÉPERVIER BRUN
_ÉPERVIER DE COOPER
_AUTOUR DES PALOMBES
_BUSE À ÉPAULETTES
_PETITE BUSE
_BUSE À QUEUE COURTE
_BUSE DE SWAINSON
_BUSE À QUEUE ROUSSE
_BUSE ROUILLEUSE
_BUSE PATTUE
_AIGLE ROYAL
Falconidae
Caracarinae
_CARACARA HUPPÉ
Falconinae
_CRÉCERELLE D'AMÉRIQUE
_FAUCON ÉMERILLON
_FAUCON GERFAUT
_FAUCON PÈLERIN

GALLIFORMES
Phasianidae
Phasianinae
_PERDRIX GRISE
_FAISAN DE COLCHIDE
Tetraoninae
_GÉLINOTTE HUPPÉE
_TÉTRAS DU CANADA
_LAGOPÈDE DES SAULES
_LAGOPÈDE ALPIN
_TÉTRAS À QUEUE FINE
_TÉTRAS DES PRAIRIES
_TÉTRAS PÂLE
Meleagridinae
_DINDON SAUVAGE
Odontophoridae
_COLIN ÉCAILLÉ
_COLIN DE VIRGINIE

GRUIFORMES
Rallidae
_RÂLE JAUNE
_RÂLE NOIR
_RÂLE DES GENÊTS
_RÂLE GRIS
_RÂLE ÉLÉGANT
_RÂLE DE VIRGINIE
_MAROUETTE DE CAROLINE
_TALÈVE VIOLACÉE
_GALLINULE POULE-D'EAU
_FOULQUE D'AMÉRIQUE
Aramidae
_COURLAN BRU
Gruidae

_GRUE DU CANADA
_GRUE BLANCHE

CHARADRIIFORMES
Charadriidae
_PLUVIER ARGENTÉ
_PLUVIER BRONZÉ
_PLUVIER À COLLIER INTERROMPU
_PLUVIER DE WILSON
_PLUVIER GRAND-GRAVELOT
_PLUVIER SEMIPALMÉ
_PLUVIER SIFFLEUR
_PLUVIER KILDIR
Haematopodidae
_HUÎTRIER D'AMÉRIQUE
Recurvirostridae
_ÉCHASSE D'AMÉRIQUE
_AVOCETTE D'AMÉRIQUE
Scolopacidae
_GRAND CHEVALIER
_PETIT CHEVALIER
_CHEVALIER SOLITAIRE
_CHEVALIER SEMIPALMÉ
_CHEVALIER GRIVELÉ
_MAUBÈCHE DES CHAMPS
_COURLIS ESQUIMAU
_COURLIS CORLIEU
_COURLIS À LONG BEC
_BARGE HUDSONIENNE
_BARGE MARBRÉE
_TOURNEPIERRE À COLLIER
_BÉCASSEAU MAUBÈCHE
_BÉCASSEAU SANDERLING
_BÉCASSEAU SEMIPALMÉ
_BÉCASSEAU D'ALASKA
_BÉCASSEAU MINUSCULE
_BÉCASSEAU À CROUPION BLANC
_BÉCASSEAU DE BAIRD
_BÉCASSEAU À POITRINE CENDRÉE
_BÉCASSEAU VIOLET
_BÉCASSEAU VARIABLE
_BÉCASSEAU COCORLI
_BÉCASSEAU À ÉCHASSES
_BÉCASSEAU ROUSSÂTRE
_COMBATTANT VARIÉ
_BÉCASSIN ROUX
_BÉCASSIN À LONG BEC
_BÉCASSINE DES MARAIS
_BÉCASSE D'AMÉRIQUE
_PHALAROPE DE WILSON
_PHALAROPE À BEC ÉTROIT
_PHALAROPE À BEC LARGE
Laridae
Stercorariinae
_GRAND LABBE
_LABBE DE MCCORMICK
_LABBE POMARIN
_LABBE PARASITE

LISTE SYSTÉMATIQUE

_LABBE À LONGUE QUEUE
Larinae
_MOUETTE ATRICILLE
_MOUETTE DE FRANKLIN
_MOUETTE PYGMÉE
_MOUETTE RIEUSE
_MOUETTE DE BONAPARTE
_GOÉLAND À BEC CERCLÉ
_GOÉLAND DE CALIFORNIE
_GOÉLAND ARGENTÉ
_GOÉLAND DE THAYER
_GOÉLAND ARCTIQUE
_GOÉLAND BRUN
_GOÉLAND BOURGMESTRE
_GOÉLAND MARIN
_MOUETTE DE SABINE
_MOUETTE TRIDACTYLE
_MOUETTE ROSÉE
_MOUETTE BLANCHE
Sterninae
_STERNE HANSEL
_STERNE CASPIENNE
_STERNE ROYALE
_STERNE CAUGEK
_STERNE DE DOUGALL
_STERNE PIERREGARIN
_STERNE ARCTIQUE
_STERNE DE FORSTER
_PETITE STERNE
_STERNE BRIDÉE
_STERNE FULIGINEUSE
_GUIFETTE NOIRE
_NODDI BRUN
_NODDI NOIR
Rhyncopinae
_BEC-EN-CISEAUX NOIR
Alcidae
_MERGULE NAIN
_GUILLEMOT MARMETTE
_GUILLEMOT DE BRÜNNICH
_PETIT PINGOUIN
_GUILLEMOT À MIROIR
_MACAREUX MOINE

COLUMBIFORMES
Columbidae
_PIGEON BISET
_PIGEON À COURONNE BLANCHE
_TOURTERELLE RIEUSE
_TOURTERELLE À AILES BLANCHES
_TOURTERELLE TRISTE
_COLOMBE INCA
_COLOMBE À QUEUE NOIRE

PSITTACIFORMES
Psittacidae
_PERRUCHE ONDULÉE
_CONURE VEUVE
_TOUI À AILES VARIÉES

CUCULIFORMES
Cuculidae
_COULICOU À BEC NOIR
_COULICOU À BEC JAUNE
_COULICOU MANIOC
_GRAND GÉOCOUCOU
_ANI À BEC LISSE
_ANI À BEC CANNELÉ

STRIGIFORMES
Tytonidae
_EFFRAIE DES CLOCHERS
Strigidae
_PETIT-DUC MACULÉ
_GRAND-DUC D'AMÉRIQUE
_HARFANG DES NEIGES
_CHOUETTE ÉPERVIÈRE
_CHEVÊCHE DES TERRIERS
_CHOUETTE RAYÉE
_CHOUETTE LAPONE
_HIBOU MOYEN-DUC
_HIBOU DES MARAIS
_NYCTALE DE TENGMALM
_PETITE NYCTALE

CAPRIMULGIFORMES
Caprimulgidae
_ENGOULEVENT MINIME
_ENGOULEVENT D'AMÉRIQUE
_ENGOULEVENT PIRAMIDIG
_ENGOULEVENT DE NUTTALL
_ENGOULEVENT DE CAROLINE
_ENGOULEVENT BOIS-POURRI

APODIFORMES
Apodidae
_MARTINET RAMONEUR
_MARTINET DE VAUX
Trochilidae
_COLIBRI À GORGE RUBIS
_COLIBRI ROUX

CORACIIFORMES
Alcedinidae
_MARTIN-PÊCHEUR D'AMÉRIQUE

PICIFORMES
Picidae
_PIC À TÊTE ROUGE
_PIC À VENTRE ROUX
_PIC MACULÉ
_PIC MINEUR
_PIC CHEVELU
_PIC À FACE BLANCHE
_PIC TRIDACTYLE
_PIC À DOS NOIR
_PIC FLAMBOYANT
_GRAND PIC

LISTE SYSTÉMATIQUE

PASSERIFORMES
Tyrannidae
_MOUCHEROLLE À CÔTÉS OLIVE
_PIOUI DE L'EST
_MOUCHEROLLE À VENTRE JAUNE
_MOUCHEROLLE VERT
_MOUCHEROLLE DES AULNES
_MOUCHEROLLE DES SAULES
_MOUCHEROLLE TCHÉBEC
_MOUCHEROLLE PHÉBI
_MOUCHEROLLE À VENTRE ROUX
_MOUCHEROLLE VERMILLON
_TYRAN À GORGE CENDRÉE
_TYRAN HUPPÉ
_TYRAN DE L'OUEST
_TYRAN TRITRI
_TYRAN GRIS
_TYRAN À LONGUE QUEUE
Laniidae
_PIE-GRIÈCHE MIGRATRICE
_PIE-GRIÈCHE GRISE
Vireonidae
_VIRÉO AUX YEUX BLANCS
_VIRÉO DE BELL
_VIRÉO À TÊTE NOIRE
_VIRÉO À GORGE JAUNE
_VIRÉO À TÊTE BLEUE
_VIRÉO MÉLODIEUX
_VIRÉO DE PHILADELPHIE
_VIRÉO AUX YEUX ROUGES
_VIRÉO À MOUSTACHES
Corvidae
_MÉSANGEAI DU CANADA
_GEAI BLEU
_GEAI À GORGE BLANCHE
_PIE BAVARDE
_CORNEILLE D'AMÉRIQUE
_CORNEILLE DE RIVAGE
_CORBEAU À COU BLANC
_GRAND CORBEAU
Alaudidae
_ALOUETTE HAUSSE-COL
Hirundinidae
_HIRONDELLE NOIRE
_HIRONDELLE BICOLORE
_HIRONDELLE À AILES HÉRISSÉES
_HIRONDELLE DE RIVAGE
_HIRONDELLE À FRONT BLANC
_HIRONDELLE RUSTIQUE
Paridae
_MÉSANGE DE CAROLINE
_MÉSANGE À TÊTE NOIRE
_MÉSANGE À TÊTE BRUNE
_MÉSANGE BICOLORE
Sittidae
_SITTELLE À POITRINE ROUSSE
_SITTELLE À POITRINE BLANCHE
_SITTELLE À TÊTE BRUNE
Certhiidae

_GRIMPEREAU BRUN
Troglodytidae
_TROGLODYTE DES ROCHERS
_TROGLODYTE DE CAROLINE
_TROGLODYTE DE BEWICK
_TROGLODYTE FAMILIER
_TROGLODYTE MIGNON
_TROGLODYTE À BEC COURT
_TROGLODYTE DES MARAIS
Pycnonotidae
_BULBUL ORPHÉE
Regulidae
_ROITELET À COURONNE DORÉE
_ROITELET À COURONNE RUBIS
Sylviidae
Polioptilinae
_GOBEMOUCHERON GRIS-BLEU
Turdidae
_TRAQUET MOTTEUX
_MERLEBLEU DE L'EST
_MERLEBLEU AZURÉ
_SOLITAIRE DE TOWNSEND
_GRIVE FAUVE
_GRIVE À JOUES GRISES
_GRIVE DE BICKNELL
_GRIVE À DOS OLIVE
_GRIVE SOLITAIRE
_GRIVE DES BOIS
_MERLE D'AMÉRIQUE
_GRIVE À COLLIER
Mimidae
_MOQUEUR CHAT
_MOQUEUR POLYGLOTTE
_MOQUEUR ROUX
Sturnidae
_ÉTOURNEAU SANSONNET
Motacillidae
_PIPIT D'AMÉRIQUE
_PIPIT DE SPRAGUE
Bombycillidae
_JASEUR BORÉAL
_JASEUR D'AMÉRIQUE
Parulidae
_PARULINE DE BACHMAN
_PARULINE À AILES BLEUES
_PARULINE À AILES DORÉES
_PARULINE OBSCURE
_PARULINE VERDÂTRE
_PARULINE À JOUES GRISES
_PARULINE À COLLIER
_PARULINE JAUNE
_PARULINE À FLANCS MARRON
_PARULINE À TÊTE CENDRÉE
_PARULINE TIGRÉE
_PARULINE BLEUE
_PARULINE À CROUPION JAUNE
_PARULINE GRISE
_PARULINE À GORGE NOIRE

LISTE SYSTÉMATIQUE

_PARULINE À GORGE ORANGÉE
_PARULINE À GORGE JAUNE
_PARULINE DES PINS
_PARULINE DE KIRTLAND
_PARULINE DES PRÉS
_PARULINE À COURONNE ROUSSE
_PARULINE À POITRINE BAIE
_PARULINE RAYÉE
_PARULINE AZURÉE
_PARULINE NOIR ET BLANC
_PARULINE FLAMBOYANTE
_PARULINE ORANGÉE
_PARULINE VERMIVORE
_PARULINE DE SWAINSON
_PARULINE COURONNÉE
_PARULINE DES RUISSEAUX
_PARULINE HOCHEQUEUE
_PARULINE DU KENTUCKY
_PARULINE À GORGE GRISE
_PARULINE TRISTE
_PARULINE MASQUÉE
_PARULINE À CAPUCHON
_PARULINE À CALOTTE NOIRE
_PARULINE DU CANADA
_PARULINE POLYGLOTTE
Thraupidae
_TANGARA VERMILLON
_TANGARA ÉCARLATE
_TANGARA À TÊTE ROUGE
_TANGARA ÉVÊQUE
Emberizidae
_TOHI À FLANCS ROUX
_BRUANT DES PINÈDES
_BRUANT À CALOTTE FAUVE
_BRUANT HUDSONIEN
_BRUANT FAMILIER
_BRUANT DES PLAINES
_BRUANT DES CHAMPS
_BRUANT VESPÉRAL
_BRUANT À JOUES MARRON
_BRUANT NOIR ET BLANC
_BRUANT DES PRÉS
_BRUANT SAUTERELLE
_BRUANT DE BAIRD
_BRUANT DE HENSLOW
_BRUANT DE LE CONTE
_BRUANT DE NELSON
_BRUANT À QUEUE AIGUË
_BRUANT MARITIME
_BRUANT FAUVE

_BRUANT CHANTEUR
_BRUANT DE LINCOLN
_BRUANT DES MARAIS
_BRUANT À GORGE BLANCHE
_BRUANT À FACE NOIRE
_BRUANT À COURONNE BLANCHE
_JUNCO ARDOISÉ
_BRUANT DE MCCOWN
_BRUANT LAPON
_BRUANT DE SMITH
_BRUANT À VENTRE NOIR
_BRUANT DES NEIGES
Cardinalidae
_CARDINAL ROUGE
_CARDINAL À POITRINE ROSE
_CARDINAL À TÊTE NOIRE
_GUIRACA BLEU
_PASSERIN AZURÉ
_PASSERIN INDIGO
_PASSERIN NONPAREIL
_DICKCISSEL D'AMÉRIQUE
Icteridae
_GOGLU DES PRÉS
_CAROUGE À ÉPAULETTES
_STURNELLE DES PRÉS
_STURNELLE DE L'OUEST
_CAROUGE À TÊTE JAUNE
_QUISCALE ROUILLEUX
_QUISCALE DE BREWER
_QUISCALE BRONZÉ
_QUISCALE DES MARAIS
_QUISCALE À LONGUE QUEUE
_VACHER À TÊTE BRUNE
_ORIOLE DES VERGERS
_ORIOLE MACULÉ
_ORIOLE DE BALTIMORE
_ORIOLE DE BULLOCK
Fringillidae
_DURBEC DES SAPINS
_ROSELIN POURPRÉ
_ROSELIN FAMILIER
_BEC-CROISÉ DES SAPINS
_BEC-CROISÉ BIFASCIÉ
_SIZERIN FLAMMÉ
_SIZERIN BLANCHÂTRE
_TARIN DES PINS
_CHARDONNERET JAUNE
_GROS-BEC ERRANT
Passeridae
_MOINEAU DOMESTIQUE
_MOINEAU FRIQUET

Exceptionnels ou autres

_____   _____

_____   _____

_____   _____

_____   _____

Comment identifier les oiseaux

Les observateurs expérimentés sauront utiliser ce livre. Les néophytes, cependant, devraient passer un certain temps à se familiariser avec les illustrations. Ces dernières ne sont pas placées dans l'ordre systématique ou phylétique utilisé dans la plupart des ouvrages, mais sont plutôt groupées en 8 grandes catégories visuelles:

(1) **les nageurs:** les canards et les oiseaux qui leur ressemblent;
(2) **les voiliers:** les goélands et les oiseaux qui leur ressemblent;
(3) **les grands échassiers:** les hérons, les grues, etc.;
(4) **les petits échassiers:** les râles et les limicoles;
(5) **les gallinacés:** les gélinottes, les tétras, les colins, etc.;
(6) **les rapaces:** les buses, les éperviers, les hiboux, etc.;
(7) **les oiseaux terrestres différents des passereaux;**
(8) **les passereaux.**

À l'intérieur de ces groupes, on constatera que les canards ne ressemblent pas aux plongeons, que les goélands sont faciles à distinguer des sternes. Le bec en aiguille des parulines permet de distinguer immédiatement ces dernières des bruants au bec conique de granivores. Les oiseaux qu'on pourrait confondre sont regroupés dans la mesure du possible et dessinés dans la même pose pour faciliter la comparaison. Les flèches indiquent les caractéristiques les plus visibles qui sont décrites dans le texte. Ce texte donne également les indices qui ne peuvent être illustrés comme la voix, les comportements et l'habitat; sous une rubrique distincte, sont mentionnées les espèces qui peuvent être confondues. Les notes brèves sur l'aire de répartition sont illustrées par les cartes détaillées qui se trouvent en annexe (pp. 305-370) et auxquelles correspondent les renvois numériques accompagnant les textes.

En plus des 129 planches de dessins d'oiseaux observés normalement dans le territoire couvert par le guide, on en trouvera 7 autres où figurent 80 espèces exceptionnelles provenant d'Europe, de la haute mer et des tropiques, de même que certains des oiseaux exotiques susceptibles de s'échapper dans la nature.

Quelle est la taille de l'oiseau?

Il faut prendre l'habitude de comparer la taille d'un oiseau inconnu à celle d'une espèce qui nous est familière: le moineau, le merle, le pigeon, etc., de façon à pouvoir se dire: «plus petit qu'un merle; un peu plus gros qu'un moineau». Les mesures métriques indiquées entre parenthèses dans cet ouvrage sont des longueurs de spécimens naturalisés, reposant sur le dos et mesurés du bout du bec à l'extrémité de la queue. Cependant, la longueur du spécimen varie beaucoup selon la préparation, le cou pouvant être étiré quelque peu. Pour la majorité des espèces, les longueurs minimale et maximale sont mentionnées; cependant, dans la nature, la taille de la plupart des oiseaux se rapproche plus du premier chiffre que du second.

Quelle est sa forme?
Est-il trapu comme un étourneau (à gauche); ou élancé comme un coulicou (à droite)?

Quelle forme ont ses ailes?
Sont-elles arrondies comme celles du Colin de Virginie (à gauche); ou très pointues comme celles de l'Hirondelle rustique (à droite)?

Quelle forme a son bec?
Est-il petit et effilé comme celui d'une paruline (1); gros et court comme celui d'un bruant (2); en forme de dague comme celui d'une sterne (3); ou crochu comme celui d'un rapace (4)?

1   2   3   4

Quelle forme a sa queue?

Est-elle très fourchue comme celle de l'Hirondelle rustique (1); carrée comme celle de l'Hirondelle à front blanc (2); encochée comme celle de l'Hirondelle bicolore (3); arrondie comme celle du Geai bleu (4); ou pointue comme celle de la Tourterelle triste (5)?

Quel comportement a-t-il?

Relève-t-il la queue comme un troglodyte ou la garde-t-il abaissée comme un moucherolle? Agite-t-il la queue? Se perche-t-il à la verticale bien en évidence, pour partir prestement à la poursuite d'un insecte et revenir se percher au même endroit, comme un moucherolle?

Grimpe-t-il aux arbres?

Si oui, grimpe-t-il en *spirale* comme un grimpereau (à gauche); par saccades et en s'appuyant sur sa queue comme un pic (au centre); ou descend-il tête première comme une sittelle (à droite)?

COMMENT IDENTIFIER LES OISEAUX

Comment vole-t-il?
Ondule-t-il comme le Pic flamboyant (1)? Vole-t-il vite et droit comme une tourterelle (2)? Vole-t-il sur place comme un martin-pêcheur (3)? Plane-t-il?

Nage-t-il?
Flotte-t-il bas comme un plongeon (1); ou haut comme une gallinule (2)? S'il s'agit d'un canard, plonge-t-il comme une espèce d'eau profonde (3); ou encore barbotte-t-il et bascule-t-il comme un colvert (4)?

Marche-t-il dans l'eau?
Est-il grand et porté par de longues pattes comme un héron ou petit comme un bécasseau? S'il s'agit d'un bécasseau, sonde-t-il la boue ou ramasse-t-il ses proies en surface? Se trémousse-t-il?

Quelles sont ses caractéristiques?

Certains oiseaux se reconnaissent simplement à leurs couleurs, mais la plupart ne sont pas si faciles à identifier. Les indices les plus importants sont les caractéristiques visuelles, des sortes de «marques de commerce naturelles». Remarquez si la poitrine est tachetée comme chez la Grive des bois (1); rayée comme chez le Moqueur roux (2); ou unie comme chez un coulicou (3).

Motifs de la queue

La queue présente-t-elle un contraste frappant de couleurs: une extrémité blanche comme chez le Tyran tritri (1); des taches blanches aux coins comme chez le Tohi à flancs roux (2); ou des plumes latérales blanches comme chez le Junco ardoisé (3)?

Taches sur le croupion

A-t-il un croupion pâle comme l'Hirondelle à front blanc (1) ou le Pic flamboyant (2)? Le Busard Saint-Martin, la Paruline à croupion jaune et de nombreux limicoles ont également des taches caractéristiques au croupion.

Lignes et cercles

L'oiseau a-t-il une ligne au-dessus, en travers ou au-dessous de l'oeil? Présente-t-il une combinaison de ces lignes? La calotte est-elle rayée? A-t-il un cercle autour de l'oeil ou des «lunettes»? Une «moustache»? Ces détails sont importants chez beaucoup de passereaux.

Barres alaires

Les ailes portent-elles ou non des barres? Leur présence ou leur absence est importante dans l'identification des parulines, des viréos et des moucherolles. Les barres alaires peuvent être simples ou doubles, nettes ou obscures.

Motifs des ailes

Les motifs des ailes des canards (les trois exemples illustrés), des limicoles et d'autres oiseaux aquatiques sont très importants. Remarquez si les ailes portent une tache (1), ou une bande (2); si elles sont d'une seule couleur (3) ou si leur extrémité est d'un noir contrastant (Oie des neiges, etc.).

Mentions d'oiseaux rares: Il y a cinquante ans, avant l'apparition des guides de terrain, la plupart des ornithologues n'auraient pas accepté la mention d'une espèce rare, à moins qu'elle n'ait été attestée par l'oiseau abattu lui-même. Aujourd'hui, il est difficile d'obtenir un permis de capture à moins d'être ornithologue professionnel ou étudiant en voie de le devenir. En outre, les oiseaux rares peuvent se présenter dans les parcs et les refuges, ou en d'autres endroits où il est interdit d'utiliser une arme à feu. Cependant, il n'y a pas de raison de ne pas se fier à notre sens de l'observation de plus en plus averti.

Pour valider l'observation visuelle d'un oiseau très rare ou exceptionnel — une nouvelle espèce pour la province par exemple — la règle veut qu'au moins deux observateurs compétents aient vu l'oiseau et qu'ils aient des notes détaillées à son sujet. Un appareil-photo de 35 mm équipé d'un téléobjectif de 400 mm est de plus en plus utilisé pour étayer de telles observations. Les espèces rares qui se prennent à l'occasion dans les filets des bagueurs d'oiseaux peuvent être photographiées tenues en main. Un appareil muni d'un objectif de 50 mm convient parfaitement à cette fin, et peut être utilisé avec ou sans éclairage stroboscopique.

Devant des oiseaux de certaines espèces ou en certains plumages, même un expert refusera de se prononcer. C'est d'ailleurs la marque d'un expert que de mettre à l'occasion des points d'interrogation après certains noms d'une liste: Épervier sp.?, *Empidonax* sp.?, bécasseau sp.? jeune Goéland deThayer? N'ayez pas honte de ne pas pouvoir nommer *tous* les oiseaux que vous voyez. Allan Phillips a démontré de façon convaincante dans *American Birds* que presque tous les Bécasseaux semipalmés signalés si abondamment sur la côte sud-est des États-Unis en hiver sont en fait des Bécasseaux d'Alaska. Il est à peu près impossible d'identifier correctement nombre d'individus de ces deux espèces à moins de les avoir en main, ou d'entendre leur cri distinctif.

MORPHOLOGIE DE L'OISEAU

calotte
cercle oculaire
raie médiane
front
sourcil
mandibule supérieure
ligne en travers de l'oeil
mandibule inférieure
joue
menton
nuque (col)
gorge
moustache
dos
poitrine
scapulaires
poignet («épaule»)
rémiges secondaires
croupion
barres alaires
couvertures sus-caudales
côté (flanc)
ventre
rémiges primaires
rectrices externes
couvertures sous-caudales
tarse
poignet
bord d'attaque de l'aile (avant)
couvertures sous-alaires
axillaires
rémiges primaires
rémiges secondaires
bord de fuite de l'aile (arrière)

DESSOUS DE L'AILE

Autres termes employés dans le texte:

Exceptionnel: signalé moins d'une quinzaine de fois dans l'aire du guide: très éloigné de son aire de répartition (cf. pp. 290-301). À l'échelle d'un État ou d'une province, 1 ou 2 mentions; pourrait ne jamais se revoir.
Inusité: très peu de mentions; pourrait se rencontrer à nouveau parce que l'aire de répartition n'est pas très éloignée.

Abréviations:
E : est
N : nord
♀ : femelle
O : ouest
♂ : mâle
S : sud

Am. : Amérique
g. : golfe
l. : lac
☐1 : numéro de la carte de répartition

Les oiseaux

de l'est de l'Amérique du Nord

■ **PLONGEONS: Famille des Gaviidés.** Grands oiseaux nageurs au bec fort et pointu; plongent de la surface ou se laissent couler. Courent sur l'eau à l'envol. Plus lents en vol que la plupart des canards; dos voûté, cou tombant; tel un gouvernail, les grands pieds dépassent la courte queue. Sexes semblables. Voir les grèbes (corps plus court, cou plus mince) et les cormorans (cou plus mince, queue plus longue). **Nourriture:** Petits poissons, crustacés, autres organismes aquatiques. **Aire:** N de l'hémisphère N. **Espèces:** Monde, 4; Est, 4.

PLONGEON HUARD *Gavia immer* (70-90 cm)
(Huart à collier)   Common Loon

Gros et long, nage à demi-submergé; bec fort et pointu. *Été:* Noter le *dos en damier* et le collier blanc incomplet. *Hiver:* Dessus sombre, dessous blanchâtre. Noter le bec *droit et fort.*

Espèces semblables: Voir 1) les autres plongeons; 2) les cormorans.

Voix: L'été, plaintes étrangement modulées, rire hystérique chevrotant; la nuit, un *ha-ou-ou* en trémolo. En vol, un *kwouk* aboyé. En général, les plongeons sont muets l'hiver.

Aire: Alaska, Canada, N des États-Unis, Groenland, Islande. L'hiver, surtout les côtes, jusqu'au N du Mexique, l'O de l'Europe. **Habitat:** Lacs forestiers, étangs de toundra (été); eaux côtières.

PLONGEON À BEC BLANC *Gavia adamsii* (83-95 cm)
(Huart à bec blanc)   Yellow-billed Loon

Semblable au Plongeon huard, mais le bec est *ivoire,* nettement retroussé, droit dessus et angulaire dessous. L'hiver, *tache sombre à l'oreille. Attention:* L'hiver, le bec du Plongeon huard est parfois pâle à la base, mais *l'arête supérieure* est toujours *sombre.*

Aire: Arctique, au N des zones boisées, du N de l'U.R.S.S. au N-O du Canada. Hiverne sur les côtes du Pacifique: N de l'Asie, S-E de l'Alaska, C.-B. Chevauche l'aire du Plongeon huard au N et à l'O de la baie d'Hudson. Exceptionnel sur la côte atlantique. **Habitat:** Lacs de toundra (été), eaux côtières.

PLONGEON CATMARIN *Gavia stellata* (63 cm)
(Huart à gorge rousse)   Red-throated Loon

Le bec effilé, nettement *retroussé,* est caractéristique. *Été:* Noter la tête grise, le dos uniforme, la tache *rousse* à la gorge. *Hiver:* Semblable au Plongeon huard mais plus petit et plus élancé; dos et tête plus pâles, moins contrastés; profil plus sinueux.

Espèces semblables: 1) Plongeon huard; plus gros avec un bec *droit* plus massif. 2) Plongeon du Pacifique; bec mince et *droit.*

Voix: Muet d'habitude. Dans l'Arctique, plaintes discordantes de plus en plus graves; caquetage de canard; *kwouk* répété.

Aire: Arctique, circumpolaire. Hiverne sur les côtes, jusqu'en Méditerranée, en Inde, au N-O du Mexique. **Habitat:** Lacs de toundra (été), baies, estuaires, océan.

PLONGEON DU PACIFIQUE *Gavia pacifica* (65 cm)
(Huart du Pacifique)   Pacific Loon

Plus petit que le Plongeon huard, avec un bec droit et mince. *Été:* Calotte et nuque *gris pâle.* Dos en damier, divisé en quatre zones. *Hiver:* Bec mince, *droit* (non retroussé).

Espèce semblable: Plongeon catmarin, l'hiver; plus pâle, bec relevé.

Voix: *Kwaow* grave et aboyé. Plaintes discordantes de plus en plus aiguës.

Aire: E de la Sibérie; N-O de l'Am. du N. Hiverne sur les deux côtes du Pacifique. **Habitat:** Lacs de toundra (été), océan.

PLONGEONS

bec du
Plongeon huard

hiver

été

PLONGEON HUARD

PLONGEON
À BEC BLANC

été

bec du
Plongeon à bec blanc

bec du
Plongeon catmarin

été

hiver

PLONGEON CATMARIN

bec du
Plongeon du pacifique

été

hiver

PLONGEON DU PACIFIQUE

silhouettes
d'oiseaux semblables
(voir pp. 35 et 41)

grèbe

Plongeon en vol

33

cormoran

■ **GRÈBES: Famille des Podicipédidés.** Plongeurs aux allures de canard, à cou mince, tête petite, doigts lobés et queue peu apparente; ils ont tous (sauf le G. à bec bigarré) une tache blanche à l'aile et un bec pointu. Sexes semblables. Les jeunes ont généralement la tête rayée. Les grèbes peuvent plonger de la surface ou se laisser couler. Courent sur l'eau à l'envol: vol laborieux, cou tombant. **Nourriture:** Petits poissons, crustacés, têtards, insectes. **Aire:** Mondiale. **Espèces:** Monde, 20; Est, 5 (+ 1 exceptionnelle).

GRÈBE ESCLAVON *Podiceps auritus* (30-38 cm) [4]

(Grèbe cornu)   Horned Grebe

Été: Noter la combinaison des *oreillettes,* et du *cou marron. Hiver:* Plumage noir et blanc contrasté. Noter la calotte noire, bien nette, et le bec mince et droit.

Espèce semblable: Dans la Prairie, voir le Grèbe à cou noir.

Voix: En nidification, un trille grinçant; *kirra* strident répété.

Aire: N de l'hémisphère N. Hiverne jusqu'au S des É.-U. et de l'Eurasie.

Habitat: Lacs, étangs, côtes.

GRÈBE À COU NOIR *Podiceps nigricollis* (30-35 cm) [5]

Eared Grebe

Été: Tête noire, *huppée,* plumes dorées à l'oreille, cou *noir (marron chez le Grèbe esclavon). Hiver:* Semblable au Grèbe esclavon; cou plus mince, *gris;* bec un peu plus relevé; calotte floue. Joues grises encadrant la gorge blanche, *tache blanche à l'oreille.*

Voix: Aux étangs où il niche, *pou-îp* ou *krrîîp* rappelant une grenouille.

Aire: Eurasie, Afrique, O de l'Am. du N. **Habitat:** Étangs et lacs de la Prairie; en hiver, baies, océan.

GRÈBE À BEC BIGARRÉ *Podilymbus podiceps* (33 cm) [6]

Pied-billed Grebe

Noter le bec de poule, fort, différent de celui des autres grèbes, et le dessous du croupion blanc et ouateux. Pas de tache blanche à l'aile. *Été:* La *tache noire à la gorge* et le *cercle noir* autour du bec blanchâtre sont caractéristiques. *Hiver:* Plus brun, *sans* tache à la gorge *ni* autour du bec.

Espèces semblables: Les autres grèbes ont le bec pointu et une tache blanche à l'aile.

Voix: Rappelle le coulicou, *couc-couc-cou-cou-cou-cou-coup'-coup'* etc.

Aire: Du S du Can. à l'Argentine. Migrateur dans le N. **Habitat:** Étangs, lacs, marais; en hiver, baie marines.

GRÈBE JOUGRIS *Podiceps grisegena* (45 cm) [7]

Red-necked Grebe

Le plus grand grèbe de l'Est. *Été:* Long cou *roux, joues pâles,* calotte noire. *Hiver:* Grisâtre (cou compris); *croissant blanc* sur le côté de la tête (souvent absent chez les jeunes). En vol, double tache blanche à l'aile.

Voix: *Kik-kik-kik,* etc., rapide; notes plaintives et stridentes.

Aire: Eurasie, N de l'Am. du N. Hiverne jusqu'au N de l'Afrique et au S des États-Unis. **Habitat:** Lacs, étangs; l'hiver, eau salée.

GRÈBE ÉLÉGANT *Aechmophorus occidentalis* (63 CM) [8]

Western Grebe

Grand grèbe ardoisé et blanc, avec un *cou de cygne.* Bec très fin, *jaune pâle.* Les jeunes en duvet sont gris, sans raie

Espèces semblables: Le Grèbe à face blanche *Aechmophorus clarkii, Clark's Grebe),* reconnu comme espèce distincte.

Voix: kirik-kirik-kirik-rik-rik-rik, etc., strident et roulé.

Aire: O de l'Am. du N. Hiverne jusqu'au Mexique. **Habitat:** Mares et lacs

34 bordés de roseaux; en hiver, baies, océan.

GRÈBES

pied lobé
de grèbe

silhouette de
grèbe en vol

GRÈBE ESCLAVON

bec

été

hiver

GRÈBE À COU NOIR

bec

été

hiver

GRÈBE À BEC BIGARRÉ

été

hiver

juvénile

jeune en
duvet

GRÈBE JOUGRIS

été

hiver

jeune

**GRÈBE
À FACE
BLANCHE**

foulque

parade

Gallinule poule-d'eau

autres oiseaux
semblables (voir p. 65)

GRÈBE ÉLÉGANT

35

■ **PINGOUINS, GUILLEMOTS, etc.: Famille des Alcidés.** Oiseaux de
mer noir et blanc, qui ressemblent aux manchots et les remplacent dans
l'hémisphère N. Plongeurs accomplis, ils battent des ailes sous l'eau comme
les manchots et se déplacent dans l'air grâce à des battements d'ailes rapides et
bourdonnants. Ils ont tendance à tourner souvent en vol, et étendent les pieds
pour freiner en se posant. À l'eau, ils se distinguent des canards par leur cou
court et leur bec pointu, trapu, ou aplati latéralement. Sexes semblables. La
plupart des espèces nichent en colonies denses sur des îles rocheuses, où les
individus se tiennent dressés. Oiseaux du large, on les voit rarement en eau
douce; ils descendent à la latitude du N des É.-U. en automne ou en hiver. On
peut les voir de la côte par gros temps. **Nourriture:** Poissons, crustacés,
mollusques, algues. **Aire:** Atlantique N, Pacifique N, océan Arctique.
Espèces: Monde, 22; Est, 6 (+ 2 exceptionnelles et 1 disparue).

PETIT PINGOUIN *Alca torda* (40-45 cm)

9
Razorbill

Taille d'un petit canard. Dessus noir et dessous blanc; caractérisé par une tête
assez massive, un cou épais, un *bec comprimé latéralement,* traversé d'une
ligne blanche au milieu. Sur l'eau, la *queue pointue et dressée* est souvent
caractéristique.
Espèce semblable: Le jeune peut ressembler au Guillemot de Brünnich à
cause de son bec plus petit que celui de l'adulte et dépourvu de ligne blanche.
Ce bec, massif et arrondi, reste pourtant caractéristique du pingouin.
Voix: Faible sifflement roulé; *hé-al* guttural.
Aire: Les deux côtes de l'Atlantique N; niche de l'Arctique au Maine et aux
îles Britanniques. **Habitat:** Niche sur des falaises maritimes; haute mer.

GUILLEMOT DE BRÜNNICH *Uria lomvia* (43-48 cm)

10
Thick-billed Murre

(Marmette de Brünnich)
Ressemble au Guillemot marmette, mais un peu plus gros et plus noir; bec plus
épais avec une *ligne blanchâtre* à la commissure. Noter aussi la pointe plus
aiguë que fait le blanc sur la gorge. L'hiver, le noir de la calotte s'étend *sous
l'œil;* pas de ligne noire sur la joue; la marque blanche au bec est moins
évidente.
Voix: Très semblable à celle du Guillemot marmette.
Aire: Mers froides de l'hémisphère N. **Habitat:** Niche sur des falaises
maritimes; haute mer.

GUILLEMOT MARMETTE *Uria aalge* (40-43 cm)

11
Common Murre

(Marmette de Troïl)
Taille d'un petit canard, avec un bec *effilé. Été:* Tête, dos et ailes brun foncé;
dessous et bordure arrière de l'aile blancs. *Forme «bridée»:* Certains spé-
cimens ont un mince cercle oculaire blanc prolongé par une ligne vers l'arrière.
Hiver: Semblable, mais la gorge et les joues sont blanches. Une *marque noire*
va de l'œil à la joue. Les guillemots s'attroupent sur l'eau et volent en file.
Nichent en colonies très serrées.
Voix: Grognements gutturaux, *ârrr* ou *ârra.*
Aire: N du Pacifique N, Atlantique N. **Habitat:** Niche sur des falaises
maritimes; océan.

ALCIDÉS

jeune

été

PETIT PINGOUIN

hiver

hiver

GUILLEMOT DE BRÜNNICH

été

hiver

GUILLEMOT MARMETTE

forme
«bridée»

été

été

MARMETTE DE BRÜNNICH

été

PETIT PINGOUIN

été

1844

**GRAND
PINGOUIN**
disparu

37

MERGULE NAIN *Alle alle* (19-23 cm)

Dovekie

Le plus petit Alcidé (gros comme un étourneau); il est rondelet et semble dépourvu de cou. Les troupes volent en formation serrée, comme les étourneaux. Le motif contrasté des Alcidés, *noir dessus, blanc dessous,* allié à la *petite taille et au bec très court,* le distinguent à coup sûr. C'est de loin notre plus petit oiseau de mer en hiver.

Espèces semblables: Les jeunes des autres Alcidés sont vraiment plus grands (la taille est trompeuse en mer); tous ont un *bec plus gros.*

Voix: Babillage aigu. Bruyant sur les lieux de nidification.

Aire: Niche sur les côtes du Groenland, dans le N de l'Islande, au Spitsberg, etc. Hiverne en mer jusqu'en Méditerranée, et dans le N-O de l'Atlantique, de la limite de la banquise au New-Jersey, occasionnellement jusqu'en Floride. Exceptionnellement déporté dans l'intérieur des terres par les tempêtes de novembre. **Habitat:** Marin; haute mer.

GUILLEMOT À MIROIR *Cepphus grylle* (30-35 cm)   12

Black Guillemot

Noter la grande *tache blanche (miroir) à l'aile. Été:* Petit oiseau *noir* ressemblant à un canard; miroir *blanc,* pieds rouge vif et bec pointu. L'intérieur du bec est *rouge orangé. Hiver:* Clair, avec le dessous blanc et le dos barré. Ailes noires avec le même miroir blanc qu'en été. *Jeune:* Dessus plus foncé que l'adulte en hiver; le miroir est moucheté et plus sombre.

Espèces semblables: Aucun autre Alcidé de l'Atlantique n'a de miroir blanc (certaines espèces ont l'arrière de l'aile bordé d'un peu de blanc). La Macreuse brune a une tache blanche située à l'arrière de l'aile; elle est bien plus grosse et assez noire en hiver, alors que le Guillemot à miroir est en général blanchâtre.

Voix: *Piiiii* nasal ou sifflé; très aigu.

Aire: Portion atlantique de l'Arctique, au S jusqu'en Nouv.-Angleterre et aux îles Britanniques. **Habitat:** Eaux côtières; niche en petits groupes ou isolément dans des trous ou sous les rochers des îles et des côtes rocheuses. Moins pélagique que les autres Alcidés.

MACAREUX MOINE *Fratercula arctica* (30 cm)   13

Atlantic Puffin

Le *bec triangulaire et coloré* est le trait le plus frappant du petit «perroquet de mer». En l'air, c'est un oiseau trapu, au cou court, à la tête massive, et au vol bourdonnant. Aile sans ligne blanche. *Été:* Dessus noir, dessous blanc, joues *gris pâle;* bec triangulaire, à large bordure *rouge.* Pattes orange vif. *Hiver:* Joues plus grises, bec plus petit et plus jaune; l'oiseau garde son allure caractéristique. *Jeune:* Bec beaucoup plus petit, noirâtre, mais aux deux mandibules nettement courbées. Le profil trapu et les joues grises sont néanmoins caractéristiques.

Espèce semblable: On peut confondre le jeune macareux et le jeune pingouin. Noter les joues grises et le dessous de l'aile tout noir du premier.

Voix: Silencieux d'habitude. Sur les lieux de nidification, un râlement grave, *â-ou* ou *ârr.*

Aire: Atlantique N, du S du Groenland et de l'Islande jusqu'en Nouv.-Angleterre et aux îles Britanniques. **Habitat:** Eaux côtières et haute mer. Niche en colonies dans des terriers ou entre les rochers, dans des îles en mer.

ALCIDÉS

hiver

été

MERGULE NAIN

hiver

été

été

hiver

GUILLEMOT À MIROIR

été

été

jeune

MACAREUX MOINE

hiver

adultes
en été

**GUILLEMOT
À MIROIR**
été

**MERGULE
NAIN**
été

**MACAREUX
MOINE**

39

■ **CORMORANS: Famille des Phalacrocoracidés.** Grands oiseaux aquatiques noirs; se tiennent souvent à la verticale sur des rochers ou des piliers, le cou en «S», les ailes parfois ouvertes. Peau de la face et du menton des adultes parfois vivement colorée, de même que les yeux (souvent verts). Bec mince, crochu à l'extrémité. Sexes semblables. Les troupes volent en file ou en «V» comme les oies (mais en silence). Nagent enfoncés dans l'eau comme les plongeons, mais le bec relevé. **Nourriture:** Poissons, crustacés. **Aire:** Presque mondiale. **Espèces:** Monde, 30; Est, 3.

CORMORAN À AIGRETTES *Phalacrocorax auritus* (83 cm) [14]

Double-crested Cormorant

Voir l'introduction de la famille. Seul cormoran répandu dans l'E de l'Am. du N; présent à la fois sur les côtes et dans l'intérieur.
Voix: Silencieux, sauf pour des grognements dans les colonies de nidification.
Aire: Presque toute l'Am. du N, hiverne jusqu'au Belize. **Habitat:** Côtes, estuaires, lacs, rivières.

GRAND CORMORAN *Phalacrocorax carbo* (93 cm) [15]

Great Cormorant

Plus gros que le C. à aigrettes; noter le bec *plus fort,* la peau du menton *jaune pâle* (et non orangée), bordée de *blanc sur la gorge.* En plumage nuptial, une *tache blanche* orne les flancs. Le jeune a le *ventre plus blanc* que la plupart des jeunes C. à aigrettes (qui ont généralement la poitrine pâle et le ventre foncé).
Aire: Atlantique N, Eurasie, Afrique, Australie, etc. **Habitat:** Niche sur les falaises maritimes; strictement côtier.

CORMORAN VIGUA *Phalacrocorax brasilianus* (63 cm)

(Cormoran olivâtre) Neotropic Cormorant

Semblable au C. à aigrettes, mais plus petit. Noter la peau du menton plus terne (moins orange) et, en été, la bande blanche derrière le menton. De très près, on voit que les plumes du dos et des épaules sont pointues et non arrondies. En plumage nuptial, plumes filamenteuses blanches au cou.
Aire: Du g. du Mexique à l'Argentine. Côte du Texas et S-O de la Louisiane (paroisse de Cameron): s'égare plus à l'E en Louisiane. **Habitat:** Zone intertidale, lacs près de la côte.

■ **ANHINGAS: Famille des Anhingidés.** Les caractères de la famille sont présentés sous la rubrique de l'unique espèce des É.-U. **Nourriture:** Poissons, petits animaux aquatiques. **Aire:** Amérique, Afrique, Inde, Asie du S-E, Australie. **Espèces:** Monde, 4 (ou 1); Est, 1.

ANHINGA D'AMÉRIQUE *Anhinga anhinga* (85 cm) [16]

Anhinga

Ressemble à un cormoran, mais le cou est *plus sinueux,* le bec *plus pointu* et la queue beaucoup *plus longue.* Noter la grande tache *argentée* à l'aile. *Le mâle* a le corps noir; *la femelle* a le cou et la poitrine chamois; *le jeune* est brunâtre. Bat des ailes et plane en alternance, le cou allongé et la longue queue étalée. Tournoie souvent haut comme un rapace. Se perche comme un cormoran, les ailes souvent ouvertes. Peut nager submergé, avec seulement la tête hors de l'eau.
Aire: Du S-E des É.-U. à l'Argentine. **Habitat:** Marais à taxodiers, rizières, rivières, étangs.

CORMORANS

CORMORAN À AIGRETTES

jeune

adulte été

adulte

GRAND CORMORAN

jeune

CORMORAN À AIGRETTES

adulte

GRAND CORMORAN

plumage nuptial

CORMORAN À AIGRETTES

plumage nuptial

CORMORAN VIGUA

plumage nuptial

ANHINGAS

♂

♂

♀

♀

corps immergé

ANHINGA D'AMÉRIQUE

41

■ **CYGNES, OIES, CANARDS: Famille des Anatidés.** Sauvagine; les sous-familles sont traitées séparément. **Aire:** Mondiale. **Espèces:** Monde, 145; Est, 39 (+ 15 exceptionnelles, 1 introduite, 1 disparue).

• **CYGNES: Sous-famille des Cygninés.** Oiseaux nageurs tout blancs; plus grands que les oies, au cou plus long. Les espèces sont teintés de brun. Sexes semblables. Migrent en formation linéaire ou en «V». Peuvent s'immerger la tête, le cou, ou l'avant du corps pour se nourrir. **Nourriture:** Plantes aquatiques, graines.

CYGNE TUBERCULÉ *Cygnus olor* (150 cm)   17
Mute Swan

Cygne gardé en captivité dans les parcs, aujourd'hui naturalisé; en expansion. Plus gracieux que le Cygne siffleur, nage souvent le cou en «S»; ailes arquées. Le *bec orange et tuberculé* pointe vers le bas. Les jeunes sont ternes et leur bec rosâtre est noir à la base. Les ailes «chantent» quand l'oiseau *vole*.
Aire: Eurasie; introduit dans le N-E des É.-U. et ailleurs. **Habitat:** Étangs d'eau douce ou salée; lagunes et baies marines.

CYGNE SIFFLEUR *Cygnus columbianus* (133 cm)   18
Tundra Swan

Envergure d'environ 2 m. C'est le cygne indigène commun en Am. du N. Ses troupes migrent en longues lignes et s'entendent souvent de très loin. Les ailes *toutes blanches* et le cou très long sont caractéristiques des cygnes. Le bec *noir* du C. siffleur a souvent une petite tache jaune à la base. Le jeune est terne, avec le bec rosé.
Espèce semblable: Le Cygne trompette, du N-O, est plus gros et a la voix plus grave. Au Minnesota, des cygnes trompettes captifs ont produit des jeunes qui volent librement.
Voix: Un doux roucoulement aigu: *wou-ho, wou-wou, wou-ho.*
Aire: N de l'hémisphère N. Hiverne sur les côtes E et O aux É.-U. **Habitat:** Toundra (été), lacs, fleuves, baies, estuaires, champs inondés.

• **OIES: Sous-famille des Ansérinés.** Grands oiseaux, au corps plus massif et au cou plus long que les canards; bec épais à la base. Bruyants en vol; certaines espèces volent en file ou en «V». Sexes semblables. Plus terrestres que les canards, broutent au sol (sauf la Bernache cravant). Grégaires. **Nourriture:** Herbes, graines, plantes aquatiques; la Bernache cravant préfère la zostère.

OIE DES NEIGES *Chen caerulescens* (63-95 cm)   19
Snow Goose

(forme blanche) Corps *blanc* et *primaires noires*. Présente souvent des taches rouille à la tête. Bec et pattes roses. Le jeune est gris pâle et a un bec sombre.
Voix: *Whouk* ou *houk* résonnant, nasal et fort, émis en chœur.
Aire: N-E de la Sibérie, Arctique nord-am. Hiverne jusqu'au Japon, au N du Mexique et aux États-Unis du g. du Mex. **Habitat:** Toundra (été), marais, champs de céréales, étangs, baies.

OIE DE ROSS *Chen rossii* (58 cm)
Ross' Goose

Oie des neiges en miniature. Bec nettement plus court, sombre et verruqueux à la base, sans lamelles noires exposées. Les deux espèces s'hybrident.
Aire: N-O du Canada; hiverne en Californie. Confinée dans l'est au N-O de la baie d'Hudson. L'hiver, quelques-unes atteignent le Texas et la Louisiane par la Prairie.

jeune

adulte

CYGNE SIFFLEUR

CYGNE TUBERCULÉ

jeune

adulte

CYGNES, OIES

adulte

adulte

CYGNE TUBERCULÉ

jeune

adulte

CYGNE SIFFLEUR

OIE DE ROSS

jeune

adulte

OIE DES NEIGES
forme blanche

DE ROSS

OIE DES NEIGES

intermédiaire entre
es formes blanche et sombre

forme blanche

DES NEIGES

43

OIE DES NEIGES   *Chen caerulescens*   (63-75 cm) $\boxed{19}$

Snow Goose

(forme sombre) Forme sombre, *à tête blanche*, de l'Oie des neiges; elle s'associe généralement à la forme blanche. Les formes intermédiaires sont fréquentes (voir planche précédente, p. 43).
Espèce semblable: Le jeune est sombre, comme la jeune Oie rieuse, mais son bec et ses pattes sont *foncés;* ailes plus pâles, bleutées.
Aire: Niche dans l'E de l'Arctique nord-am., surtout dans les parties S et E de l'aire de l'Oie des neiges. Migre à travers la Prairie, jusqu'au g. du Mexique. **Habitat:** Le même que l'Oie des neiges «blanche».

OIE RIEUSE   *Anser albifrons*   (75 cm) $\boxed{20}$

Greater White-fronted Goose

Aucune autre oie de l'Est n'a les pattes *jaunes ou orange.* Oie *grise,* à bec *rose,* à *tache blanche autour du bec,* et à *barres noires* irrégulières sur le ventre. La race du Groenland a le bec *jaune. Jeune:* sombre, avec un bec pâle et des pattes jaunes ou orange; n'a pas les autres traits de l'adulte.
Voix: *Kah-lah-a-louk* sonore et aigu, émis en choeur.
Aire: Arctique; circumpolaire; hiverne jusqu'au Mexique, aux États du g. du Mexique, au N de l'Afrique et en Inde. **Habitat:** Marais, steppes, champs, lacs, baies, toundra (été).

BERNACHE DU CANADA   *Branta canadensis*   (63-108 cm) $\boxed{21}$

Canada Goose

L'oie la plus répandue en Amérique du N. Noter la tête et le cou noirs contrastant vivement avec la poitrine pâle et la *mentonnière blanche.* Les troupes voyagent en formations en «V» et annoncent leur approche par des cris. Taille très différente d'une race à l'autre.
Voix: Un aboiement ou criaillement musical et sourd: *ka-rônk* ou *ka-lônnk.*
Aire: De l'Alaska, du Canada et du N des É.-U. au Mexique. **Habitat:** Lacs, étangs, baies, marais, champs.

BERNACHE CRAVANT   *Branta bernicla*   (55-65 cm) $\boxed{22}$

Brant

Petite oie à cou noir, presque de la taille du colvert. Arrière du corps blanc, évident lorsqu'elle bascule, et marque blanche au cou (absente chez les jeunes). Voyage en grandes formations irrégulières.
Espèce semblable: La poitrine de la Bernache du Canada est claire au-dessus de la ligne de flottaison (celle de la B. cravant est noire *jusqu'à l'eau*). La Bernache du Canada a une grande tache blanche à la face. La B. cravant est beaucoup plus côtière.
Voix: *Cr-r-r-rouk* ou *kourr-ônk, krrr-ônk* guttural.
Aire: Littoral arctique du N de l'Eurasie et de l'Am. **Habitat:** Surtout eau salée, estuaires; toundra (été).

BERNACHE NONNETTE   *Branta leucopsis*   (65 cm)

Barnacle Goose

Semblable à la B. cravant (flancs blancs, poitrine noire jusqu'à la ligne de flottaison), mais noter la *tache blanche entourant l'oeil.* Motif en écailles très net sur le dos.
Aire: Niche dans le N-E du Groenland, au Spitsberg et dans le N-O de la Sibérie. **Est:** Visiteur exceptionnel ou inusité sur le littoral N-E de l'Am. du N. Certains oiseaux observés pourraient s'être échappés de captivité.

OIES

jeune

adulte

OIE DES NEIGES
forme sombre

adulte

jeune

adulte

OIE RIEUSE

adulte

race
hutchinsii

race
parvipes

race
canadensis

BERNACHE DU CANADA

**BERNACHE
NONNETTE**

**BERNACHE
CRAVANT**

45

OIES ET CYGNES EN VOL

Beaucoup d'**oies** et de **cygnes** volent en file ou en «V».

	Texte et planche en couleurs
BERNACHE DU CANADA * *Branta canadensis* Poitrine claire, tête et cou noirs, mentonnière blanche.	**pp. 44, 45**
BERNACHE CRAVANT *Branta bernicla* Petite; poitrine noire, tête et cou noirs.	**pp. 44, 45**
OIE RIEUSE *Anser albifrons* *Adulte:* Cou gris, taches noires au ventre. *Jeune:* Sombre, bec clair, pattes claires.	**pp. 44, 45**
OIE DES NEIGES *Chen caerulescens* (forme blanche) *Adulte:* Blanc avec les primaires noires.	**pp. 42, 43**
OIE DES NEIGES *Chen caerulescens* (forme sombre) *Adulte:* Corps sombre, tête blanche. *Jeune:* Sombre; bec et pattes sombres.	**pp. 44, 45**
CYGNE SIFFLEUR *Cygnus columbianus* Très long cou; plumage entièrement blanc.	**pp. 42, 43**

* Les chasseurs appellent la Bernache du Canada «outarde».

OIES, CYGNES

BERNACHE DU CANADA

dessous

dessus

BERNACHE CRAVANT

adulte

jeune

OIE RIEUSE

jeune

OIE DES NEIGES

forme sombre

adulte

OIE DES NEIGES

adulte

OIE DES NEIGES

forme blanche

CYGNE SIFFLEUR

OIE DES NEIGES

forme sombre

47

- **DENDROCYGNES: Sous-famille des Dendrocygninés.**

DENDROCYGNE FAUVE *Dendrocygna bicolor* (45-53 cm)

Fulvous Whistling-Duck

Longues pattes, allure d'oie. Noter le corps *fauve*, le dos sombre et la *ligne pâle sur le côté*. Vole le cou légèrement abaissé et les pattes traînantes, révélant le dessous *noir* des ailes et la *bande blanche* au croupion. **Voix:** Cri sifflé, *ka-whî-ô*. **Aire:** Du S des É.-U. à l'Am. centrale: aussi en Am. du S, Asie du S, Afrique de l'E. Côtes du Texas et de Louisiane. A envahi récemment le S de la côte atlantique; a niché localement de la Flor. à la Car. du N. Inusité (en troupes) au N jusqu'en Nouv.-Angleterre et Maritimes. **Habitat:** Marais, surtout côtiers.

- **CANARDS BARBOTEURS: Sous-famille des Anatinés.** Barbotent dans les ruisseaux et les étangs; se nourrissent à la surface de l'eau, sous l'eau en s'immergeant l'avant du corps, et parfois au sol. S'envolent directement à la verticale. La plupart des espèces ont un miroir iridescent sur l'arrière de l'aile. Sexes dissemblables; tard en été, les mâles prennent un plumage terne, dit d'«éclipse». **Nourriture:** Plantes aquatiques, graines, herbes, petits organismes aquatiques, insectes.

CANARD NOIR *Anas rubripes* (53-63 cm) | 23 |

American Black Duck

En vol, le Canard noir est *très sombre*, à l'exception du *blanc éclatant sous les ailes*. Brun sombre, tête plus pâle et, à l'aile, miroir d'un violet métallique; pattes rouges ou brunes. Sexes semblables. **Voix:** Le mâle a un croassement grave: la femelle cancane comme un colvert de basse-cour. **Aire:** N-E de l'Am. du N. Hiverne jusqu'au g. du Mexique. **Habitat:** Marais, étangs, rivières, lacs, estuaires, baies.

CANARD BRUN *Anas fulvigula* (50 cm) | 24 |

Mottled Duck

Version brun pâle ou fauve du Canard noir. Tête fauve, *gorge chamois, sans rayure* et bec jaune sans marque. **Aire:** De la Floride à la côte du Texas. **Habitat:** Marais.

CANARD CHIPEAU *Anas strepera* (48-58 cm) | 25 |

Gadwall

Mâle: Gris à croupion noir, avec un *miroir blanc* à l'arrière de l'aile et une tache roux terne à l'avant. À la nage, les taches de l'aile peuvent être cachées; noter alors l'arrière du corps noir. Ventre blanc, pattes jaunes, bec sombre. *Femelle:* Brun moucheté; *miroir blanc*, pattes jaunes, du jaune au bec. **Voix:** Le mâle émet un *bik* grave et un cri sifflé. La femelle cancane fort. **Aire:** N de l'Am. du N et de l'Eurasie. Hiverne jusqu'au Mexique, en Afrique et en Inde. **Habitat:** Lacs, étangs, marais.

CANARD COLVERT *Anas platyrhynchos* (50-70 cm) | 26 |

Mallard

Mâle: La *tête d'un vert luisant*, sans huppe, et le *collier blanc* le caractérisent. Grisâtre, avec la poitrine marron et la queue blanche; bec jaunâtre, pattes orange, miroir bleu. *Femelle:* Brun moucheté; *queue blanchâtre*. Taches orange au bec, pattes orange. En vol, barre blanche *de chaque côté* du miroir bleu. **Voix:** Mâle, un *yîb kouèk* grave; la femelle cancane fort. **Aire:** N de l'hémisphère N. Hiverne jusqu'au Mexique, en Afrique du N, en Inde. **Habitat:** Marais, marécages boisés, champs de céréales, étangs, rivières, lacs, baies.

DENDROCYGNES et CANARDS BARBOTEURS

DENDROCYGNE FAUVE
sexes semblables

CANARD BRUN

♂

♂

♀

CANARD NOIR

Les barboteurs s'immergent l'avant du corps.

♂

♀

CANARD CHIPEAU

Les barboteurs s'envolent de l'eau presque verticalement

♀

♂

CANARD COLVERT

49

CANARD PILET *Anas acuta* (65-75 cm) ⬜ 27

Mâle: Canard élancé, à cou effilé, poitrine blanche et longue *queue pointue.*
Une *pointe blanche* très visible monte sur le côté de la tête. *Femelle:* Brun
moucheté; noter la queue assez pointue, le cou effilé, le bec gris. En vol,
bordure claire à l'arrière du miroir brun.
Espèces semblables: Voir 1) Le C. colvert femelle; 2) le C d'Amérique
femelle: 3) le C. chipeau femelle. Voir aussi 4) le Harelde kakawi (qui n'est
pas un canard barboteur).
Voix: Le mâle siffle sur deux notes, *prrip, prrip,* et râle comme une sarcelle.
La femelle émet un *couac* grave.
Aire: N de l'hémisphère N. Hiverne jusqu'au N de l'Am. du S, en Afrique et
en Inde. **Habitat:** Marais, steppes, étangs, lacs, eau salée.

CANARD D'AMÉRIQUE *Anas americana* (48-58 cm) ⬜ 28

(Canard siffleur d'Amérique)

En vol, le C. d'Amérique se reconnaît à la *large plaque blanche sur l'avant de
l'aile.* (La plaque bleue de l'avant de l'aile du C. souchet ou de la Sarcelle à
ailes bleues peut paraître blanchâtre). Flotte haut sur l'eau, picorant à la surface
comme une foulque. Broute souvent au sol. *Mâle:* Brunâtre, *éclatante couronne blanche;* tête grise, avec une tache vert foncé. *Femelle:* Brune, avec la
tête et le cou gris; ventre et avant de l'aile blanchâtres.
Espèces semblables: La femelle est facile à confondre avec celles 1) du C.
chipeau, et 2) du C. pilet; retenir la plaque blanchâtre sur l'avant de l'aile, le
bec bleuté et la tête grise contrastante. 3) Voir le C. sifleur.
Voix: Mâle, *whî whî whîou* sifflé; femelle, *coua-ac.*
Aire: Alaska, O du Canada, N des É.-U. Hiverne jusqu'en Am. centrale et aux
Antilles. **Habitat:** Marais, lacs, baies, champs.

CANARD SIFFLEUR *Anas penelope* (45-50 cm)

(Canard siffleur d'Europe)

Mâle: Tête *rouille,* calotte chamois. Canard siffleur *gris,* avec une poitrine
vieux rose. *Femelle:* Très semblable au C. d'Amérique femelle, mais la tête est
teintée de rouille (non de gris). En main, les axillaires, ou «aisselles» sombres
(et non blanches) sont le critère le plus sûr.
Espèces semblables: Voir 1) le C. d'Amérique; 2) le Fuligule à tête rouge.
Voix: Mâle, un sifflement, *whî-ou;* femelle, *peurrr* ou *couac.*
Aire: Niche en Eurasie et en Islande. Dans l'est, visiteur rare, qu'on voit
surtout près des côtes en automne et en hiver, et dans l'intérieur au printemps.

CANARD BRANCHU *Aix sponsa* (43-51 cm) ⬜ 29

Vivement coloré; se perche souvent dans les arbres. En vol, le ventre blanc
contraste avec la poitrine et les ailes sombres. Noter aussi la longue queue
carrée et sombre, le cou court, et l'angle avec lequel le bec pointe vers le bas.
Mâle: L'étrange motif facial, la huppe tombante et le plumage irisé le
distinguent à coup sûr. *Femelle:* Couleurs ternes; noter la tête sombre et
huppée ainsi que la *tache blanche à l'œil.*
Voix: Mâle, *whou-îk* inquiet et fort, *djiii* de pinson, montant; femelle, *crrik,
crrik.*
Aire: S du Canada, N-O et E des É.-U., Cuba. Hiverne jusqu'au Mexique et à
Cuba. **Habitat:** Marais boisés, rivières, étangs.

CANARDS BARBOTEURS

♀

♂

CANARD PILET

♀

♂

CANARD D'AMÉRIQUE

♀

♂

CANARD SIFFLEUR

♀

♂ en «éclipse» (automne)

♂

CANARD BRANCHU

PROFILS DE CANARDS, AU SOL

| canards barboteurs | canards plongeurs | harles (plongeurs) | Erismature rousse (plongeur) | dendrocygnes (barboteurs) |

CANARD SOUCHET *Anas clypeata* (43-50 cm)

Northern Shoveler

Noter le *bec en cuillère*. Petit canard; en vol, à cause du long bec, les ailes semblent placées loin en arrière. Nage enfoncé, le bec pointant vers l'eau. *Mâle:* Beaucoup de noir et de blanc; ventre et flancs roux; plaque bleu pâle à l'avant de l'aile; pattes orange. *Femelle:* Brune, gros bec, plaque bleue à l'aile; pattes orange.

Voix: Mâle, *touk, touk, touk* grave; femelle, faible *couac*.

Aire: Répandu dans l'hémisphère N. Hiverne jusqu'en Am. centrale et en Afrique. **Habitat:** Marais d'eau douce, étangs, baies marines aussi l'hiver.

SARCELLE À AILES BLEUES *Anas discors* (38-40 cm)

Blue-winged Teal

Canard barboteur «demi-portion». *Mâle:* Noter le *croissant facial blanc* et la grande plaque *bleu pastel à l'avant de l'aile*. Le mâle garde son plumage d'éclipse tard en saison et peut alors ressembler à la femelle. *Femelle:* Brune, tachetée; plaque bleue à l'avant de l'aile.

Espèces semblables: Voir 1) Sarcelle d'hiver; 2) Canard souchet

Voix: Mâle, piaille, femelle, faible *couac*.

Aire: Du Canada au S des É.-U. Hiverne jusqu'en Am. du S. **Habitat:** Étangs d'eau douce, marais.

SARCELLE D'HIVER *Anas crecca carolinensis* (35 cm)

Green-winged Teal

(Population américaine: «Sarcelle à ailes vertes») En vol, les sarcelles se reconnaissent à leur petite taille et leurs troupes serrées. Si elles n'ont pas de tache claire à l'aile, ce sont des S. d'hiver (le miroir est *vert foncé et irisé*). *Mâle:* Petit canard trapu, gris, à la tête brune (au soleil, on voit la tache verte). À l'eau, *ligne verticale blanche* devant l'aile. *Femelle:* Tout petit canard tacheté, à miroir vert.

Espèces semblables: La S. à ailes bleues (mâle ou femelle) a une plaque bleu pâle à l'aile. En vol, la S. à ailes bleues mâle a le ventre sombre; la S. à ailes vertes, le ventre blanc. La S. à ailes bleues femelle est plus grosse et a le bec plus long.

Voix: Mâle, sifflement court, cri plaintif de rainette; femelle, *couac* net.

Aire: N de l'Am. du N. Hiverne jusqu'en Am. centrale et aux Antilles. **Habitat:** Marais, rivières, baies.

SARCELLE D'HIVER *Anas crecca crecca* (33-39 cm) Teal

(Population eurasiatique) *Mâle:* Noter la ligne blanche longitudinale sur les scapulaires. *Femelle:* Impossible à distinguer de la S. d'hiver femelle.

Aire: Islande, N de l'Europe, Asie, Aléoutiennes. Visiteur rare sur la côte atlantique de l'Am. du N, dans les étangs ou sur le littoral.

SARCELLE CANNELLE *Anas cyanoptera* (38-43 cm) Cinnamon Teal

Mâle: Petit canard *marron foncé* ayant une grande plaque bleu pastel sur l'avant de l'aile. En vol, ressemble à la Sarcelle à ailes bleues. *Femelle:* Très semblable à la S. à ailes bleues femelle.

Aire: S-O du Canada, O des É.-U., Mexique: Am. du S, Atteint parfois la Prairie; exceptionnelle sur la côte atlantique.

CANARD MUSQUÉ *Cairina moschata* (♂: 80 cm; ♀: 63 cm) Muscovy Duck

Originaire d'Amérique tropicale (du Mexique à l'Argentine). Canard noir, lourdaud, ayant l'allure d'une oie et une grande tache blanche dessus et dessous l'aile. *Mâle:* Face nue, rouge et verruqueuse. *Femelle:* Plus terne, parfois sans excroissances faciales. Le Canard musqué domestique (C. de Barbarie) peut être blanc, noir, ou tacheté. Les oiseaux échappés de captivité redeviennent souvent plus ou moins sauvages.

CANARDS BARBOTEURS

♂ CANARD SOUCHET ♀

SARCELLE À AILES BLEUES ♂ ♀

SARCELLE D'HIVER ♂ ♀

SARCELLE D'HIVER ♂

SARCELLE CANNELLE ♂

forme ancestrale

variété domestique

CANARD MUSQUÉ
(s'échappe souvent de captivité)

53

- **CANARDS PLONGEURS: Sous-famille des Aythyinés.** Ces canards vivent en mer, dans les estuaires, sur les fleuves et les grands plans d'eau, mais plusieurs espèces nichent dans les marais. Tous plongent (ce que les canards barboteurs font rarement) et courent sur l'eau à l'envol. Les pattes sont placées loin à l'arrière. Le doigt arrière possède un lobe palmé, absent chez les barboteurs. Sexes dissemblables. **Nourriture:** Petits animaux et plantes aquatiques. Les espèces marines mangent des mollusques et des crustacés.

MACREUSE BRUNE *Melanitta fusca* (53 cm)   33
(Macreuse à ailes blanches)   White-winged Scoter

Les macreuses sont de gros canards plutôt noirâtres, présents sur toute la côte; ils volent en files. La M. brune est la plus grosse des 3 espèces. Sur l'eau, la tache blanche de l'aile est souvent cachée (attendre que l'oiseau batte de l'aile ou s'envole). *Mâle:* Noir, avec une virgule blanche près de l'œil; bec orange, avec une excroissance noire à la base. *Femelle:* fuligineuse, avec une tache blanche à l'aile et 2 marques faciales pâles (parfois obscurcies; plus prononcées chez le jeune).

Espèces semblables: Voir 1) la Macreuse à front blanc et 2) la Macreuse noire.

Voix: En vol, série de 6 à 8 tintements de cloche graves (Kortright), attribués aux ailes.

Aire: N de l'hémisphère N. Hiverne sur les 2 côtes aux É.-U. **Habitat:** Grands plans d'eau, estuaires, eau salée.

MACREUSE À FRONT BLANC *Melanitta perspicillata* (48 cm)   34
Surf Scoter

Mâle: Noir, avec 1 ou *2 plaques blanches* sur la calotte et la nuque. Bec orange, noir et blanc. *Femelle:* Brun sombre; *2 taches claires* sur le côté de la tête (parfois obscurcies; plus évidentes chez le jeune).

Espèce semblable: La M. brune femelle a un motif semblable à la tête, mais elle a une tache blanche à l'aile visible surtout quand elle bat de l'aile.

Voix: Silencieuse en général. Croassement grave; grognements.

Aire: Alaska, N du Canada. Hiverne jusqu'au S des É.-U. (sur les 2 côtes).

Habitat: Ressac, estuaires, grands plans d'eau; l'été, lacs de l'Arctique, toundra.

MACREUSE NOIRE *Melanitta nigra* (46 cm)   35
(Macreuse à bec jaune)   Black Scoter

Mâle: Plumage entièrement noir. L'excroissance jaune-orange vif du bec est caractéristique. En vol, les deux tons sous l'aile sont plus nets que chez les autres macreuses. *Femelle:* Très sombre; *joues claires* contrastant avec la *calotte sombre*.

Espèces semblables: 1) La foulque est noirâtre, mais elle a le bec blanc et une tache blanche sous la queue. 2) Certaines jeunes Macreuses à front blanc mâles, sans tache à la tête, paraissent toutes noires; chercher alors le rond noir à la base du bec. 3) Les femelles et les jeunes des 2 autres espèces de macreuses ont des taches claires sur le côté de la tête. 4) La Macreuse noire femelle peut ressembler à l'Érismature rousse l'hiver (p. 60). **Voix:** Mâle, roucoulement mélodieux; femelle, grognements.

Aire: Alaska, N-E du Canada, Islande, N de l'Eurasie. Hiverne jusqu'au S des É.-U., en Méditerranée. **Habitat:** Côtes, toundra côtière (l'été).

Les macreuses volent en troupes de file ou en «V».

MACREUSES (plongeurs)

M. brune

M. à front blanc

M. noire

jeune

♂

♀

MACREUSE BRUNE

♂

♀

jeune

MACREUSE À FRONT BLANC

en médaillon: **CANARD DU LABRADOR**

1878

disparu

♂

♂

♀

MACREUSE NOIRE

Les canards plongeurs se tiennent en groupes sur l'eau et courent à la surface pour s'envoler.

HARELDE KAKAWI *Clangula hyemalis* (♂ : 53 cm; ♀ : 40 cm) $\boxed{36}$
(Canard kakawi)   Oldsquaw
   Le seul canard marin ayant à la fois beaucoup de *blanc sur le corps et des ailes uniformément sombres*. Vole en troupes irrégulières et compactes. *Mâle en hiver:* Longue queue pointue, motif noir et blanc, poitrine sombre. *Femelle en hiver:* Ailes sombres, face blanche, tache sombre à la joue. *Mâle en été:* Sombre, avec les flancs et le ventre blancs. Noter la tache blanche à l'œil. *Femelle en été:* Semblable mais plus foncée.
   Voix: Bavard; un *ah-ah-wè* musical.
   Aire: Arctique, circumpolaire. Atteint en hiver le S des É.-U., l'Europe centrale, l'Asie centrale. **Habitat:** Mer, grands plans d'eau; l'été, étangs et lacs de toundra.

ARLEQUIN PLONGEUR *Histrionicus histrionicus* (45 cm) $\boxed{37}$
(Canard arlequin)   Harlequin Duck
   Sombre et bariolé. *Mâle:* Petit canard ardoisé ayant les flancs marron et de curieuses taches blanches. En vol, il a la silhouette ramassée du garrot, mais apparaît uniformément sombre. *Femelle:* Obscure, avec 3 ronds blancs sur le côté de la tête; pas de tache à l'aile.
   Espèces semblables: 1) Le Petit Garrot femelle a une tache blanche à l'aile, et une seule marque faciale. 2) Voir les macreuses femelles (plus grosses, au bec plus gros).
   Voix: Mâle, grincement, aussi, *gwa gwa gwa;* femelle, *îk-îk-îk-îk.*
   Aire: N-E de l'Asie, Alaska, Canada, O des É.-U., Groenland, Islande.
   Habitat: Torrents de montagne (été); côtes rocheuses (hiver).

EIDER À TÊTE GRISE *Somateria spectabilis* (53-60 cm) $\boxed{38}$
                                                                              King Eider
   Mâle: Canard marin trapu; sur l'eau, l'avant apparaît blanc et l'arrière noir, un peu comme chez le Goéland marin. Noter le *tubercule orange du bec*. Les ailes ont de grandes plaques blanches. *Femelle:* Trapue; d'un brun riche, fortement barrée. Noter le profil facial (illustré). *Jeune mâle:* Sombre, avec poitrine claire et tête brun foncé.
   Espèce semblable: 1) L'Eider à duvet mâle a le dos *blanc*. 2) L'Eider à duvet femelle a le front fuyant, un lobe frontal plus long et plus plat.
   Voix: Mâle en pariade, murmures graves; femelle, croassements.
   Aire: Régions arctiques, hémisphère N. **Habitat:** Côtes, océan.

EIDER À DUVET *Somateria mollissima* (58-68 cm) $\boxed{39}$
                                                                           Common Eider
   Se tient près des hauts-fonds, en mer. Gros canard, au cou assez fort. Vol lent et bas, les oiseaux généralement en file. *Mâle:* Notre seul canard au *ventre noir et au dos blanc*. Avant de l'aile blanc; tête blanche, à calotte noire et nuque verdâtre. *Femelle:* Grosse, brune, *très barrée;* front fuyant. *Jeune mâle:* D'abord brun grisâtre, puis sombre avec un collier blanc; la tête ou la poitrine peuvent devenir brun chocolat; le blanc apparaît irrégulièrement.
   Espèces semblables: 1) L'Eider à tête grise mâle a le dos *noir:* la femelle a un profil facial différent, tel qu'illustré. 2) Les macreuses femelles sont plus foncées et n'ont pas le dos barré des eiders femelles.
   Voix: Mâle, *aw-ouu-ouur* plaintif; femelle, *kor-r-r* guttural.
   Aire: N de l'hémisphère N. **Habitat:** Côtes rocheuses, hauts-fonds; l'été, également îles et toundra.

CANARDS MARINS
(plongeurs)

♂ été ♂ hiver ♀ été ♀ hiver

HARELDE KAKAWI

HARLEQUIN PLONGEUR

♂ jeune ♂ ♀

bec de l'Eider à tête grise ♀

EIDER À TÊTE GRISE

♂ jeune ♂ ♀

bec de l'Eider à duvet ♀

EIDER À DUVET

Eider à tête grise

Eider à duvet

Les eiders s'assemblent en grandes troupes sur l'eau.

57

FULIGULE À DOS BLANC *Aythya valisineria* (50-60 cm)   40
(Morillon à dos blanc)   Canvasback
  Noter *le front fuyant* (chez les deux sexes). Les troupes voyagent en files ou en
  «V». *Mâle:* Semble très blanc, sauf pour la tête et le cou *marron,* la poitrine
  noire, et le long bec *noirâtre. Femelle:* Grisâtre, la tête et le cou présentant une
  faible teinte rouille.
  Voix: Mâle, croassement grave, grognements; femelle, *couac.*
  Aire: Alaska, O du Canada, N-O des É.-U. Hiverne jusqu'au Mexique, aux
  côtes de l'Atlantique et du g. du Mexique. **Habitat:** Marais d'eau douce (été),
  lacs, estuaires, eau salée.

FULIGULE À TÊTE ROUGE *Aythya americana* (45-58 cm)   41
(Morillon à tête rouge)   Redhead
  Mâle: Gris, avec la poitrine noire et la *tête rousse, arrondie;* bec bleuté, à bout
  noir. *Femelle:* Brunâtre; noter la *tache claire diffuse* près du bec. Les deux
  sexes ont une bande *grise* à l'aile.
  Espèces semblables: 1) Le Fuligule à dos blanc mâle est beaucoup plus
  blanc, a le front fuyant et le bec noir. 2) Voir le Fuligule à collier femelle.
  Voix: Mâle, miaulement rauque, ronronnement; femelle, *scouac.*
  Aire: O du Canada, O et centre-N des É.-U. Hiverne jusqu'au Mexique et aux
  Antilles. **Habitat:** Marais d'eau douce (été), lacs, estuaires, eau salée.

FULIGULE À COLLIER *Aythya collaris* (38-45 cm)   42
(Morillon à collier)   Ring-necked Duck
  Mâle: Fuligule à *dos noir.* Noter la *marque verticale blanche* devant l'aile; bec
  à anneau blanc. En vol, large bande *grise* (et non blanche) à l'aile. *Femelle:*
  Silhouette de Petit Fuligule femelle, mais marque faciale claire *indistincte,* œil
  sombre cerclé de blanc, et *anneau au bec.* La bande alaire est *grise.*
  Espèce semblable: Le Fuligule morillon *(A. fuligula)* est exceptionnel dans
  l'E des É.-U.: le mâle a une mince *huppe, des flancs blancs et une bande alaire
  blanche* (voir p. 296).
  Aire: Canada, N des É.-U. Hiverne jusqu'au Panama. **Habitat:** Lacs
  forestiers, étangs; l'hiver, également rivières et eau salée.

PETIT FULIGULE *Aythya affinis* (38-45 cm)   43
(Petit Morillon)   Lesser Scaup
  Le Fuligule milouinan et le Petit Fuligule sont nos seuls canards dont l'arrière
  de l'aile présente une large bande blanche. *Mâle:* Sur l'eau, blanc au centre et
  noir aux deux bouts. Bec *bleuté:* tête à reflets *violacés.* Flancs et dos finement
  barrés. *Femelle:* Brun foncé, avec un masque blanc net près du bec.
  Espèce semblable: Voir le Fuligule milouinan.
  Voix: *Couac* ou *scôp* sonore, ronronnements; mâle, *sifflement grave.*
  Aire: Alaska, O du Canada. Hiverne jusqu'au N de l'Am. du S. **Habitat:**
  Étangs marécageux (été), lacs, estuaires, eau salée.

FULIGULE MILOUINAN *Aythya marila* (40-50 cm)   44
(Grand Morillon)   Greater Scaup
  Très semblable au Petit Fuligule, mais le mâle est plus blanc; tête moins
  huppée, plus aplatie, avec des reflets *verdâtres* plutôt que *violacés. Plus gros
  onglet noir au bec* (visible seulement de près). La *bande alaire du Fuligule
  milouinan est plus longue* et s'étend aux primaires.
  Aire: Alaska, Canada, N de l'Eurasie. Atteint en hiver le Mexique, la
  Méditerranée, l'Inde. **Habitat:** Lacs, rivières, estuaires, eau salée, étangs de
  toundra (été).

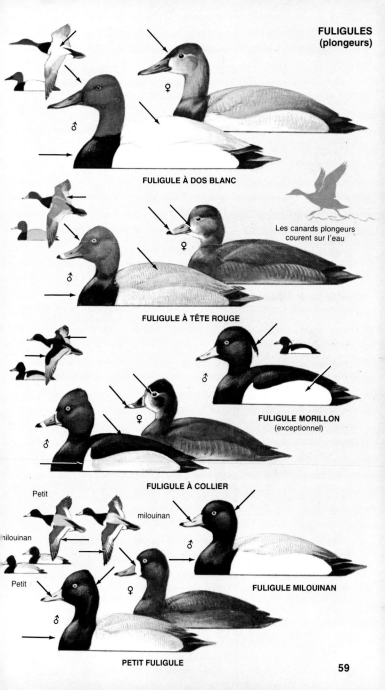

FULIGULES
(plongeurs)

♀

♂

FULIGULE À DOS BLANC

Les canards plongeurs
courent sur l'eau

♀

♂

FULIGULE À TÊTE ROUGE

♂

FULIGULE MORILLON
(exceptionnel)

♂

♀

FULIGULE À COLLIER

Petit

milouinan

milouinan

Petit

♂

♂

FULIGULE MILOUINAN

♀

♂

PETIT FULIGULE

59

GARROT À ŒIL D'OR *Bucephala clangula* (50 cm) 45
Common Goldeneye

Mâle: Gros *rond blanc* devant l'œil. Apparaît blanc, sauf pour le dos noir et la tête ronde à reflets verts (noire à distance). En vol, cou court; les ailes produisent un sifflement et arborent une grande plaque blanche. *Femelle:* Grise, avec un collier blanc et une tête brun foncé; l'aile porte un carré blanc (visible même sur l'aile fermée).

Espèces semblables: Voir 1) Le Garrot d'Islar de; 2) les fuligules (poitrine noire chez les mâles); 3) le Grand Harle mâle (profil long et bas).

Voix: Le mâle en pariade émet deux notes nasales rappelant le *pî-ik* de l'Engoulevent d'Amérique; femelle, *couac* sonore.

Aire: N de l'hémisphère N. Hiverne jusqu'au g. du Mexique et au S de l'Eurasie. **Habitat:** Lacs forestiers, cours d'eau; l'hiver, également estuaires, côtes.

GARROT D'ISLANDE *Bucephala islandica* (53 cm) 46
(Garrot de Barrow)   Barrow's Goldeneye

Mâle: Noter le *croissant blanc* devant l'œil. Semblable au Garrot à œil d'or, mais plus noir sur le dessus: tête à reflets *violets* (et non verts); nuque plus «gonflée». *Femelle:* Très semblable au G. à œil d'or femelle; bec plus court et épais, front plus abrupt. Au printemps, le bec peut devenir tout *jaune* (souvent un bon critère).

Voix: Mâle en pariade, miaulement; femelle, *couac* rauque.

Aire: Alaska, Canada, N-O des É.-U., S-O du Groenland, Islande. **Habitat:** Lacs forestiers, étangs de castor; l'hiver, côtes et, occasionnellement, rivières.

PETIT GARROT *Bucephala albeola* (33-38 cm) 47
Bufflehead

Petit canard. *Mâle:* Surtout blanc, avec le dos noir; tête ronde à *gros bonnet blanc.* En vol, grande plaque blanche à l'aile. *Femelle:* Sombre et trapue; *tache blanche à la joue,* petit bec, tache blanche à l'aile.

Espèces semblables: 1) Voir le Harle couronné (bec pointu). 2) Voir l'Érismature rousse en hiver.

Voix: Mâle, note roulée et rauque; femelle, *couac* sonore.

Aire: Alaska, Canada. Hiverne jusqu'au Mexique et à la côte du g. du Mexique. **Habitat:** Lacs, étangs, rivières; l'hiver, eau salée.

• **ÉRISMATURES: Sous-famille des Oxyurinés.** Canards petits et ramassés, incapables de marcher; queue rigide à 18 ou 20 plumes. Sexes dissemblables; **Nourriture:** Insectes, organismes et plantes aquatiques.

ÉRISMATURE ROUSSE *Oxyura jamaicensis* (38-40 cm) 48
(Canard roux)   Ruddy Duck

Petit, rondelet; noter *la joue blanche,* la calotte foncée. Queue souvent dressée à la verticale. Vol bourdonnant. Incapable de marcher. *Mâle en été:* Roux, joue blanche, calotte noire, gros bec bleu. *Mâle en hiver:* Gris; *joue blanche,* bec gris ou bleu terne. *Femelle:* Semblable au mâle en hiver, mais la joue est traversée d'une ligne sombre.

Espèce semblable: Voir l'Érismature routoutou (Espèces exceptionnelles p. 299).

Voix: Mâle en pariade, *tchik-ik-ik-ik-k-k-k-kwrrr.*

Aire: Du Canada au N de l'Am. du S (par endroits). **Habitat:** Marais d'eau douce, étangs, lacs; en hiver, baies marines.

GARROTS, ÉRISMATURE ROUSSE
(plongeurs)

♂
♀
GARROT À ŒIL D'OR

♀ été
♀ hiver
♂
GARROT D'ISLANDE

♂
♀
PETIT GARROT

♂ été
♂ hiver
♀
ÉRISMATURE ROUSSE

- **HARLES: Sous-famille des Merginés.** Canards piscivores plongeurs au bec pointu et aux mandibules à dents de scie. La plupart des espèces ont une huppe et un corps long et fuyant. En vol, le bec, la tête, le cou et le corps sont sur un axe horizontal. Sexes dissemblables. **Nourriture:** Petits poissons surtout.

GRAND HARLE *Mergus merganser* (55-68 cm) 49
(Grand Bec-scie)   Common Merganser

Mâle: Long corps blanchâtre, dos noir, tête vert bouteille. Bec et pattes rouges; poitrine teintée de saumon pâle. *Femelle:* Grise, avec la tête rousse et huppée, la poitrine blanche et un grand carré blanc à l'aile. Bec et pattes rouges. Ces harles volent en file en suivant les méandres des cours d'eau. La blancheur du mâle et le profil de harle (bec, cou, tête et corps à l'horizontale) caractérisent l'espèce.

Espèces semblables: 1) Voir le Harle huppé femelle. 2) Les garrots mâles, plus trapus, ont une tache faciale blanche, un cou plus court et une tête ronde. 3) La tête rousse des harles femelles rappelle celle des Fuligules à dos blanc et à tête rouge mâles, mais ceux-ci ont la poitrine noire et n'ont pas de huppe.

Voix: Mâle, croassements graves, détachés; femelle, *karrr* guttural.

Aire: N de l'hémisphère N. Hiverne jusqu'au Mexique, en Afrique du N, en Chine du S. **Habitat:** Lacs forestiers, étangs, rivières; l'hiver, lacs, rivières, rarement en eau salée.

HARLE HUPPÉ *Mergus serrator* (50-65 cm) 50
(Bec-scie à poitrine rousse)   Red-breasted Merganser

Mâle: Cou fin; tête noire, à reflets verts et à *huppe bien nette;* poitrine rousse à la ligne de flottaison, séparée de la tête par un *large collier blanc;* bec et pattes rouges. *Femelle:* Grise; tête rousse et huppée, grande tache blanche à l'aile, bec et pattes rouges.

Espèce semblable: Le Grand Harle mâle est plus blanc, sans collier ni bande pectorale; il n'a pas de huppe. Chez le Grand Harle femelle, le blanc du menton et de la poitrine *se détache nettement* (chez le Harle huppé, le roux de la tête est plus pâle et *dégradé* sur la gorge et le cou).

Voix: Généralement silencieux. Croassement rauque; femelle, *karrr.*

Aire: N de l'hémisphère N. Hiverne jusqu'au Mexique et au g. du Mex., en Afrique du N, en Chine du S. **Habitat:** Lacs; en hiver, estuaires, mer.

HARLE COURONNÉ *Lophodytes cucullatus* (40-48 cm) 51
(Bec-scie couronné)   Hooded Merganser

Mâle: Noter la *huppe blanche* qui s'ouvre parfois en *éventail.* Poitrine blanche, avec deux barres de chaque côté. Tache blanche à l'aile; flancs bruns. *Femelle:* Bec pointu et profil de harle; la petite taille, la *couleur sombre de tout le corps (bec et poitrine compris)* caractérisent l'espèce. Noter la *huppe rousse* et lâche.

Espèces semblables: 1) Le Petit Garrot mâle: plus trapu, flancs *blancs.* Voir aussi le Petit Garrot femelle. 2) Les autres harles femelles sont plus gros, *plus gris,* ils ont la tête rousse et le bec rouge. 3) En vol, la tache blanche à l'aile et le profil distinguent la femelle de celle du Canard branchu.

Voix: Grognements ou croassements graves.

Aire: S-E de l'Alaska, Canada, N des É.-U. Hiverne jusqu'au N du Mexique et au g. du Mex. **Habitat:** Lacs forestiers, étangs, rivières.

HARLES
(plongeurs)

En vol, les harles ont le bec, la tête, le corps et la queue sur le même axe horizontal.

mandibules
caractéristiques
du harle

♀

♂

GRAND HARLE

♂

♀

HARLE HUPPÉ

♂ huppe levée

huppe baissée

♀

en «éclipse»

HARLE COURONNÉ

Grand Harle

Harle huppé

Harle couronné

63

■ **NAGEURS RESSEMBLANT AUX CANARDS** (FOULQUES, GALLI-
NULES): **Famille des Rallidés** (en partie). Les foulques et les gallinules
appartiennent à la famille des râles (voir p. 112). Les râles ressemblent aux
poules, sont furtifs et parcourent les marais sur leurs longues pattes, tandis que
les foulques et les gallinules ressemblent superficiellement aux canards, sauf
pour leur tête plus petite, leur plaque frontale et leur bec de poule. Elles sont le
plus souvent à la nage, mais vont également se nourrir sur les rives des étangs
et dans l'herbe.

FOULQUE D'AMÉRIQUE   *Fulica americana*   (33-40 cm)   52

American Coot

Oiseau ardoisé, à allure de canard; tête et cou noirs, *bec blanc* et double tache
blanche sous la queue. Grands pieds aux doigts lobés (voir illustration).
Grégaire. À la nage, il hoche la tête d'avant en arrière (comme la gallinule). Se
nourrit en surface, mais plonge également. Court sur l'eau à l'envol. Vol
laborieux, les grandes pattes dépassant la courte queue; mince bordure blanche
à l'arrière de l'aile. *Jeune:* Plus pâle, avec un bec plus terne. Le jeune en duvet
a la tête et les épaules *rouge orangé.*
Espèces semblables: Les gallinules sont plus petites et ont le bec rouge (à
bout jaune). Les foulques ressemblent plus aux canards que les gallinules, et
s'assemblent plus en eau libre. Voir la Foulque à cachet blanc (p. 298).
Voix: *kouk-kouk-kouk-kouk* âpre; *kakakakakaka;* etc.; aussi un *ka-ha, ha-ha*
plus retenu; divers caquètements et croassements.
Aire: Du Canada à l'Équateur. **Habitat:** Étangs, lacs, marais; l'hiver, également champs, étangs de parcs, eau salée.

GALLINULE POULE-D'EAU   *Gallinula chloropus*   (33 cm)   53
(Poule-d'eau)   Common Moorhen

Bec court, rouge; *plaque frontale rouge,* et bande blanche sur les flancs. En
marchant, elle fait voir ses sous-caudales blanches; hoche la tête en nageant.
Espèces semblables: 1) La Foulque d'Amérique est plus robuste, le cou
plus court, le dos gris et le bec blanc. 2) Voir la Talève violacée.
Voix: *Kr-r-rouk* rauque, répété; *koûp* de grenouille: aussi, *kîk-kîk-kîk,* et
caquetage plaintif et fort.
Aire: Du S du Canada à l'Argentine; Eurasie, Afrique. **Habitat:** Marais d'eau
douce, roselières.

TALÈVE VIOLACÉE   *Porphyrula martinica*   (33 cm)   54
(Gallinule violacée)   Purple Gallinule

Très colorée; nage, marche dans l'eau et grimpe aux buissons. Taille de la
Gallinule poule-d'eau, mais la tête et les dessous sont *violet sombre* et le dos
vert bronzé. Plaque frontale *bleu pâle;* bec rouge, à bout jaune. Pattes *jaunes,*
évidentes en vol. *Jeune:* brunâtre, foncé dessus, pâle dessous, *sans raie sur le
côté;* bec foncé.
Espèces semblables: 1) La Gallinule poule-d'eau a une plaque frontale
rouge, des pattes verdâtres, une raie blanche sur le côté: la jeune G. poule-
d'eau a aussi la raie blanchâtre sur le côté. 2) La jeune Foulque d'Amérique a
un bec pâle; la tache blanche sous la queue est divisée par du noir.
Voix: Caquetage de poule, *kik, kik, kik,* émis en vol; aussi des notes gutturales.
Aire: Du S des É.-U. au N de l'Argentine. Hiverne surtout au S des É.-U.
Habitat: Marais d'eau douce, étangs.

NAGEURS RESSEMBLANT AUX CANARDS

Les foulques courent sur l'eau à l'envol.

pied lobé de la foulque

jeune

adulte

poussin de la foulque

adulte

FOULQUE D'AMÉRIQUE

poussin de la Galinule Poule-d'eau

jeune

adulte

GALLINULE POULE-D'EAU

GALLINULE POULE-D'EAU

jeune

adulte

TALÈVE VIOLACÉE

TALÈVE VIOLACÉE

CANARDS BARBOTEURS EN VOL

Note : Les mâles sont caractérisés dans le texte. Les femelles sont assez semblables.

**Texte et
planche en
couleurs**

CANARD PILET *Anas acuta*   **pp. 50, 51**
Dessous: Queue longue et pointue, poitrine blanche, cou mince.
Dessus: Queue longue et pointue, raie sur le cou, bordure blanche à l'arrière de l'aile.

CANARD BRANCHU *Aix sponsa*   **pp. 50, 51**
Dessous: Ventre blanc, ailes sombres, longue queue carrée.
Dessus: Trapu; longue queue foncée, aile sombre à bordure blanche.

CANARD D'AMÉRIQUE *Anas americana*   **pp. 50, 51**
Dessous: Ventre blanc, queue pointue foncée.
Dessus: Grande plaque blanche à l'épaule.

CANARD SOUCHET *Anas clypeata*   **pp. 52, 53**
Dessous: Ventre sombre, poitrine blanche, bec en cuillère.
Dessus: Grande plaque bleutée à l'épaule, bec en cuillère.

CANARD CHIPEAU *Anas strepera*   **pp. 48, 49**
Dessous: Ventre blanc, carré blanc à l'arrière de l'aile (miroir).
Dessus: Tache blanche à l'arrière de l'aile (miroir).

SARCELLE D'HIVER *Anas crecca carolinensis*   **pp. 52, 53**
Dessous: Petite taille; ventre clair, tête sombre.
Dessus: Petite, aile sombre, miroir vert.

SARCELLE À AILES BLEUES *Anas discors*   **pp. 52, 53**
Dessous: Petite taille; ventre sombre.
Dessus: Petite: grande plaque bleutée à l'épaule.

Dessin de l'aile d'un **canard barboteur** montrant le miroir irisé.

**CANARDS
BARBOTEURS EN VOL**

dessous

CANARD PILET

♂

♀

CANARD BRANCHU

♂

♀

CANARD D'AMÉRIQUE

♂

♀

CANARD SOUCHET

♂

♀

CANARD CHIPEAU

♂

♀

SARCELLE D'HIVER

♂

♀

SARCELLE À AILES BLEUES

♂

♀

dessus

CANARD PILET

♂

♀

CANARD BRANCHU

♂

♀

CANARD D'AMÉRIQUE

♂

♀

CANARD SOUCHET

♂

♀

CANARD CHIPEAU

♂

♀

SARCELLE D'HIVER

♂

♀

SARCELLE À AILES BLEUES

♂

♀

67

CANARDS BARBOTEURS ET HARLES EN VOL

Note: Les mâles sont caractérisés dans le texte. Les harles ont un profil distinctif en vol: le bec, la tête, le cou, le corps et la queue sont sur le même axe horizontal.

	Texte et planche en couleurs
CANARD COLVERT *Anas platyrhynchos* *Dessous:* Poitrine sombre, ventre clair, collier blanc. *Dessus:* Tête sombre, collier, miroir bordé de deux lignes blanches.	**pp. 48, 49**
CANARD NOIR *Anas rubripes* *Dessous:* Corps sombre, couvertures blanches sous l'aile. *Dessus:* Corps sombre, tête plus pâle.	**pp. 48, 49**
DENDROCYGNE FAUVE *Dendrocygna bicolor* *Dessous:* Fauve, avec des couvertures noirâtres sous l'aile. *Dessus:* Aile sombre et sans motif, arc blanc au croupion.	**pp. 48, 49**
GRAND HARLE *Mergus merganser* *Dessous:* Profil de harle, tête noire, corps blanc, couvertures blanches sous l'aile. *Dessus:* Profil de harle; poitrine blanche, grandes taches à l'aile.	**pp. 62, 63**
HARLE HUPPÉ *Mergus serrator* *Dessous:* Profil de harle; bande pectorale sombre. *Dessus:* Profil de harle; poitrine sombre, grandes taches à l'aile.	**pp. 62, 63**
HARLE COURONNÉ *Lophodytes cucullatus* *Dessous:* Profil de harle; couvertures sombres sous l'aile. *Dessus:* Profil de harle; petites taches à l'aile.	**pp. 62, 63**

CANARDS EN VOL

dessous

CANARD NOIR

ANARD COLVERT

♂

♀

DENDROCYGNE
FAUVE

GRAND
HARLE

♂

♀

HARLE
HUPPÉ

♀

♂

HARLE
COURONNÉ

♂

♀

Les harles ⟶ volent sur un
axe horizontal.

dessus

CANARD COLVERT

CANARD NOIR

♂

♀

DENDROCYGNE
FAUVE

♂

♀

HARLE
HUPPÉ

♀

♂

GRAND
HARLE

♂

♀

HARLE
COURONNÉ

CANARDS DE MER EN VOL

Note: Seuls les mâles sont caractérisés dans le texte.

	Texte et planche en couleurs
HARELDE KAKAWI *Clangula hyemalis*	pp. 56, 57

HARELDE KAKAWI *Clangula hyemalis*   pp. 56, 57
Dessous: Aile sombre et sans motif, ventre blanc.
Dessus: Aile sombre et sans motif, beaucoup de blanc sur le corps.

ARLEQUIN PLONGEUR *Histrionicus histrionicus*   pp. 56, 57
Dessous: Dessous entièrement sombre, taches blanches à la tête, petit bec.
Dessus: Trapu, sombre et marqué de blanc, petit bec.

MACREUSE À FRONT BLANC *Melanitta perspicillata*   pp. 54, 55
Dessous: Corps noir, taches blanches sur la tête (difficilement visibles de dessous).
Dessus: Corps noir, taches blanches sur la tête.

MACREUSE NOIRE *Melanitta nigra*   pp. 54, 55
Dessous: Plumage noir, rémiges plus pâles.
Dessus: Plumage tout noir.

MACREUSE BRUNE *Melanitta fusca*   pp. 54, 55
Dessous: Corps noir, plaque blanche à l'aile.
Dessus: Corps noir, plaque blanche à l'aile.

EIDER À DUVET* *Somateria mollissima*   pp. 56, 57
Dessus: Dos blanc, devant de l'aile blanc, ventre noir.

EIDER À TÊTE GRISE* *Somateria spectabilis*   pp. 56, 57
Dessus: Avant du corps blanchâtre, arrière du corps noir.

* Les deux eiders sont souvent appelés «moyacs» par les chasseurs.

CANARDS MARINS EN VOL

dessous

HARELDE KAKAWI

ARLEQUIN PLONGEUR

MACREUSE À FRONT BLANC

MACREUSE NOIRE

MACREUSE BRUNE

dessus

HARELDE KAKAWI

ARLEQUIN PLONGEUR

EIDER À DUVET

EIDER À TÊTE GRISE

MACREUSE NOIRE

MACREUSE À FRONT BLANC

MACREUSE BRUNE

71

CANARDS PLONGEURS EN VOL

Note: Seuls les mâles sont caractérisés dans le texte. Les cinq premiers ont la poitrine noire.

Texte et planche en couleurs

FULIGULE À DOS BLANC *Aythya valisineria* **pp. 58, 59**
Dessous: Poitrine noire, front fuyant.
Dessus: Dos blanc, front fuyant.

FULIGULE À TÊTE ROUGE *Aythya americana* **pp. 58, 59**
Dessous: Poitrine noire, tête rousse et arrondie.
Dessus: Dos gris, large bande alaire grise.

FULIGULE À COLLIER *Aythya collaris* **pp. 58, 59**
Dessous: Difficile à distinguer de dessous du Fuligule milouinan ou du Petit Fuligule.
Dessus: Dos noir, large bande alaire grise.

FULIGULE MILOUINAN («bluebill»*) *Aythya marila* **pp. 58, 59**
Dessous: Poitrine noire, bande alaire blanche translucide.
Dessus: Large bande alaire blanche (s'étendant sur les primaires).

PETIT FULIGULE («bluebill»*) *Aythya affinis* **pp. 58, 59**
Dessus: Bande alaire plus courte que celle du Fuligule milouinan.

GARROT À ŒIL D'OR («siffleur»*) *Bucephala clangula* **pp. 60, 61**
Dessous: Couvertures alaires noirâtres, tache blanche à l'aile.
Dessus: Grand carré blanc à l'aile, cou court, tête noire.

ÉRISMATURE ROUSSE *Oxyura jamaicensis* **pp. 60, 61**
Dessous: Trapu; face blanche, poitrine sombre.
Dessus: Petit, sombre, avec les joues blanches.

PETIT GARROT *Bucephala albeola* **pp. 60, 61**
Dessous: Ressemble au Garrot à œil d'or, en plus petit; noter la tache à la tête.
Dessus: Petit; grande plaque à l'aile, tache blanche à la tête.

* Les noms entre parenthèses sont souvent employés par les chasseurs.

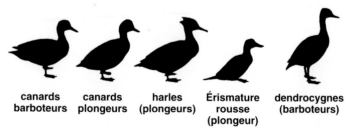

canards barboteurs   canards plongeurs   harles (plongeurs)   Érismature rousse (plongeur)   dendrocygnes (barboteurs)

PROFIL DE CANARDS AU SOL

CANARDS PLONGEURS EN VOL

dessous

FULIGULE À DOS BLANC

FULIGULE À TÊTE ROUGE

♀ ♂

FULIGULE À COLLIER

♀

♀ ♂

FULIGULE MILOUINAN

♀

♂

GARROT À OEIL D'OR

♀ ♂

ÉRISMATURE ROUSSE

♀

PETIT GARROT

♂

FULIGULE À TÊTE ROUGE

dessus

FULIGULE À DOS BLANC

♀ ♂

♂

♀

FULIGULE À COLLIER

♂

FULIGULE MILOUINAN

♀

aile du Petit Fuligule

♀

GARROT À OEIL D'OR

♀ ♂

ÉRISMATURE ROUSSE

♂

PETIT GARROT

♀ ♂

73

■ PUFFINS: Famille des Procellariidés . Oiseaux pélagiques ressemblant aux goélands, qui rasent les vagues en vol plané, les ailes raides. Bec avec narines externes tubulaires. Aile plus étroite que celle des goélands, queue plus petite. Sexes semblables. Bruyants de nuit dans leurs lointains terrains de nidification; généralement silencieux en mer. **Nourriture:** Poissons, calmars, crustacés, déchets de navires. **Aire:** Tous les océans.

Espèces: Monde, 56; Est, 7 (+ 4 ou 5 exceptionnelles).

PUFFIN CENDRÉ *Calonectris diomedea* (53 cm)
Cory's Shearwater

55

Semblable au Puffin majeur, mais plus gros et plus pâle. Le *gris* de la tête *se fond* au blanc de la gorge, alors que le P. majeur a une calotte sombre. Le bec du P. cendré est *jaune* (noir chez le P. majeur). Le blanc au croupion est distinctif ou absent. Pas de tache au ventre.
Aire: Niche aux Açores, aux Canaries, dans d'autres îles de l'Atlantique et en Méditerranée. Erre jusqu'aux côtes des É.-U. en été. **Habitat:** Haute mer.

PUFFIN MAJEUR *Puffinus gravis* (48 cm)
Greater Shearwater

56

L'oiseau de mer aux allures de goéland, sombre dessus et blanc dessous, qui plane au ras des vagues, les ailes raides, est probablement un P. majeur ou un P. cendré. Le P. majeur a une *calotte sombre* délimitée par une bande claire sur la nuque. Noter aussi la *tache blanche au croupion*, généralement indistincte ou absente chez le P. cendré, ainsi que la tache sombre au ventre.
Aire: Niche surtout à l'île Tristan da Cunha, dans l'Atlantique S. Vagabonde en mer vers le N jusqu'au S du Groenland et en Islande, de mai à octobre. **Habitat:** Haute mer, loin au large.

PUFFIN FULIGINEUX *Puffinus griseus* (43 cm)
Sooty Shearwater

57

Oiseau de mer, de la taille d'une grosse mouette, et qui paraît entièrement sombre à distance; rase les vagues, porté par ses ailes étroites tenues bien raides. Noter les *couvertures blanchâtres* sous l'aile.
Espèces semblables: Voir les labbes foncés (du blanc sur les primaires), p. 83. **Aire:** Niche en Nouv.-Zélande, en Am. australe; vient dans l'Atlantique N et le Pacifique N en été. **Habitat:** Haute mer.

PUFFIN DES ANGLAIS *Puffinus puffinus* (33 cm)
Manx Shearwater

Petit puffin *noir et blanc* deux fois moins massif que le Puffin majeur; *aucun blanc* à la base de la queue. La calotte sombre s'étend sous l'oeil. Le vol plané bondissant est distinctif.
Aire: Niche dans les îles au large de l'Europe. A niché à Terre-Neuve, au Massachusetts. En augmentation. Régulier en mer, de Terre-Neuve à la Virginie; inusité en Floride.

PUFFIN D'AUDUBON *Puffinus lherminieri* (30 cm)
Audubon's Shearwater

Très petit puffin à dos sombre, semblable au P. des Anglais, mais au battement d'ailes plus rapide, souvent sans grande amplitude. Ailes *plus courtes,* queue *plus longue.* Montre *plus de noir* sous la queue.
Espèce semblable: Voir aussi le Puffin obscur (p. 292). **Aire:** Niche aux Bermudes, aux Antilles, aux îles du Cap Vert, aux Galapagos, etc. Erre dans l'Atlantique et le g. du Mexique, au large des côtes du S-E des É.-U.; régulier vers le N jusqu'en Car. du N; rarement jusqu'en Nouv.-Angleterre.

PUFFINS

PUFFIN
MAJEUR

PUFFIN
CENDRÉ

PUFFIN
FULIGINEUX

PUFFIN
DES ANGLAIS

tube sur le
bec du puffin

PUFFIN
D'AUDUBON

FULMAR BORÉAL *Fulmarus glacialis* (45 cm)

Northern Fulmar

Plus robuste qu'un puffin, il plane en mer, les ailes bien rigides; à la nage, flotte haut. Cou épais, front bombé, *bec jaune et fort,* gros œil sombre, queue courte. Les primaires peuvent arborer une *tache claire.* Pattes bleutées. *Forme foncée:* Gris fuligineux, primaires plus sombres, bec jaunâtre. Les individus intermédiaires sont fréquents.

Voix: Grognement rauque, *âg-âg-âg-arrr,* ou *ik-ik-ik-ik-ik.*

Aire: Mers du N de l'hémisphère N. **Habitat:** Haute mer; niche en colonies sur les falaises maritimes.

PÉTREL DIABLOTIN *Pterodroma hasitata* (40 cm)

(Diablotin errant) Black-capped Petrel

Légèrement plus gros que le Puffin d'Audubon et le Puffin des Anglais. Noter le front blanc, le *col blanc* et la tache blanche au croupion.

Aire: Antilles. Probablement régulier dans le Gulf Stream, au N jusqu'en Car. du N, au moins. Exceptionnel dans les terres après des tempêtes.

PÉTREL DES BERMUDES *Pterodroma cahow* (38 cm)

(Diablotin des Bermudes) Bermuda Petrel

Confiné aux Bermudes. Un des oiseaux de mer les plus rares du monde. Rappelle le Puffin d'Audubon et le Puffin des Anglais, mais noter *le front blanc* et la *tache pâle au croupion.* Diffère du Pétrel diablotin par son croupion plus gris et l'absence de col blanc.

Aire: Attesté seulement dans certains îlots au N-E des Bermudes (quelques couples); viennent à terre la nuit.

■ **OCÉANITES: Famille des Hydrobatidés.** *Petits oiseaux sombres* qui voltigent au-dessus de l'océan. Comme les puffins et les pétrels, nichent dans des îles en mer, revenant à leur terrier de nuit. Les narines sont dans un tube soudé au bec. Sexes semblables. **Nourriture:** Plancton, crustacés, petits poissons. **Aire:** Tous les océans (sauf l'Arctique). **Espèces:** Monde 21; Est, 2, (+ 3 ou 4 exceptionnelles).

OCÉANITE DE WILSON *Oceanites oceanicus* (18 cm)

(Pétrel océanite) Wilson's Storm-Petrel

Plus petit que l'hirondelle noire; fuligineux, avec une tache plus pâle à l'aile, et une *bande blanche* très évidente *au croupion; rectrices de longueur égale.* Les pattes, à palmure jaune, peuvent dépasser le bout de la queue. Rase les vagues comme une hirondelle, voletant sur place tout en pataugeant sur l'eau. Voir l'espèce suivante.

Aire: Niche dans l'Antarctique; de passage dans l'hémisphère N. **Habitat:** Haute mer. Suit souvent les navires (contrairement à l'Océanite cul-blanc). On peut l'attirer en lançant du poisson haché, du suif, du blé soufflé trempé dans de l'huile de poisson, etc.

OCÉANITE CUL-BLANC *Oceanodroma leucorhoa* (20 cm)

(Pétrel cul-blanc) Leach's Storm-Petrel

Noter la *queue fourchue.* Semblable par ailleurs à l'Océanite de Wilson, mais plus brun; ailes plus longues, plus angulaires. Vole de façon erratique, changeant de vitesse et de direction (comme l'Engoulevent d'Amérique). Seul océanite nicheur de l'O de l'Atlantique N, il se voit moins souvent au large que le précédent. Ne suit pas les navires.

Voix: De nuit, en vol autour des colonies, hululements discordants et rythmés. Aux terriers, longs trilles doux.

Aire: Atlantique N, Pacifique N. **Habitat:** Haute mer; niche en colonies dans le sol des îles océaniques.

FULMARS, PÉTRELS

forme claire

tube sur le bec du
fulmar, caractéristique
du groupe

FULMAR
BORÉAL

forme claire

FULMAR
BORÉAL

forme
foncée

PÉTREL DES
BERMUDES
(dessous)

PÉTREL
DIABLOTIN

PÉTREL DES
BERMUDES
(dessus)

OCÉANITES

tube sur
le bec
de l'océanite

OCÉANITE
DE WILSON

OCÉANITE
CUL-BLANC

77

- **PÉLICANS: Famille des Pélécanidés.** Très gros oiseaux aquatiques, à long bec plat et à grande poche gulaire (aplatie lorsque dégonflée). Long cou, corps robuste. Les troupes volent en ligne, alternant les planés avec plusieurs battements d'aile. En vol, la tête est ramenée sur les épaules, le bec reposant sur la poitrine. Les pélicans flottent haut sur l'eau. **Nourriture:** Poissons surtout, crustacés. **Aire:** Am. du N et du S, Afrique, S-E de l'Europe, S de l'Asie, Inde, Australie. **Espèces:** Monde, 6; Est, 2.

PÉLICAN D'AMÉRIQUE *Pelecanus erythrorhynchos* (155 cm) 61
(Pélican blanc d'Amérique) American White Pelican
Énorme oiseau blanc (2,4 à 2,9 m d'envergure) avec des primaires noires et un gros bec orange. En période nuptiale, l'arête du bec porte un «aileron». Le jeune a le bec sombre. Ne plonge pas du haut des airs comme le Pélican brun, mais ramasse les poissons en nageant. Les troupes volent en files et tournoient souvent haut dans les courants d'air ascendants.
Espèces semblables: 1) Les cygnes n'ont pas de noir à l'aile. 2) Le Tantale d'Amérique et 3) la Grue blanche volent le cou étendu, leurs longues pattes étirées. 4) L'Oie des neiges, bruyante, est beaucoup plus petite et a un petit bec.
Voix: Dans les colonies, grognement grave. Les jeunes émettent des gémissements grognés.
Aire: O et centre de l'Am. du N, hiverne jusqu'au S-E des É.-U. **Habitat:** Lacs, marais, eau salée, plages.

PÉLICAN BRUN *Pelecanus occidentalis* (125 cm) 62
Brown Pelican
Oiseau de mer imposant (envergure 2 m), *sombre;* l'adulte a beaucoup de *blanc* sur la tête et le cou. Le jeune a la tête sombre, le dessous blanchâtre. La taille, le profil et le vol (quelques battements et un plané) sont ceux d'un pélican; la couleur foncée et l'habitude de *plonger tête première* caractérisent l'espèce. Ces pélicans volent en file au ras de l'eau, l'effleurant presque de leurs ailes.
Voix: Adultes généralement silencieux, émettant parfois un croassement grave. Les nouveau-nés émettent des plaintes.
Aire: Côtier; du S des É.-U. au N et à l'O de l'Am. du S. **Habitat:** Lagunes, plages, mer. Se perche sur les piliers et les bateaux.

- **FRÉGATES: Famille des Frégatidés.** Oiseaux sombres des mers tropicales, aux ailes extrêmement longues (rapport envergure/poids supérieur à tout autre oiseau). Bec long et crochu; queue très fourchue. Ne nagent normalement pas. **Nourriture:** Poissons, mollusques, calmars, jeunes oiseaux. Proies prises au vol à la surface de l'eau, trouvées mortes, ou subtilisées à d'autres oiseaux de mer. **Aire:** Toutes les mers tropicales. **Espèces:** Monde, 5; Est, 1 (+ 1 exceptionnelle).

FRÉGATE SUPERBE *Fregata magnificens* (95-103 cm) 63
Magnificent Frigatebird
Gros oiseau de mer noir (envergure 2,1-2,4 m), aux ailes angulaires extrêmement longues et à queue en ciseaux (souvent fermée en pointe). Plane avec très grande aisance. Bec long et crochu. *Mâle:* Tout noir, avec un sac gulaire rouge (gonflé en pariade). *Femelle:* Poitrine blanche, tête sombre. *Jeune:* Tête et poitrine blanches.
Voix: Muet en mer. Gargouillis durant la pariade.
Aire: G. du Mexique, Atlantique tropical, E du Pacifique. **Habitat:** Îles et côtes marines.

PÉLICANS, FRÉGATES

adulte nicheur

adultes

jeune

adulte hiver

PÉLICAN D'AMÉRIQUE

adultes en été

PÉLICAN BRUN

♂

♀

♂

jeune

FRÉGATE SUPERBE
♂ en pariade (à gauche)

79

- **FOUS: Famille des Sulidés.** Oiseaux de mer à grand bec effilé, à queue pointue et au corps en fuseau. Plus gros, et à cou plus long, que la plupart des goélands. Sexes semblables. Plongent du haut des airs pour pêcher. **Nourriture:** Poissons, calmars. **Aire:** Mers froides ou tropicales. **Espèces:** Monde, 9; Est, 3 (+ 1 exceptionnelle).

FOU DE BASSAN   *Morus bassanus*   (95 cm)   64

Northern Gannet

Oiseau de mer, blanc, de la taille d'une oie, avec les ailes *noires à l'extrémité.* Vole au-dessus de la mer et pêche en plongeant tête première. Beaucoup plus gros que le Goéland argenté; *queue pointue,* cou plus long, bec plus gros (souvent pointé vers l'eau). Le jeune est sombre, mais noter le corps en fuseau. Presque adulte, le jeune peut être tacheté de noir et blanc.

Voix: Dans les colonies, aboiement grave, *ârrâh.*

Aire: Atlantique N. **Habitat:** Océanique; loin au large. Niche en colonies sur des falaises maritimes.

FOU MASQUÉ   *Sula dactylatra*   (68 cm)

Masked Booby

Fou blanc, plus petit que le Fou de Bassan, ayant la queue et *tout l'arrière de l'aile noirs. Jeune:* Sombre, avec une *tache blanchâtre* sur le haut du dos et le croupion.

Aire: Mers tropicales. Occasionnel dans le g. du Mexique (sur les bouées, les derricks) et au S de la Floride (fréquent aux Dry Tortugas).

FOU BRUN   *Sula leucogaster*   (70-75 cm)

Brown Booby

Brun sombre, le *ventre blanc contrastant nettement* avec la poitrine foncée. Bec et pattes jaunâtres. *Jeune:* Brun dessus, plus pâle dessous: pattes *jaunâtres.*

Espèce semblable: Le jeune Fou de Bassan n'a pas de contraste net sur la poitrine; les pattes sont *sombres* (et non jaunâtres).

Aire: Mers tropicales. Occasionnel en mer dans le g. du Mexique et en Floride (surtout aux Dry Tortugas). Exceptionnel jusqu'au Mass.

- **PHAÉTONS: Famille des Phaéthontidés.** Quoiqu'ils ne leur soient pas apparentés, les phaétons ressemblent à de grosses sternes; bec plus fort, légèrement courbé; deux plumes *médianes* très allongées à la queue. Comme les sternes, ils plongent tête première. Sexes semblables. **Nourriture:** Calmars, crustacés. **Aire:** Toutes les mers tropicales. **Espèces:** Monde, 3; Est, 1 (+ 1 exceptionnelle).

PHAÉTON À BEC JAUNE   *Phaethon lepturus*   (80 cm, incl. queue de 40 cm)
(Petit Paille-en-queue)   White-tailed Tropicbird

Les phaétons ont, en mer, le vol puissant et rapide du pigeon. Noter les *2 rectrices médianes très longues.* Le bec va du jaune au rouge orangé. Les jeunes n'ont pas de longues rectrices; bec jaune.

Voix: Cri rauque de sterne. Aussi, *tik-èt, tik-èt.*

Aire: Toutes les mers tropicales. Niche aux Bermudes. Vu à l'occasion dans le Gulf Stream plus au S et dans les Keys de Floride. Inusité sur la côte N du g. du Mexique et jusqu'en Nouv.-Écosse après des tempêtes.

FOUS, PHAÉTON

1ère année

adultes

FOU DE BASSAN

en transition

plongeon

FOU MASQUÉ

adultes

jeune

FOU BRUN

adulte

adultes

dessous

jeune

jeune

dessus

adulte

PHAÉTON À BEC JAUNE

81

- **LABBES: Famille des Stercorariidés.** Oiseaux de mer sombres, aux allures de rapaces et au bec légèrement crochu; harcèlent mouettes et sternes, les forçant à rendre leurs proies. Formes claire, foncée ou intermédiaire. Tous ont *un peu de blanc* sur les primaires. Les *Stercorarius* adultes ont 2 rectrices médianes allongées; quant aux jeunes, on peut tenter de les identifier par leur taille relative. Les *Catharacta* n'ont pas de longues rectrices. Sexes semblables. **Nourriture:** Dans l'Arctique, lemmings, œufs, jeunes oiseaux. En mer, proies volées à d'autres oiseaux ou prises à l'eau. **Aire:** Tous les océans; nichent dans les régions sub-polaires. **Espèces:** Monde, 5; Est, 5.

GRAND LABBE *Catharacta skua* (53-60 cm)

Great Skua

Tache blanche voyante à l'aile. Presque de la taille du Goéland argenté, mais plus trapu. Brun foncé, avec dessous rouille et queue courte, un peu cunéiforme. Vol puissant et rapide; harcèle les autres oiseaux de mer.
Espèces semblables: Les *Stercorarius* foncés n'ont pas toujours de longues rectrices. Les ailes du Grand Labbe sont plus larges, très différentes de celles d'un faucon; le blanc de l'aile est plus voyant.
Aire: Niche par endroits dans les mers boréales et australes, notamment dans l'E de l'Atlantique N. Fréquent en mer au large des Maritimes et de la Nouv.-Angleterre. Des labbes de cette espèce ou de la suivante se rencontrent jusqu'en Car. du N.

LABBE de McCORMICK *Catharacta maccormicki* (53 cm)

(Labbe antarctique)   South Polar Skua

Très semblable au Grand Labbe; bec et pattes plus courts. La forme «blonde» a la tête et le dessous beaucoup plus pâles que le Grand Labbe. La forme foncée n'a pas les mouchetures rouille éparses du Grand Labbe.
Aire: Antarctique. Erre jusqu'au Groenland dans l'Atlantique N. Les *Catharacta* vus l'été pourraient fort bien appartenir à cette espèce.

LABBE PARASITE *Stercorarius parasiticus* (45 cm)   `65`

Parasitic Jaeger

Allure de faucon; poursuit mouettes et sternes. Chez l'adulte, les plumes pointues dépassent la queue de 1 à 9 cm. Comme les autres labbes, arbore du blanc à l'aile. C'est le labbe vu le plus souvent de la côte.
Aire: Arctique, circumpolaire. Hiverne en mer, de la latitude du S des É.-U. à celle de la Terre de Feu. **Habitat:** Haute mer, baies, grands lacs (rarement); toundra (été).

LABBE POMARIN *Stercorarius pomarinus* (55 cm)   `66`

Pomarine Jaeger

Noter les rectrices *larges et tordues* dépassant la queue de 5 à 20 cm. Plus grand et plus massif que les autres *Stercorarius,* souvent très barré dessous, avec une large bande pectorale, et plus de blanc sur les primaires. Le jeune n'a pas les longues plumes caudales, mais il est plus gros que les autres jeunes *Stercorarius,* et a le bec plus fort.
Aire: Arctique, circumpolaire. Hiverne en mer, du S des É.-U. jusque dans l'hémisphère S. **Habitat:** Haute mer, eaux côtières; toundra (été).

LABBE À LONGUE QUEUE *Stercorarius longicaudus* (51-58 cm)   `67`

Long-tailed Jaeger

Les longues rectrices de l'adulte peuvent dépasser la queue de 25 cm (en général de 7 à 15 cm). Dessous beaucoup plus blanc que le Labbe parasite: pas de bande pectorale. La calotte noire est bien démarquée du dos gris pâle. Bec court: pattes gris-bleu (noires chez le L. parasite).
Aire: Arctique, circumpolaire. Hiverne en mer dans l'hémisphère S. **Habitat:** Haute mer, toundra (été).

LABBES

ABBE RASITE

me claire

GRAND LABBE

LABBE DE McCORMICK

ABBE PARASITE

forme foncée

forme claire

Les jeunes *rcorarius*, sans gues rectrices, euvent souvent identifiés que leur taille et eur forme.

LABBE PARASITE

jeune

LABBE PARASITE

jeune

LABBE POMARIN

forme foncée

LABBE POMARIN

forme claire

LABBE À LONGUE QUEUE

■ **GOÉLANDS** (p. 84) **ET STERNES** (p. 94): **Famille des Laridés**

• **GOÉLANDS: Sous-famille des Larinés.** Oiseaux nageurs aux longues ailes et au vol élégant. Plus robustes que les sternes, avec des ailes plus larges et des pattes plus longues. Bec légèrement crochu. Queue carrée ou arrondie (les sternes ont en général la queue fourchue). Plongent rarement (les sternes font du sur-place, et plongent tête première). **Nourriture:** Omnivores; organismes marins; nourriture animale ou végétale, déchets, charogne. **Espèces:** Monde, 45; Est, 17 (+ 3 exceptionnelles).

GOÉLAND BOURGMESTRE *Larus hyperboreus* (65-80 cm) 68

Glaucous Gull

Noter l'extrémité «givrée» des ailes. Gros goéland blanchâtre, de la taille du G. marin. Les adultes ont un manteau gris pâle et des *primaires blanches, sans marque. Jeune:* Voir pp. 90, 91.
Espèce semblable: Le G. arctique de la taille du G. argenté ou plus petit; bec plus petit, tête plus ronde, ailes plus longues et plus étroites en proportion. L'adulte a un étroit cercle rouge, difficile à voir, autour de l'œil (*jaune chez le G. bourgmestre*). **Aire:** Arctique; circumpolaire. Hiverne jusqu'aux É.-U., en G.-Bretagne, en Chine du N. **Habitat:** Surtout les côtes, mais aussi l'intérieur.

GOÉLAND ARCTIQUE *Laus glaucoides glaucoides* (58-65 cm) 69

Iceland Gull

(race groenlandaise) Goéland pâle, presque de la taille du Goéland argenté. L'adulte a un manteau gris clair et des *primaires blanchâtres,* ou *blanc pur, sans marque sombre. Jeune:* Voir pp. 90, 91. Voir la race américaine.
Espèce semblable: Le Goéland bourgmestre a un bec plus fort. **Aire:** Niche au Groenland. Hiverne jusque dans l'E du Canada et des É.-U. **Habitat:** Côtier, moins fréquent dans l'intérieur des terres.

GOÉLAND ARCTIQUE *Larus glaucoides kumlieni* 69

Iceland Gull

(race américaine) Cette race du Goéland arctique, qui niche dans l'E de l'Arctique canadien, diffère par ses *marques grises ou sombres,* d'étendue variable, près de l'extrémité des primaires blanches (et non noires avec des points blancs, comme chez le Goéland argenté). **Espèce semblable:** Le Goéland de Thayer a un manteau plus sombre, des yeux foncés. **Aire:** E de l'Arctique canadien; hiverne jusqu'au N-E des É.-U.

MOUETTE BLANCHE *Pagophila eburnea* (38-43 cm)

Ivory Gull

La seule mouette *toute blanche* à pattes *noires.* De la taille d'un pigeon; longues ailes, vol rappelant celui de la sterne. Bec noir, à extrémité jaune. *Jeune:* Voir pp. 92, 93. **Espèces semblables:** Les Goélands 1) arctique et 2) bourgmestre sont plus gros, avec des pattes couleur chair. **Voix:** Cris perçants de sterne: kîîîir, etc. **Aire:** Haut-Arctique; circumpolaire. Niche par endroits dans l'archipel arctique canadien. Hiverne depuis la banquise jusqu'au g. du St-Laurent. Inusitée en Nouv.-Angleterre, exceptionnelle au N.-J. et dans les Grands Lacs.

MOUETTE ROSÉE *Rhodostethia rosea* (31-35 cm)

Ross' Gull

Mouette rare des zones de glace de mer. *Été:* Noter la *queue cunéiforme,* la poitrine rosée, le *mince collier noir,* les couvertures gris-bleu sous l'aile. *Hiver:* Perd la couleur rosée et le collier noir. *Jeune:* Voir p. 92. **Aire:** Niche surtout en Sibérie. Visiteuse rare dans l'Arctique canadien, où elle a niché. Exceptionnelle au Massachusetts, et aux Grands Lacs.

**MOUETTES ET
GOÉLANDS CLAIRS
adultes**

GOÉLAND
BOURGMESTRE

GOÉLAND
ARCTIQUE

race américaine   race
                        groenlandaise

MOUETTE
BLANCHE

MOUETTE
ROSÉE

hiver

plumage nuptial

85

GOÉLAND ARGENTÉ *Larus argentatus* (58-65 cm) 70

Herring Gull

Le plus commun des goélands côtiers. *Adulte:* Goéland à manteau gris et *à pattes de couleur chair*. Bout des ailes noir, marqué de points blancs; bec jaune et fort, avec une tache rouge. *Jeune:* Voir p. 90.
Voix: *Aillâk... aillâh... aillâh-illâk* ou *yuk-yuk-yuk-yuk-yukl-yukl* fort. Miaulements. Cri d'alarme, *gâh-gâh-gâh*. **Aire:** N de l'hémisphère N.
Habitat: Côtes, estuaires, lacs, champs cultivés, dépotoirs.

GOÉLAND DE THAYER *Larus thayeri* (58-63 cm) 70

Thayer's Gull

Très semblable au Goéland argenté, et le remplaçant dans l'Arctique canadien. L'adulte a des yeux dans *les tons de brun* (et non jaunes), un mince cercle oculaire rouge (et non jaune), du gris ardoise (et non du noir) sur les primaires, un manteau légèrement plus foncé, des pattes *plus roses*.
Aire: Arctique canadien. Hiverne sur la côte du Pacifique.

GOÉLAND À BEC CERCLÉ *Larus delawarensis* (48 cm) 71

Ring-billed Gull

Adulte: Semblable au Goéland argenté mais plus petit et plus gracieux en vol. Noter le *cercle noir* autour du bec, et les pattes *jaunâtres ou verdâtre clair*. Beaucoup de noir *sous* les primaires. *Jeune:* Voir pp. 90, 91.
Espèce semblable: Le Goéland argenté adulte a les pattes couleur chair.
Voix: Notes plus aiguës que celles du Goéland argenté.
Aire: Canada, N des É.-U. Hiverne jusqu'au Mexique et à Cuba. **Habitat:** Lacs, côtes, dépotoirs, champs labourés.

GOÉLAND DE CALIFORNIE *Larus californicus* (50-58 cm)

California Gull

Adulte: Ressemble au Goéland à bec cerclé, qui est plus petit (tous deux ont les pattes vert jaunâtre); manteau plus foncé, *œil sombre*, et *tache rouge et noir* sur la mandibule inférieure (et non un cercle noir). Arbore plus de blanc sur le bout des ailes. *Jeune:* Voir pp. 90, 91.
Aire: O de l'Am. du N; hiverne du S de la C.-B. au Guatemala. Niche jusqu'au centre du Nord-Dakota. Exceptionnel plus à l'E.

MOUETTE TRIDACTYLE *Rissa tridactyla* (43 cm) 72

Black-legged Kittiwake

Mouette marine très gracieuse. Chez les adultes, l'extrémité noire des ailes est *coupée droit*, comme si elle avait été plongée dans l'encre. Petit bec jaune pâle, sans marque. Pattes *noires*. *Jeune:* Voir p. 92.
Voix: Dans les colonies, *kaka-ouîk* ou *kîtti-waak* rauque.
Aire: Mers froides de l'hémisphère N. Hiverne jusqu'aux côtes des É.-U., de la Méditerranée, du Japon.

GOÉLAND MARIN *Larus marinus* (70-78 cm) 73

(Goéland à manteau noir)   Great Black-backed Gull

Plus gros que le Goéland argenté. *Adulte:* Caractéristique; dos et ailes noirs; dessous blanc neige. *Jeune:* Voir pp. 90, 9l. **Espèce semblable:** Voir le Goéland brun (inusité). **Voix:** Un *kîow* ou *âohk* rude et grave. **Aire:** Surtout les côtes N de l'Atlantique N, hivernant jusqu'aux États du centre de la côte atlantique et en Méditerranée. **Habitat:** Côtes et estuaires surtout; moins commun sur les grands plans d'eau douce.

GOÉLAND BRUN *Larus fuscus* (58 cm)

Lesser Black-backed Gull

Semblable au Goéland marin mais plus petit (taille du Goéland argenté). Se distingue à ses pattes *jaunes* (et non couleur chair).
Aire: N de l'Europe, hivernant jusqu'en Méditerranée. Nombreuses mentions récentes depuis l'E du Canada jusque dans le S de la Floride.

GOÉLANDS
adultes

GOÉLAND DE
THAYER

GOÉLAND
ARGENTÉ

GOÉLAND
ARGENTÉ

GOÉLAND À BEC
CERCLÉ

GOÉLAND DE
CALIFORNIE

MOUETTE
TRIDACTYLE

GOÉLAND
MARIN

GOÉLAND BRUN

'hiver, les goélands illustrés
i peuvent avoir des ombres
u des rayures sombres sur
calotte et le cou.

GOÉLAND MARIN

87

MOUETTE ATRICILLE   *Larus atricilla*   (40-43 cm)   74
(Mouette à tête noire)   Laughing Gull

Mouette côtière dont le *manteau sombre se fond dans l'extrémité noire des ailes*. Bordure blanche à l'arrière de l'aile. Tête noire en été, blanc ombré en hiver. *Jeune:* Voir p. 92.
Voix: Un rire strident, *ha-ha-ha-ha-ha-hâ-hâ-hâ,* etc.
Aire: Côtes, de la Nouv.-Écosse au Venezuela; par endroits, dans le S-E de la Californie et l'O du Mexique. Hiverne dans le S des É.-U. et plus au S.
Habitat: Marais côtiers, lagunes, quais, plages, mer.

MOUETTE DE FRANKLIN   *Larus pipixcan*   (35-38 cm)   74
                                                    Franklin's Gull

Noter la *bande blanche* séparant le noir et le gris *de l'aile*. L'été, la poitrine a une teinte rosée, la tête est noire. L'automne, tête blanche, joues et nuque sombres. *Jeune:* Voir pp. 92, 93.
Voix: *Kouk-kouk-kouk* perçant; miaulements et rires également.
Aire: Niche dans l'O du Canada, le N-O et le centre-N des É.-U. Hiverne sur le Pacifique, du Guatemala au Chili. **Habitat:** Steppes, marais, lacs; l'hiver, côtes et mer.

MOUETTE DE SABINE   *Xema sabini*   (35 cm)   75
                                                    Sabine's Gull

Notre seule mouette à *queue nettement fourchue*. Noter les primaires externes noires et le *triangle blanc sur l'aile*. Bec noir à *extrémité jaune*, pattes noires. Capuchon ardoisé l'été. *Jeune:* Voir p. 92.
Aire: Arctique; circumpolaire. Hiverne dans le Pacifique jusqu'au Pérou; par endroits dans l'Atlantique. **Habitat:** Toundra (été); mer.

MOUETTE RIEUSE   *Larus ridibundus*   (35-38 cm)
                                                    Black-headed Gull

Par son motif, semblable à la Mouette de Bonaparte, avec laquelle elle se tient; légèrement plus grosse. L'adulte a la tête *brune* (et non noire) l'été. Perd son capuchon en hiver. Bec *rouge foncé*, et non noir; *noirâtre sous les primaires*. *Jeune:* Voir p. 92.
Aire: Eurasie, Islande. De plus en plus fréquente ces dernières années sur la côte atlantique, surtout dans les Maritimes; moins fréquente dans le S des É.-U. et dans les Grands Lacs. A niché à Terre-Neuve.

MOUETTE DE BONAPARTE   *Larus philadelphia*   (33 cm)   76
                                                    Bonaparte's Gull

Petite mouette aux allures de sterne. Noter la *longue pointe blanche* au bout de l'aile. Capuchon noir l'été: pattes rouges, petit bec noir. L'hiver, l'adulte a la tête blanche et un *point noir à l'oreille*. *Jeune:* Voir pp. 92, 93.
Voix: *Tchîr* ou *tchèrr*, nasal. Quelques notes de sterne.
Aire: Alaska, O et centre du Canada. Hiverne du N des É.-U. au Mexique et à Cuba. **Habitat:** Côtes, lacs; tourbières (été).

MOUETTE PYGMÉE   *Larus minutus*   (28 cm)
                                                    Little Gull

La plus petite mouette. Noter *l'aile arrondie, noirâtre dessous* et sans noir dessus. Capuchon noir l'été, *calotte* noirâtre l'hiver. Pattes rouges. Bec rouge foncé et poitrine rosée, l'été; bec noir l'hiver. *Jeune:* Voir p. 92.
Aire: Eurasie; hiverne jusqu'en Méditerranée. Rare mais régulière dans les Grands Lacs et sur la côte. A niché en Ontario, au Michigan, au Wisconsin.
Habitat: Lacs, côtes; avec la M. de Bonaparte.

MOUETTES À CAPUCHON
adultes

hiver

MOUETTE
ATRICILLE

été

hiver

MOUETTE DE
FRANKLIN

été

hiver

MOUETTE DE
SABINE

été

hiver

MOUETTE
RIEUSE

été

hiver

MOUETTE DE
BONAPARTE

été

hiver

MOUETTE
PYGMÉE

été

89

JEUNES GOÉLANDS

Les jeunes Laridés sont plus difficiles à identifier que les adultes. Leur plumage est généralement foncé la première année et plus pâle la deuxième; les goélands n'atteignent parfois la maturité complète qu'à la troisième ou la quatrième année. La couleur des pattes et du bec de la plupart des jeunes n'est pas aussi caractéristique de l'espèce que chez les adultes. Noter surtout la livrée et la taille. Les plumages les plus typiques sont illustrés ci-contre; on peut rencontrer des plumages intermédiaires. Ne pas tenter d'identifier *tous* les jeunes goélands. Des facteurs comme le stade de la mue, l'usure des plumes, l'âge, la variation individuelle, et même à l'occasion l'albinisme ou l'hybridisme, font que l'identité de certains oiseaux demeure une énigme pour l'expert, à moins que ce dernier n'ait le spécimen en main.

GOÉLAND BOURGMESTRE *Larus hyperboreus*   Adulte pp. 84, 85
Premier hiver: Reconnaissable à sa grande taille (celle du G. marin), à sa coloration fauve clair, et à ses *primaires givrées,* un peu plus pâles que le reste de l'aile. Bec pâle, de *couleur chair,* à l'extrémité sombre. **Deuxième année:** Entièrement blanchâtre ou très pâle. Le manteau gris clair apparaît plus tard, à l'âge adulte.

GOÉLAND ARCTIQUE *Larus glaucoides*   Adulte pp. 84, 85
Séquence des plumages comme celle du G. bourgmestre, mais l'oiseau est plus petit (taille du G. argenté), a un bec plus petit et des ailes proportionnellement plus longues (dépassant la queue, au sol). Vol plus léger. La première année, le bec du Goéland arctique est presque entièrement sombre (couleur chair et extrémité sombre chez le bourgmestre).

GOÉLAND ARGENTÉ *Larus argentatus*   Adulte pp. 86, 87
Premier hiver: Brun relativement uniforme; c'est le goéland sombre commun. Aucun autre jeune goéland n'est aussi uniformément foncé. **Deuxième et troisième hiver:** Plus pâle. Tête et dessous plus blancs; plumes de la queue à extrémité sombre, contrastant avec le croupion blanc. Le manteau gris apparaît peu avant la maturité.

GOÉLAND DE CALIFORNIE *Larus californicus*   Adulte pp. 86, 87
Premier hiver: Aussi *sombre* que le Goéland argenté au premier hiver, mais avec un *bec bicolore* plus court.

GOÉLAND MARIN *Larus marinus*   Adulte pp. 86, 87
Le jeune est plus gros et moins brun que le G. argenté de première année. Le manteau est déjà esquissé et contraste avec la tête, la queue et le dessous plus pâles. L'oiseau peut ressembler aux phases tardives du jeune G. argenté, mais le dos est plus sombre, et la tête et le bec sont plus gros.

GOÉLAND À BEC CERCLÉ *Larus delawarensis*   Adulte pp. 86, 87
Le jeune peut être confondu avec le G. argenté de deuxième ou de troisième hiver, qui semble aussi avoir un cercle au bout de son bec plus long. La queue du G. argenté est terminée par une *large* bande mal définie. Chez le G. à bec cerclé, la bande sub-terminale est plus étroite (environ 3 cm de large) et généralement (mais pas toujours) bien nette. La couleur des pattes n'est habituellement pas utile, car de nombreux jeunes G. à bec cerclé ont les pattes de couleur chair ou gris-chair, guère différentes de celles du jeune G. argenté.

BOURGMESTRE
1er hiver

BOURGMESTRE
1er hiver

GOÉLANDS
jeunes

ARCTIQUE
1er hiver

BOURGMESTRE
2e hiver

ARGENTÉ

1er hiver

2e hiver

DE CALIFORNIE
1er hiver

BOURGMESTRE
2e hiver

MARIN
1er hiver

ARCTIQUE
1er hiver

ARCTIQUE
2e hiver

ARGENTÉ
1er hiver

À BEC CERCLÉ
1er hiver

À BEC CERCLÉ
2e hiver

ARGENTÉ
3e hiver

91

JEUNES MOUETTES

MOUETTE ATRICILLE *Larus atricilla* **Adulte pp. 88, 89**
Première année: Très *foncée,* avec le *croupion blanc* et une *bordure blanche* à l'arrière de l'aile sombre. **Deuxième hiver:** Plus pâle ou plus blanche sur la poitrine et le front; difficile à distinguer de la jeune M. de Franklin (voir ci-dessous).

MOUETTE DE FRANKLIN *Larus pipixcan* **Adulte pp. 88, 89**
Le jeune de premier hiver ressemble beaucoup à la M. atricille de deuxième hiver, mais son bec et son corps sont plus petits. Se distingue surtout par sa *joue plus sombre* et son *capuchon plus net.* Les aires diffèrent: M. de Franklin dans l'intérieur, M. atricille sur la côte. Enfin, la M. atricille de première année se distingue aisément de la M. de Franklin à sa poitrine et son front bruns.

MOUETTE TRIDACTYLE *Rissa tridactyla* **Adulte pp. 86,87**
Noter le *bandeau sombre sur la nuque,* les primaires externes noires, et la barre sombre à travers l'aile. La queue peut paraître encochée.

MOUETTE DE SABINE *Xema sabini* **Adulte pp. 88, 89**
Dos brun-grisâtre foncé et *ailes à triangles caractéristiques* comme chez l'adulte. Noter aussi la queue *fourchue.* La jeune M. tridactyle s'en distingue par son col sombre, la barre diagonale sur son aile, et l'extrémité à peine concave de sa queue.

MOUETTE DE BONAPARTE *Larus philadelphia* **Adulte pp. 88, 89**
Petite mouette aux allures de sterne. Noter la tache à la joue, l'étroite bande noire à la queue, et le motif noir et blanc des primaires externes.

MOUETTE RIEUSE *Larus ridibundus* **Adulte pp. 88, 89**
Par son plumage, semblable à la M. de Bonaparte avec laquelle elle se tient, mais plus grosse et ressemblant moins à une sterne; bec plus long, ocre à la base et noir au bout. Dessous de l'aile semblable à celui de la M. rieuse adulte, mais moins sombre.

MOUETTE BLANCHE *Pagophila eburnea* **Adulte pp. 84, 85**
Mouette blanche aux allures de sterne, ayant la face tachée de gris, le dessus *maculé de quelques points noirs,* et une ligne noire à l'arrière de l'aile.

MOUETTE PYGMÉE *Larus minutus* **Adulte pp. 88, 89**
Plus petite que la jeune M. de Bonaparte, aux ailes plus rondes, portant un *«M» noir plus net* (formé par les primaires externes et la bande diagonale noire). Noter surtout la *calotte foncée.*

MOUETTE ROSÉE *Rhodostethia rosea* **Adulte pp. 84, 85**
Par sa livrée, semblable à la jeune M. tridactyle, mais noter la queue *cunéiforme,* et les couvertures gris-bleu sous l'aile. N'a pas le col sombre de la jeune M. tridactyle.

ATRICILE

ATRICILE

1er hiver

2e hiver

1er hiver

2e hiver

DE FRANKLIN

1er hiver

1er hiver

DE FRANKLIN

DE SABINE

TRIDACTYLE

DE BONAPARTE

RIEUSE

BLANCHE

PYGMÉE

ROSÉE

93

- **STERNES: Sous-famille des Sterninés.** Oiseaux aquatiques gracieux, plus élancés que les goélands, et à queue généralement fourchue. Bec très pointu, souvent incliné vers l'eau en vol. La plupart des sternes sont blanchâtres et ont une calotte noire; l'hiver, le noir du front est remplacé par du blanc. Sexes semblables. Les sternes volent souvent sur place et pêchent en plongeant tête première. Se posent rarement sur l'eau, contrairement aux goélands. **Nourriture:** Petits poissons, organismes marins, gros insectes. **Aire:** Presque mondiale. **Espèces:** Monde, 42; Est, 14 (+ 2 exceptionnelles).

STERNE HANSEL *Sterna nilotica* (35 cm) 77

Gull-billed Tern

Noter le bec *noir, presque aussi fort que celui d'un goéland.* Plus robuste et plus pâle que la S. pierregarin; queue beaucoup moins fourchue: pattes *noires.* L'hiver, la tête est presque blanche. Le jeune ressemble à une mouette à queue fourchue. Chasse souvent les insectes au-dessus des terres.
Voix: *Za-za-za*, rauque; aussi, *ké-ouèk, ké-ouèk.*
Aire: Niche en colonies isolées, puis se disperse très loin. **Habitat:** Marais côtiers, champs, littoral.

STERNE CAUGEK *Sterna sandvicensis* (40-45 cm) 78

Sandwich Tern

Un peu plus grande que la S. pierregarin. Noter le *long bec noir* à extrémité *jaune* (souvent plus sombre chez les jeunes). Acquiert le front blanc durant la période nuptiale; huppe de plumes allongées à l'arrière de la calotte. Pattes noires.
Espèces semblables: Voir la Sterne hansel (bec noir et fort).
Voix: *Kirr-ik* âpre (plus aigu que le *ké-ouèk* de la S. hansel).
Aire: Côtes du S-E des É.-U., îles Britanniques, Europe. Hiverne jusqu'en Am. du S et en Afrique. **Habitat:** Eaux côtières, jetées, plages. Aime la compagnie de la Sterne royale.

STERNE ROYALE *Sterna maxima* (45-53 cm) 79

Royal Tern

Grande sterne, plus élancée que la S. caspienne, à gros bec *orange* (celui de la S. caspienne est plus rouge). Queue très fourchue. Quoique certains individus arborent une calotte complète au printemps, la Sterne royale a généralement beaucoup de blanc sur le front, les plumes noires formant une huppe.
Voix: *Kîr*, plus aigu que le cri de la S. caspienne; aussi, *kâak* ou *kak.*
Aire: Côtes du S-E des É.-U., du N-O du Mexique, des Antilles, de l'O de l'Afrique. Hiverne du S des É.-U. à l'Argentine; O de l'Afrique. **Habitat:** Eaux côtières, plages.

STERNE CASPIENNE *Sterna caspia* (48-58 cm) 80

Caspian Tern

La grande taille (presque celle du Goéland argenté) et le gros bec rouge distinguent la S. caspienne de toutes les autres sternes sauf de la S. royale. La S. caspienne habite l'intérieur des terres (contrairement à la S. royale); elle a la queue plus courte et le bec plus fort, *rouge* plutôt qu'orange. La S. royale est plus élancée, plus *huppée* et généralement un front *blanc pur* (en plumage comparable, la S. caspienne a un front obscurci et rayé). La S. caspienne a beaucoup plus de noir sous les primaires.
Voix: *Krâa-oû* ou *kârr* rauque et grave; aussi des *kak* répétés.
Aire: Niche en colonies, puis se disperse très loin. **Habitat:** Grands plans d'eau, eaux côtières, plages.

GRANDES
STERNES

hansel

hiver

été

STERNE HANSEL

caugek

hiver

été

STERNE CAUGEK

royale

la plupart du temps

au début
de l'été

STERNE ROYALE

caspienne

hiver

été

STERNE CASPIENNE

95

PETITE STERNE *Sterna antillarum* (23 cm) 81

Least Tern

Très petite sterne claire, à bec et pattes *jaunes,* et à front blanc. Bat des ailes plus rapidement que les autres sternes. *Jeune:* Bec sombre; nuque sombre; bord avant de l'aile très foncé dessus. À l'automne, les Petites Sternes de tout âge peuvent avoir le bec sombre, mais leurs pattes montrent du jaune.
Voix: *Kit* répété et perçant; *zrî-îk* ou *zîk* grinçant: également, *kitti-kitti-kitti* rapide. **Aire:** Eaux tropicales et tempérées. Hiverne au S des É.-U.
Habitat: Eaux côtières, plages; fleuves.

STERNE ARCTIQUE *Sterna paradisaea* (35-43 cm) 82

Arctic Tern

Très semblable à la S. pierregarin, mais *plus grise; joues blanches* contrastant avec la gorge et la poitrine grises. Le bec, plus court, est habituellement *rouge sang* jusqu'au bout. Pattes plus courtes. De dessous, noter l'aspect *translucide* des primaires et la *mince* bordure noire. À l'automne, le bec et les pattes deviennent sombres et l'identification des adultes est plus difficile.
Voix: *Kî-yah,* comme la S. pierregarin, mais moins roulé et plus aigu. *Kîr-kîr* aigu plus caractéristique. **Aire:** N de l'hémisphère N; circumpolaire. Hiverne dans les mers sub-antarctiques. **Habitat:** Haute mer, côtes rocheuses, îles; lacs de toundra (été).

STERNE PIERREGARIN *Sterna hirundo* (33-40 cm) 83

Common Tern

Gracieux oiseau aux allures de mouette, *à calotte noire* et à *queue fourchue. Été:* Blanche, manteau gris pâle, calotte noire; bec rouge-orangé, à bout noir; pattes rouge-orangé. *Hiver, et jeune:* Calotte noire incomplète; bec noirâtre.
Voix: *Kî-arr* étiré (descendant); aussi, *kik-kik-kik; kirri-kirri* rapide. **Aire:** L'hémisphère N tempéré. Hiverne jusque dans l'hémisphère S. **Habitat:** Lacs, mer, lagunes, plages; niche en colonies sur les plages et les îlots.

STERNE DE FORSTER *Sterna forsteri* (35-38 cm) 84

Forster's Tern

Extrémité des ailes givrée. Se distingue de la S. pierregarin par les primaires plus claires que le reste de l'aile (plus foncées chez la S. pierregarin). Queue plus grise; bec plus orangé. L'automne et l'hiver, l'adulte et la jeune S. de Forster ont un *bandeau noir sur l'oeil et l'oreille* (pas sur la nuque). Le jeune n'a pas l'avant de l'aile sombre de la S. pierregarin.
Voix: *Za-a-ap* rauque et nasal, *kiârr* nasal. **Aire:** De l'O du Canada, l'O des É.-U. et le centre de la côte atlantique jusqu'au Tamaulipas. Hiverne du S des É.-U. au Guatemala. **Habitat:** Niche dans les marais (d'eau douce ou côtiers); lacs, lagunes, plages, mer.

STERNE DE DOUGALL *Sterna dougallii* (35-43 cm) 85

Roseate Tern

Ressemble à la S. pierregarin mais plus pâle dessus et à queue plus fourchue. D'ordinaire, son *bec noir* la distingue des autres sternes semblables, qui ont toutes le bec rougeâtre (sauf l'hiver). Durant l'incubation, la S. de Dougall peut avoir du rouge à la base du bec; se fier alors aux autres caractères. Au sol, la queue dépasse de beaucoup le bout des ailes.
Voix: *Ka-a-ak* de crécelle; *tchou-ick* ou *tchivi* doux et dissyllabique. **Aire:** Niche en colonies, puis se disperse sur les côtes des océans Atlantique, Pacifique et Indien. **Habitat:** Côtes; lagunes, estuaires, mer.

STERNES
DE TAILLE MOYENNE

jeune

adulte

hiver

été

PETITE STERNE

adulte

jeune

hiver

été

STERNE ARCTIQUE

adulte

jeune

hiver

été

STERNE PIERREGARIN

adulte

jeune

hiver

été

**STERNE DE
FORSTER**

adulte

jeune

hiver

été

été

STERNE DE DOUGALL

97

GUIFETTE NOIRE *Chlidonias niger* (23-25 cm) 86

Black Tern

Notre seule sterne *au corps noir*. *Plumage nuptial:* Tête et dessus noirs; dos, ailes et queue gris foncé. Au milieu de l'été, les oiseaux en mue sont bigarrés; une bonne partie du noir est alors remplacée par du blanc. Noter la tête bicolore et la tache sur le côté de la poitrine. Jeune semblable.
Voix: *Kik, kîk,* ou *kli* perçant. **Aire:** Am. du N tempérée, Eurasie. Hiverne surtout en Am. du S, en Afrique. **Habitat:** Marais d'eau douce, lacs; en migration, eaux côtières.

NODDI BRUN *Anous stolidus* (38 cm)
(Noddi niais)

Brown Noddy

Sterne brun noirâtre, à calotte blanchâtre. La *queue cunéiforme* a une légère encoche. Le jeune n'a du blanc que sur le front.
Espèce semblable: Le Noddi noir *(A. minutus)* se rencontre parfois en compagnie des Noddis bruns aux Dry Tortugas. Il est plus petit (30 cm), plus noir, et a une calotte plus blanche.
Voix: *Karrrrk* ou *arrrrôk* déchirant. *Aille-ak* perçant. **Aire:** Mers tropicales. Niche aux Dry Tortugas, au large de la Floride. Comme la Sterne fuligineuse, les ouragans tropicaux l'amènent parfois sur la côte plus loin au N.

STERNE FULIGINEUSE *Sterna fuscata* (38-43 cm)

Sooty Tern

Sterne bicolore caractéristique, *noire dessus et blanche dessous*. Joues et front blancs; bec et pattes noirs. *Jeune:* Brun foncé; dos moucheté de blanc; queue fourchue.
Voix: *Ouéda-wék* ou *ouacki-wac* nasal. **Aire:** Répandue dans les mers tropicales. Grosse colonie aux Dry Tortugas, au large des Keys de Floride. A niché en Louisiane. Les ouragans l'amènent sur la côte plus loin au N.

STERNE BRIDÉE *Sterna anaethetus* (35 cm)
(Sterne à collier)

Bridled Tern

Sterne antillaise à rechercher après les ouragans. Ressemble à la S. fuligineuse, mais son dos est plus gris; noter le large *col blanchâtre* séparant le dos de la calotte noire; la tache blanche du front se prolonge *derrière l'œil* (s'arrête *à* l'œil chez la S. fuligineuse).
Aire: Mers tropicales. Les tempêtes tropicales l'ont amenée sur la côte jusqu'au Massachusetts au N. Fréquente sans doute le Gulf Stream jusqu'en Car. du N.

■ **BEC-EN-CISEAUX: Famille des Rynchopidés.** Oiseaux élancés, à pattes courtes, apparentés aux Laridés. Bec en ciseaux, rouge; longue mandibule inférieure. **Nourriture:** Petits poissons, crustacés. **Aire:** Côtes, fleuves des pays chauds. **Espèces:** Monde, 3; Est, 1.

BEC-EN-CISEAUX NOIR *Rynchops niger* (40-50 cm) 87

Black Skimmer

Noter le bec en ciseaux, asymétrique. Dessus noir et dessous blanc; plus élancé qu'un goéland, ailes extrêmement longues. Le bec rouge vif (noir au bout) est long et comprimé latéralement; la mandibule inférieure dépasse d'un tiers la supérieure. Jeune brunâtre, moucheté, à bec plus petit. Écume les eaux côtières, le bec ouvert et la mandibule inférieure à l'eau.
Voix: Jappements courts et doux. Aussi, *kôp, kôp.* **Aire:** Du Mass. au S de l'Am. du S. Hiverne sur les côtes du S-E des É.-U. et plus au S. **Habitat:** Plages, lagunes, eaux côtières; aussi les lacs intérieurs en Floride.

STERNES SOMBRES,
BEC-EN-CISEAUX

hiver

en mue

GUIFETTE
NOIRE

plumage nuptial

NODDI
BRUN

NODDI
NOIR

STERNE
FULIGINEUSE

jeune

adulte

STERNE
BRIDÉE

TERNE
GINEUSE

jeune

adulte

BEC-EN-CISEAUX
NOIR

adulte

■ **HÉRONS, BUTORS: Famille des Ardéidés.** Échassiers de grande et moyenne taille, à long cou et à long bec pointu. Tiennent le cou dressé ou replié sur les épaules. En vol, cou replié en «S» et pattes traînantes. Certaines espèces portent des aigrettes à la pariade. Sexes semblables. **Nourriture:** Poissons, grenouilles, écrevisses, autres organismes aquatiques; souris, insectes. **Aire:** Mondiale, sauf les régions froides, certains déserts et certaines îles. **Espèces:** Monde, 59; Est, 12 (+ 1 exceptionnelle).

GRAND HÉRON *Ardea herodias* (en partie)   (105-130 cm) $\quad$ 88
Great Blue Heron
(forme bleue) Long oiseau gris pouvant mesurer 1,20 m de haut, souvent appelé «grue», à tort. Les longues pattes, le long cou, le bec long et pointu, ainsi que le cou replié en vol sont caractéristiques des hérons. La grande taille, la couleur gris-bleu et le blanc sur la tête (de l'adulte) caractérisent l'espèce.
Espèce semblable: Voir la Grue du Canada (pp. 106, 107).
Voix: Croassements rauques et graves: *frahnk, frahnk, frahnk.*
Aire: Du S du Canada au Mexique. Hiverne jusqu'au N de l'Am. du S.
Habitat: Marais, rivages, vasières.

GRAND HÉRON *Ardea herodias* (en partie)
(forme intermédiaire) Keys de Floride. Comme le Grand Héron (bleu), mais la tête est blanche, *sans aigrettes noires.* Il s'agit sans doute d'une forme intermédiaire entre la forme bleue et la forme blanche (p. 103) du Grand Héron.

AIGRETTE BLEUE *Egretta caerulea* (60 cm) $\quad$ 89
Little Blue Heron
Aigrette élancée, de taille moyenne. *Adulte:* Corps ardoisé, cou brunâtre sombre, pattes sombres. *Jeune:* Tout blanc; pattes *olive terne;* bec bleuté pâle, noir au bout. En plumage de transition, bigarré de blanc et de gris foncé. Voir pp. 102, 103.
Espèce semblable: La jeune Aigrette neigeuse peut avoir l'arrière des pattes jaunâtre, mais est tout noir.
Aire: De l'E des É.-U. au Pérou et à l'Argentine. **Habitat:** Marais, marécages, boisés, rizières, étangs, rivages.

AIGRETTE TRICOLORE *Egretta tricolor* (65 cm) $\quad$ 90
Tricolored Heron
Noter le *ventre blanc* contrastant, caractère clé de cette aigrette sombre et élancée. Croupion *blanc.*
Aire: De l'E des É.-U. au Brésil. **Habitat:** Marais: marécages boisés, cours d'eau, rivages.

AIGRETTE ROUSSÂTRE *Egretta rufescens* (73 cm) $\quad$ 91
Reddish Egret
Noter toujours le bec *de couleur chair,* à bout noir. Deux formes de coloration: 1) gris neutre, à tête et cou rouille; 2) *blanche* à pattes *bleues* (illustrée en p. 103). Plumes effilochées, surtout au cou. Pour chasser, avance en titubant, sans coordination.
Espèces semblables: 1) La forme grise ressemble à l'Aigrette bleue, adulte, qui est plus sombre et a la base du bec *bleu pâle.* 2) La forme blanche rappelle le Grande Aigrette, mais a les pattes bleutées (et non noires).
Aire: G. du Mexique, Antilles, Mexique. **Habitat:** Vasières, marais côtiers, rivages, lagunes.

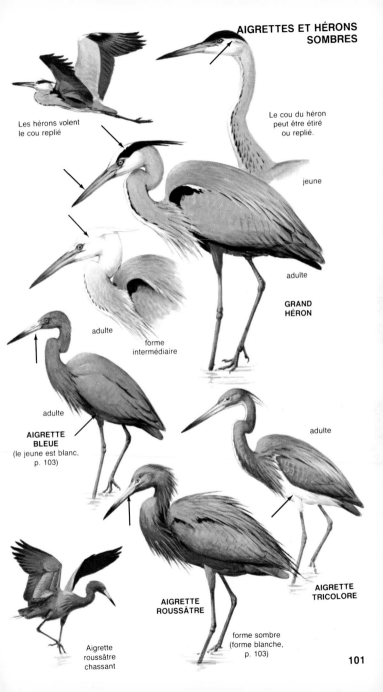

AIGRETTES ET HÉRONS SOMBRES

Les hérons volent le cou replié

Le cou du héron peut être étiré ou replié.

jeune

adulte

GRAND HÉRON

adulte

forme intermédiaire

adulte

AIGRETTE BLEUE
(le jeune est blanc, p. 103)

adulte

AIGRETTE TRICOLORE

AIGRETTE ROUSSÂTRE

forme sombre (forme blanche, p. 103)

Aigrette roussâtre chassant

101

GRANDE AIGRETTE *Ardea alba* (95 cm) 92

Great Egret

Grand héron blanc, élancé et majestueux, au *bec jaune* (orange à la pariade).
Pattes et pieds *noirs*. En plumage nuptial, les aigrettes du dos sont *droites*
et dépassent la queue. Chasse à l'affût, le cou étendu, penché en avant,
dans une pose attentive, très différente de celle de l'A. neigeuse.
Espèce semblable: L'Aigrette neigeuse a le bec *noir,* les pieds *jaunes.*
Voix: Croassement grave et rauque, ainsi que des *couk, couk, couk.*
Aire: Des É.-U. au S de l'Am. du S; régions chaudes de l'Ancien Monde.
Habitat: Marais, étangs, rivages, vasières.

AIGRETTE NEIGEUSE *Egretta thula* (50-68 cm) 93

Snowy Egret

Noter les *«pantoufles dorées»*. Héron blanc assez petit, *à mince bec noir,*
pattes noires et *pieds jaunes*. En plumage nuptial, *aigrettes retroussées* sur
le dos. Tache jaune devant l'oeil (rouge à la pariade). Se nourrit en cou-
rant ça et là, agitant l'eau de ses pattes pour déloger les proies.
Espèces semblables: 1) Grande Aigrette (bec jaune); 2) Héron garde-
boeufs (bec jaune); 3) jeune Aigrette bleue (bec bleuté).
Voix: Croassement grave; dans les colonies, un *woula-woula-woula*
bafouillé.
Aire: Du N des É.-U. à l'Argentine. **Habitat:** Marais, marécages boisés,
étangs, rivages, vasières.

AIGRETTE BLEUE *Egretta caerulea* Little Blue Heron

Jeune: Bec *bleuté,* pattes verdâtre terne. Voir p. 100.

HÉRON GARDE-BOEUFS *Bubulcus ibis* (50 cm) 94

Cattle Egret

Un peu plus petit, plus trapu et au cou plus large que l'Aigrette neigeuse.
À la pariade, plaques *chamois* sur la calotte, la poitrine et le dos (mais
semble blanchâtre à distance); autrement, peu ou pas de chamois. Bec *jaune*
(rose-orange à la pariade). Pattes rose-corail (pariade); jaunes, verdâtres,
ou sombres (jeunes).
Espèces semblables: 1) Aigrette neigeuse (bec *noir*); 2) jeune Aigrette
bleue (bec *bleuté*); 3) Grande Aigrette (plus grande).
Aire: S de l'Eurasie, Afrique; nouvellement arrivé en Am. du S, en Am.
du N, en Australie. Introduit à Hawaï. **Habitat:** Fermes, marais, talus
routiers (en Floride); s'associe au bétail.

AIGRETTE ROUSSÂTRE *Egretta rufescens* Reddish Egret

Forme blanche: Noter le bec *rose chair,* les pattes bleutées. Voir p. 100.

GRAND HÉRON *Ardea herodias occidentalis* (125 cm) 95

Great Blue Heron

(forme blanche) Notre plus grand héron blanc et celui dont l'aire est la
plus réduite. Tout blanc; son bec jaune et ses *pattes jaunâtres* le différen-
cient à coup sûr de la Grande Aigrette, plus petite et à pattes noirâtres.
Anciennement traité comme une espèce distincte: maintenant considéré
comme une forme blanche du Grand Héron (p. 100), dont il a la stature.
Aire: S de la Floride, Cuba, côtes du Yucatan. **Habitat:** Îlots de mangrove, baies côtières, récifs calcaires, vasières.

AIGRETTES ET HÉRONS BLANCS

GRANDE AIGRETTE

AIGRETTE NEIGEUSE

jeune

AIGRETTE BLEUE
(adulte, p. 101)

HÉRON GARDE-BOEUFS

jeune

plumage nuptial

AIGRETTE ROUSSÂTRE

forme blanche

(forme sombre, p. 101)

GRAND HÉRON
(forme blanche, propre au S de la Floride)

BIHOREAU GRIS *Nycticorax nycticorax* (58-70 cm) $\quad$ 96
(Bihoreau à couronne noire) $\qquad$ Black-crowned Night-Heron
Trapu, bec épais et pattes courtes. Habituellement vu au repos, le cou rentré; nocturne, il s'envole au crépuscule pour aller se nourrir. *Adulte:* Noter le *dos noirâtre et la calotte noire* contrastant avec le dessous gris clair, ou blanchâtre, et les ailes grises. Œil rouge; pattes jaunâtres ou jaune vert (roses à la pariade). À la pariade, arbore deux longues plumes blanches à la tête. *Jeune:* Brun, *tacheté et rayé de blanc et chamois.*
Espèces semblables: Voir 1) le Butor d'Amérique; 2) le jeune Bihoreau violacé.
Voix: *Couok!* ou *couark!* terne. Entendu surtout au crépuscule.
Aire: Du S du Canada à l'Argentine; Eurasie, Afrique, îles du Pacifique.
Habitat: Marais, rivages; juche dans les arbres.

BIHOREAU VIOLACÉ *Nyctanassa violacea* (55-70 cm) $\quad$ 97
$\qquad$ Yellow-crowned Night-Heron
Héron *gris,* trapu; tête noire, *une tache à la joue et la calotte blanchâtres. Jeune:* Très semblable au jeune B. gris, mais plus sombre, *plus finement moucheté.* Bec plus fort, pattes *plus longues,* plus jaunes. En vol, tout le pied dépasse la queue.
Voix: *Couark,* plus aigu que celui du B. gris.
Aire: De l'E des É.-U. au N et à l'E de l'Am. du S. **Habitat:** Marécages de taxodiers, bayous, marais, cours d'eau.

HÉRON VERT *Butorides virescens* (40-55 cm) $\quad$ 98
$\qquad$ Green Heron
Petit héron sombre, ressemblant en vol à une corneille (mais bat des ailes en les arquant). En alerte, il étire le cou, hérisse la huppe et agite la queue. Les pattes, relativement *courtes,* sont *jaune verdâtre* ou *orange* (à la pariade). Dos bleuté, ou marron foncé. Le jeune a le cou rayé.
Voix: Série de *kouck; skiou* ou *skiouk* forts.
Aire: Du N-O des É.-U. et du S-E du Canada jusqu'au N de l'Am. du S.
Habitat: Lacs, étangs, marais, marécages boisés, rives de cours d'eau.

PETIT BLONGIOS *Ixobrychus exilis* (28-35 cm) $\quad$ 99
(Petit Butor) $\qquad$ Least Bittern
Très petit, grêle et furtif; monte sur les roseaux. Noter la grande *tache chamois à l'aile* (absente chez les râles). Il existe aussi une forme de coloration marron, très rare.
Voix: Le chant, *cou-cou-cou,* sourd et grave, s'entend dans les marais.
Aire: Depuis le S-E du Canada et les É.-U. jusqu'en Am. du S. **Habitat:** Étangs d'eau douce, roselières; difficile à faire voler.

BUTOR D'AMÉRIQUE *Botaurus lentiginosus* (58 cm) $\quad$ 100
$\qquad$ American Bittern
Héron brun et trapu; taille d'un jeune bihoreau, mais d'un brun plus chaud. En vol, l'extrémité de l'aile est plus *noirâtre* et le bec tenu plus horizontalement. Au repos, reste souvent figé, le bec pointé en l'air. *Raie noire* sur le cou.
Voix: Bruit de pompe, *oung-ka' chounk, oung-ka' chounk, oung-ka' chounk,* etc., lent et grave. *Kok-kok-kok* en s'enfuyant.
Aire: Du Canada au g. du Mexique; hiverne jusqu'au Panama. **Habitat:** Marais, roselières des lacs. Se perche rarement dans les arbres.

BIHOREAUX,
BUTORS, HÉRON VERT

adulte   BIHOREAU GRIS

jeune

adulte   BIHOREAU VIOLACÉ

jeune

forme
typique

forme
foncée
(rare)

PETIT
BLONGIOS

jeune

adulte

HÉRON
VERT

BUTOR
D'AMÉRIQUE

105

■ **TANTALES: Famille des Ciconiidés.** Grands oiseaux aux allures de héron, à longues pattes et à long bec (droit, retroussé ou courbé); certains ont la tête nue. Sexes semblables. Marchent d'un pas lent. Vol franc; pattes et cou tendus. **Nourriture:** Grenouilles, crustacés, lézards, rongeurs. **Aire:** S des É.-U., Am. centrale, Am. du S, Afrique, Eurasie, Inde, Australie. **Espèces:** Monde, 17; Est, 1.

TANTALE D'AMÉRIQUE *Mycteria americana* (85-118 cm)

101
Wood Stork

Très grand (envergure 1,60 m); blanc, *tête nue et sombre, beaucoup de noir* à l'aile, queue noire. Bec long, *épais et courbé*. Le jeune a le bec jaune. Se nourrit en marchant, tête baissée. En vol, les battements d'ailes alternent avec les planés. Tournoie souvent très haut, dans les courants d'air ascendants.
Espèce semblable: Le Pélican d'Amérique, qui tournoie aussi dans les courants ascendants, a un motif semblable à l'aile.
Voix: Croassement rauque; généralement silencieux.
Aire: Du S des É.-U. à l'Argentine. **Habitat:** Marécages de taxodiers (colonies de nidification); marais, étangs, lagunes.

■ **GRUES: Famille des Gruidés.** Oiseaux majestueux, plus robustes que les hérons, *à face souvent nue et rouge*. Noter le croupion *panaché*. Cou étendu en vol; migrent en «V» ou en file, comme les oies. Le Grand Héron est parfois appelé «grue» à tort. **Nourriture:** Les grues sont omnivores. **Aire:** Presque mondiale, sauf l'Am. centrale, l'Am. du S et l'Océanie. **Espèces:** Monde; 14; Est, 2 (+ 1 exceptionnelle).

GRUE BLANCHE *Grus americana* (125 cm)
(Grue blanche d'Amérique)
Whooping Crane

Le plus grand oiseau d'Am. du N et l'un des plus rares. Envergure de 2,25 m. Grande grue *blanche à face rouge*. Rémiges primaires *noires*. Les jeunes sont teintés de rouille, surtout à la tête.
Espèces semblables: 1) Le Tantale d'Amérique a la tête sombre et plus de noir à l'aile; 2) les aigrettes et 3) les cygnes n'ont pas de noir à l'aile. Voir aussi 4) le Pélican d'Amérique, p. 78, et 5) l'Oie des neiges, p. 42.
Voix: *Kèr-lou! kèr-li-ou!* claironnant et perçant.
Aire: Niche dans le N de l'Alberta (parc de Wood Buffalo); migre à travers la Prairie (par le Nebraska) jusqu'à la côte du Texas (Aransas). **Habitat:** Tourbières (été): étangs de la Prairie, marais.

GRUE DU CANADA *Grus canadensis* (100-120 cm)

102
Sandhill Crane

Envergure, 1,80-2,10 m. Noter la *calotte rouge et nue,* le croupion panaché. Oiseau gris à long cou et longues pattes, souvent teinté de rouille. Le jeune est assez brun. En vol, le cou est tendu et le battement d'ailes marqué d'un vif mouvement vers le haut.
Espèce semblable: Le Grand Héron (p. 100) est parfois appelé «grue», à tort.
Voix: *Garoou-a-a-a* roulé et perçant; répété.
Aire: N-E de la Sibérie, Am. du N, Cuba. Hiverne jusqu'au Mexique. **Habitat:** Steppes, champs, marais, toundra (été).

TANTALES, GRUES

Ci-dessous:
à gauche, l'Ibis blanc
droite, le Tantale d'Amérique.

adulte

TANTALE D'AMÉRIQUE

jeune

Les tantales, les ibis
et les grues volent
le cou allongé.

adulte

jeune

GRUE BLANCHE

adulte

jeune

GRUE DU CANADA

- **COURLANS: Famille des Aramidés.** Famille monotypique caractérisée dans la description de sa seule espèce. **Nourriture:** Surtout de gros escargots d'eau douce; quelques insectes et grenouilles. **Aire:** S-E des É.-U., Antilles, du S du Mexique à l'Argentine. **Espèces:** Monde, 1; Est, 1.

COURLAN BRUN *Aramus guarauna* (70 cm) 103
(Courlan) Limpkin

Grand échassier de marécage, moucheté, un peu plus gros que les ibis, auxquels il ressemble par ses longues pattes et son *bec arqué,* cependant, aucun ibis n'est brun avec des *taches et des raies blanches.* Vole comme une grue (rejet sec des ailes vers le haut).
Espèces semblables: Jeunes ibis, bihoreaux, Butor d'Amérique.
Voix: Plainte retentissante, *kri-ow, kra-ow,* etc., etc., répétée, surtout la nuit et par temps couvert.
Aire: S-E des É.-U., Antilles, du S du Mexique à l'Argentine: **Habitat:** Marécages d'eau douce, marais peuplés de gros escargots.

- **IBIS ET SPATULES: Famille des Threskiornithidés.** Les ibis sont des échassiers à longues pattes, comme les hérons, avec un bec effilé et *arqué;* les spatules ont le bec spatulé. Tous volent en file ou en «V», le cou *allongé,* contrairement aux hérons. **Nourriture:** Petits crustacés, petits poissons, insectes, etc. **Aire:** Régions tropicales ou tempérées chaudes. **Espèces:** Monde, 28; Est, 4 (+ 1 introduite).

IBIS FALCINELLE *Plegadis falcinellus* (55-63 cm) 104
Glossy Ibis

Échassier de marais, de taille moyenne, *marron pourpré, sombre et lustré,* à long bec *arqué;* de loin, on dirait un gros courlis noir. Ces ibis volent en file, le cou allongé, des planés alternant avec des battements d'ailes plus rapides que ceux des hérons.
Voix: *Ka-onk* guttural, répété, *krouk-krouk* grave.
Aire: E des É.-U., Antilles, S de l'Eurasie, Afrique, Australie, etc. **Habitat:** Marais, rizières, marécages boisés.

IBIS À FACE BLANCHE *Plegadis chihi* (55-63 cm) 104
White-faced Ibis

Très semblable à l'I. falcinelle, mais l'été, *les pattes et les lorums* sont *rougeâtres* et une *ligne blanche* court à la base du bec. L'I. falcinelle a parfois une fine ligne blanchâtre, mais elle ne va pas *derrière l'œil ni sous le menton.* Ce trait disparaît l'hiver.
Aire: De l'O des É.-U. à l'Argentine. **Est:** Du S de la Louisiane au S du Texas; occasionnel en Floride. **Habitat:** Comme l'Ibis falcinelle.

IBIS BLANC *Eudocimus albus* (55-68 cm) 105
White Ibis

Noter la *face rouge,* le long *bec rouge arqué* et la petite tache noire au bout des ailes. Le jeune est sombre; noter le *ventre et le croupion blancs,* le bec rouge, arqué. Le cou est allongé en vol; les groupes forment des files, planant et battant des ailes; tournoient souvent.
Espèces semblables: 1) Le Tantale d'Amérique est plus gros, a bien plus de noir (comparaison p. 107). 2) Le jeune Ibis falcinelle paraît uniformément foncé. 3) Si ce n'était du bec, le jeune pourrait être pris pour une Aigrette tricolore.
Aire: Du S-E des É.-U. au N de l'Am. du S. **Habitat:** Marais d'eau salée, saumâtre ou douce, rizières, mangroves.

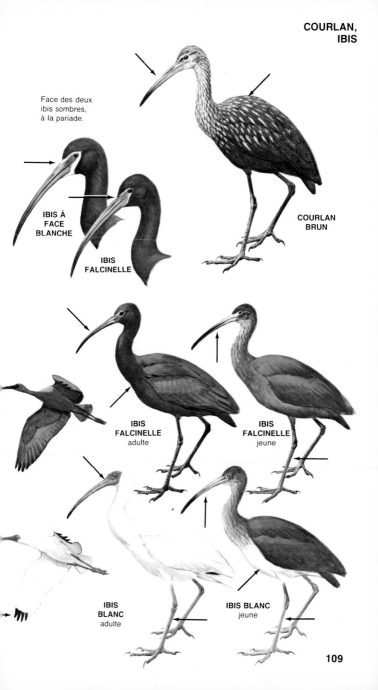

Face des deux
ibis sombres,
à la pariade.

IBIS À
FACE
BLANCHE

IBIS
FALCINELLE

COURLAN
BRUN

IBIS
FALCINELLE
adulte

IBIS
FALCINELLE
jeune

IBIS
BLANC
adulte

IBIS BLANC
jeune

109

IBIS ROUGE *Eudocimus ruber* (55-63 cm)

Scarlet Ibis

Ibis *écarlate;* même taille, aspect et motif (aile à bout noir) que l'Ibis blanc. **Aire:** N de l'Am. du S. Exceptionnel dans les États du g. du Mexique. Les individus rosés peuvent provenir de zoos (décoloration fréquente en captivité). Récemment, des jeunes nés d'oeufs placés dans des nids d'Ibis blancs, à Miami, ont atteint l'âge adulte. Cette expérience a ensuite donné lieu à de l'hybridation.

SPATULE ROSÉE *Ajaia ajaja* (80 cm)   106

Roseate Spoonbill

Échassier *rose vif*, à long bec plat et spatulé. L'adulte a le corps *rose*, avec un éclat rouge-sang sur l'aile, et la queue orange; la tête est nue et gris-verdâtre. Le jeune est blanchâtre et devient rosé avec l'âge. Les spatules se nourrissent en promenant rapidement leur bec d'un côté et de l'autre. En vol, le cou est tendu comme chez les ibis; l'oiseau plane souvent entre les séries de coups d'ailes.
Voix: Au nid, croassement grave.
Aire: Du S des É.-U. au Chili et à l'Argentine. **Habitat:** Marais côtiers, lagunes, vasières; niche dans les îlots de mangrove.

■ **FLAMANTS: Famille des Phoenicoptéridés.** Échassiers à pattes et cou très longs, qui ont un plumage allant du blanc rosâtre au vermillon. Bec épais, fortement busqué, garni de lamelles pour filtrer la nourriture. **Nourriture:** Petits mollusques, crustacés, algues bleues, diatomées. **Aire:** Antilles, Yucatan, Galapagos, Am. du S, Afrique, S de l'Eurasie, Inde. **Espèces:** Monde, 6; Est, 1.

FLAMANT ROSE *Phoenicopterus ruber* (113 cm)

Greater Flamingo

Échassier très svelte, rose vermeil, aussi grand que le Grand Héron mais bien plus gracile. Noter le bec fortement coudé, en «nez» busqué. Se nourrit la tête ou le bec immergé. En vol, arbore beaucoup de noir aux ailes; le très long cou tombe un peu à l'avant comme les longues pattes à l'arrière: on peut avoir l'impression que l'oiseau vole à reculons. Les individus pâles et délavés peuvent provenir de zoos car ils pâlissent souvent en captivité. Le jeune est bien plus clair que l'adulte.
Voix: Cris d'oie, caquetages; *ar-honk,* etc.
Aire: Antilles, Yucatan, Galapagos, S de l'Eurasie, Afrique. Occasionnel sur les côtes de la Floride, exceptionnel ailleurs. Il est difficile de dire si les oiseaux égarés sont vraiment sauvages ou échappés. Ils originent peut-être de Hialeah Race Track, de Bok Sanctuary ou de Busch Gardens, etc.
Habitat: Lacs salés, marais salants.

ÉCHASSIERS ROSES ET ROUGES

IBIS ROUGE

adulte

SPATULE ROSÉE

jeune

adulte

FLAMANT ROSE

adulte

111

■ **RÂLES, GALLINULES ET FOULQUES: Famille des Rallidés.**
Échassiers de marais aux mœurs discrètes et à la voix mystérieuse, plus souvent entendus que vus, les râles ont la forme trapue d'une poule. Vol bref et hésitant, pattes pendantes. Les gallinules et les foulques nagent; se distinguent des canards par la petite tête, la plaque frontale et le bec de poule. Elles sont traitées à part aux pp. 64, 65 (têtes illustrées aussi à la p. 115). Les sexes sont semblables chez tous nos Rallidés. **Nourriture:** Plantes aquatiques, graines, bourgeons, insectes, grenouilles, crustacés, mollusques. **Aire:** Partout sauf dans les régions polaires. **Espèces:** Monde, 132; Est, 9 (+ 5 exceptionnelles).

RÂLE DE VIRGINIE *Rallus limicola* (23 cm) | 107 |

Virginia Rail

Petit râle roux à joues grises; barres noires aux flancs et long bec rougeâtre un peu arqué. Le seul petit râle de la taille d'une sturnelle, à long bec *effilé*. En fin d'été, les jeunes entièrement développés arborent beaucoup de noir.
Voix: *Ouak-ouak-ouak,* etc. descendant; aussi, *quiddik, quiddik,* etc.; divers grognements et cris secs.
Aire: Du S du Canada au S de l'Am. du S. Hiverne surtout dans le S des É.-U. et plus au sud. **Habitat:** Surtout les marais d'eau douce ou saumâtre; en hiver, les marais côtiers également.

RÂLE ÉLÉGANT *Rallus elegans* (38-48 cm) | 108 |

King Rail

Gros râle roux à long bec grêle; deux fois la taille du R. de Virginie, ou à peu près celle d'une petite poule. Semblable au R. gris, mais plus roux; préfère les marais d'eau douce.
Espèces semblables: 1) Le R. de Virginie est deux fois plus petit et a les joues gris ardoise. 2) Voir le R. gris (plus gris).
Voix: Grognement grave: *bop-bop, bop-bop-bop,* etc. ou *tchok-tchok-tchok* (plus grave que chez le R. de Virginie, ne descend pas).
Aire: E des É.-U., Cuba, Mexique (rarement). Les populations du N migrent.
Habitat: Marais d'eau douce ou saumâtre, rizières, marécages boisés; parfois les marais côtiers, en hiver.

RÂLE GRIS *Rallus longirostris* (35-40 cm) | 109 |

Clapper Rail

Gros râle gris-brun, des marais côtiers. Aspect d'une poule, pattes fortes, bec long et un peu arqué, flancs barrés et tache blanche sous la queue courte (d'habitude relevée ou agitée). Nage parfois.
Espèce semblable: Le R. élégant préfère les marais d'eau douce (parfois saumâtre); généralement plus gros, il a les raies du dos et des flancs plus foncées, les ailes *brun roux* et la poitrine cannelle, mais certains R. gris montrent des tons fauves aussi chauds. Le R. gris a les *joues plus grises.* En fait, là où ils habitent des marais adjacents, leur hybridation occasionnelle amène à croire qu'il s'agit peut-être de races de la même espèce.
Voix: *Kik-kik-kik-kik,* etc. bruyant, ou *tcha-tcha-tcha,* etc.
Aire: Des côtes de l'E des É.-U. et de la Californie jusque dans le N de l'Am. du S. **Habitat:** Marais d'eau salée, rarement d'eau saumâtre; localement dans les mangroves.

jeune

RÂLE DE VIRGINIE

adulte

RÂLE ÉLÉGANT

poussin

RÂLE GRIS

Courlan brun
pour comparaison

113

MAROUETTE DE CAROLINE *Porzana carolina* (20-24 cm) 110
(Râle de Caroline)   Sora

Noter le *court* bec *jaune*. L'adulte est un petit râle dodu gris-brun, *à face et gorge noires*. La courte queue relevée laisse voir des sous-caudales blanches ou chamois. *Jeune:* brun chamois, sans tache noire à la gorge.
Espèces semblables: Le jeune peut être pris pour le R. jaune, plus petit et plus rare. Voir le R. de Virginie (bec effilé).
Voix: Hennissement descendant. Au printemps, *keûr-oui* plaintif et sifflé. Réagit à un caillou lancé dans le marais par un *kîk* perçant.
Aire: Canada; O, centre-N et N-E des É.-U. Hiverne du S des É.-U. au Pérou.
Habitat: Marais d'eau douce, prés humides; marais côtiers également, en hiver.

RÂLE DES GENÊTS *Crex crex* (23-25 cm)
                                                                 Corn Crake

Visiteur européen exceptionnel; environ 15 mentions, assez anciennes. Râle des champs, au bec court, comme la Marouette de Caroline mais plus gros, *chamois jaunâtre*, à ailes *rousses* voyantes.

RÂLE NOIR *Laterallus jamaicensis* (13-15 cm) 111
                                                                 Black Rail

Minuscule râle noirâtre, à petit bec *noir;* taille d'un moineau à queue courte. Nuque marron foncé. Très difficile à entrevoir.
Espèces semblables: *Attention:* Tous les jeunes râles en duvet sont noir luisant (mais sans barres sur les flancs).
Voix: Le mâle, la nuit, *kiki-dou* ou *kiki-krrr.*
Aire: N-E et centre des É.-U., centre de la Californie et localement plus au sud, jusqu'aux Antilles, Chili. **Habitat:** Marais littoraux, salicornes (sur la côte), marais herbeux et champs fauchés (dans l'intérieur).

RÂLE JAUNE *Coturnicops noveboracensis* (18 cm) 112
                                                                 Yellow Rail

Noter la *tache blanche de l'aile* (en vol). Petit râle chamois; on dirait un poussin d'une semaine. Bec très court, verdâtre. Dos rayé et carrelé de chamois et noir. Comportement de souris; difficile à faire lever.
Espèce semblable: Le jeune de la Marouette de Caroline est plus gros, a le dessous moins chamois, n'a pas la tache à l'aile. Noter le motif très différent du dos.
Voix: Cris secs, répétés la nuit, souvent en longues séries: *tic-tic, tic-tic-tic, tic-tic, tic-tic-tic,* etc. (par 2 et 3).
Aire: Surtout le Canada, le N des É.-U. Hiverne dans le S des É.-U. **Habitat:** Marais herbeux d'eau douce, prés; aussi les champs de céréales, l'hiver, rarement les marais d'eau salée.

FOULQUE D'AMÉRIQUE *Fulica americana*   American Coot
Bec blanc. Voir pp. 64, 65.

GALLINULE POULE-D'EAU *Gallinula chloropus*   Common Moorhen
Plaque frontale rouge, bec rouge. Voir pp. 64, 65.

TALÈVE VIOLACÉE *Porphyrula martinica*   Purple Gallinule
Plaque frontale bleu pâle, bec rouge. Voir pp. 64, 65.

RÂLES À BEC COURT

MAROUETTE
DE CAROLINE

adulte

jeune

MAROUETTE
DE CAROLINE

poussin

RÂLE
NOIR

RÂLE DES
GENÊTS
(exeptionnel)

RÂLE
JAUNE

RALLIDÉS NAGEURS

FOULQUE
D'AMÉRIQUE

GALLINULE
POULE-D'EAU

TALÈVE
VIOLACÉE

(espèces traitées aux pp. 64-65)

■ **HUÎTRIERS: Famille des Haematopodidés.** Grands limicoles à long bec rouge, comprimé latéralement, biseauté au bout. Sexes semblables. **Nourriture:** Mollusques, crabes, vers marins. **Aire:** Répandus sur les côtes, par tout le Monde; dans l'intérieur, par endroits, en Europe et en Asie. **Espèces:** Monde, 6; Est, 1.

HUÎTRIER D'AMÉRIQUE   *Haematopus palliatus* (43-53 cm)   `113`

American Oystercatcher

Gros limicole bruyant, trapu, à tête noire, dos sombre, ventre blanc et à grandes taches blanches aux ailes et à la queue. Le trait saillant est le *gros bec rouge, droit,* comprimé latéralement. Pattes rose chair.
Espèce semblable: Voir le Bec-en-ciseaux noir, pp. 98, 99.
Voix: *Ouîp!* ou *klîp!* retentissant; *pic, pic, pic* sonore.
Aire: Du Mass. à l'Argentine et au Chili. **Habitat:** Plages côtières, estrans.

■ **AVOCETTES ET ÉCHASSES: Famille des Récurvirostridés.** Limicoles sveltes, à pattes très longues et bec très mince (retroussé chez les avocettes). Sexes semblabes. **Nourriture:** Insectes, crustacés, autres organismes aquatiques. **Aire:** É.-U., Am. centrale et du S, Afrique, S de l'Eurasie, Océanie. **Espèces:** Monde, 7; Est, 2.

ÉCHASSE D'AMÉRIQUE   *Himantopus mexicanus* (33-43 cm)   `114`

Black-necked Stilt

Grand limicole très gracile; dessus noir, dessous blanc. Noter les *pattes rouges, ridiculement longues,* le bec en aiguille. En vol, montre des ailes *toutes noires* qui contrastent avec le croupion, la queue et le dessous blancs.
Voix: *Kjip, kjip, kjip* perçant, répété avec excitation.
Aire: De l'O et du S-O des É.-U. jusqu'au Pérou. Hiverne surtout au S des É.-U.
Habitat: Marais herbeux, vasières, étangs, lacs peu profonds (d'eau douce ou salée).

AVOCETTE D'AMÉRIQUE   *Recurvirostra americana* (40-50 cm) `115`

American Avocet

Grand limicole svelte, à bec très mince et retroussé, un peu comme celui des barges. Ces traits et le motif noir et blanc contrastant en font un oiseau unique. La tête et le cou sont cannelle en plumage nuptial, gris clair en hiver. Les avocettes se nourrissent en fauchant la surface de l'eau de leur bec.
Voix: *Ouîk* ou *klît* perçant, répété avec excitation.
Aire: Niche dans le S-O du Canada, l'O des É.-U. Hiverne du S des É.-U. au Guatemala. **Habitat:** Plages, vasières, lacs peu profonds, étangs de la Prairie.

HUÎTRIER, ÉCHASSE, AVOCETTE

HUÎTRIER D'AMÉRIQUE

ÉCHASSE D'AMÉRIQUE

été

hiver

AVOCETTE D'AMÉRIQUE

■ **PLUVIERS: Famille des Charadriidés.** Limicoles trapus, à cou large, grands yeux, et bec court ressemblant à celui du pigeon. Les cris aident à l'identification. À la différence de beaucoup d'autres limicoles, font de petites courses et des arrêts brefs. Sexes semblables. *Note:* Le Tournepierre à collier, représenté ici, faisait auparavant partie de cette famille; on le range maintenant parmi les Scolopacidés (p. 126). **Nourriture:** petits organismes marins, insectes, un peu de matière végétale. **Aire:** Presque mondiale. **Espèces:** Monde, 63; Est, 8 (+ 4 exceptionnelles).

PLUVIER ARGENTÉ *Pluvialis squatarola* (26-34 cm) $\boxed{116}$

Black-bellied Plover

Gros pluvier: en plumage nuptial, *poitrine noire* et dos clair, moucheté. En plumage d'hiver, le jeune et l'adulte sont gris et se distinguent par la forme trapue, le profil voûté et le bec de pigeon. En vol, *axillaires* (aisselles) toujours *noires,* queue et croupion toujours blancs.
Espèce semblable: Le P. bronzé est plus brun, n'a pas de motif blanc aux ailes ni à la queue; ses axillaires ne sont pas noires.
Voix: Sifflement plaintif et doux: *tlî-ou-î* ou *oui-eûr-î* (note médiane plus basse).
Aire: L'Arctique; circumpolaire. Hiverne des côtes des É.-U. et du S de l'Eurasie à l'hémisphère S. **Habitat:** Vasières, marais, plages; toundra (l'été).

PLUVIER BRONZÉ *Pluvialis dominica* (24-28 cm) $\boxed{117}$

(Pluvier doré d'Amérique) American Golden-Plover

Taille du P. kildir. Adulte en plumage nuptial: sombre, le *dessus pointillé d'or,* le dessous noir; une *large bande blanche* court au-dessus des yeux et descend sur le côté du cou et de la poirine. Jeunes et adultes en plumage d'hiver: bruns, le dessus plus sombre que le dessous; caractérisés en vol par *l'absence de motif.*
Espèce semblable: Le P. argenté est plus gros; dessus plus clair, avec *bande alaire, sous-caudales et croupion blancs: ses axillaires* (aisselles) *noires* sont caractéristiques.
Voix: *Couidoul* sifflé ou *coui-i-a* (tombant à la fin).
Aire: Sibérie, Arctique américain. Hiverne en Am. du S, dans le S de l'Asie, d'Hawaï à l'Australie. **Habitat:** Steppes, champs, vasières, rivages; toundra (l'été).

TOURNEPIERRE À COLLIER *Arenaria interpres* (20-25 cm) $\boxed{118}$

Ruddy Turnstone

Noter le plumage bariolé. Limicole trapu, robuste, à *pattes orange.* En plumage nuptial, le dos roux et le curieux motif de la face et de la poitrine en font un oiseau unique, encore plus frappant en vol. Jeunes et adultes en plumage d'hiver sont ternes, mais gardent suffisamment du motif de base pour être identifiables.
Voix: *Tok-a-tok* ou *kot-a-kot,* à notes détachées: *kiouk* aussi.
Aire: Arctique, subarctique; circumpolaire. Hiverne des côtes des É.-U. et du S de l'Eurasie à l'hémisphère S. **Habitat:** Plages, vasières, jetées, côtes rocheuses; toundra (l'été).

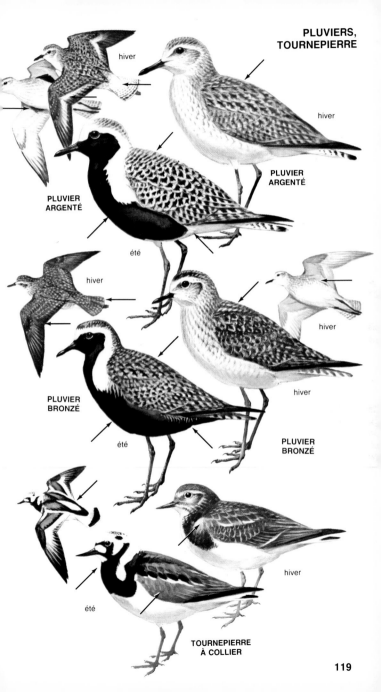

**PLUVIERS,
TOURNEPIERRE**

hiver

hiver

**PLUVIER
ARGENTÉ**

**PLUVIER
ARGENTÉ**

été

hiver

hiver

hiver

**PLUVIER
BRONZÉ**

été

**PLUVIER
BRONZÉ**

hiver

été

**TOURNEPIERRE
À COLLIER**

119

PLUVIER SEMIPALMÉ   *Charadrius semipalmatus*   (16-19 cm)   119
Semipalmated Plover

Petit pluvier dodu, à dos brun, deux fois plus petit que le P. kildir; *un seul collier*. Bec jaune foncé à bout noir, ou tout noir (l'hiver). Pattes orangées ou jaunes.
Espèce semblable: Le P. siffleur est clair, de la couleur du sable sec (le P. semipalmé est plus sombre, comme le sable humide).
Voix: *Tchioui* ou *tou-li*, plaintif, doux et montant.
Aire: Arctique américain. Hiverne jusqu'en Am. du S. **Habitat:** Rivages, estrans.

PLUVIER GRAND-GRAVELOT   *Charadrius hiaticula*   (19 cm)
(Grand Gravelot)   Common Ringed Plover

Très semblable au P. semipalmé, le remplaçant au Groenland et dans le N-E de l'archipel arctique. Migre vers l'Europe. Se distingue, en main, par l'absence de palmure entre les doigts médians et internes. Le collier peut être un peu plus large.

PLUVIER SIFFLEUR   *Charadrius melodus*   (15-19 cm)   120
Piping Plover

Plumage blafard, de la couleur du sable sec. Collier complet ou non. Pattes jaunes; bec jaune à bout noir. L'hiver, bec et pattes sombres.
Voix: Sifflement plaintif; *pîp-lo* (note initiale plus aiguë).
Aire: Du S du Canada au N-E et au centre des É.-U. **Habitat:** Plages de sable, estrans.

PLUVIER À COLLIER INTERROMPU   *Charadrius alexandrinus*   121
(Gravelot à collier interrompu)   (16 cm)   Snowy Plover

Pluvier pâle de la côte du golfe du Mexique. Semblable au P. siffleur mais avec un *fin bec noir*, des *pattes noirâtres* et une *tache sombre à l'oreille*.
Espèce semblable: Les juvéniles et les adultes du P. siffleur en plumage d'hiver peuvent avoir le bec et les pattes sombres, mais ont le *croupion blanc* et n'ont ni collier noir, ni la tache sombre à l'oreille.
Voix: Sifflement mélodieux: *pi-oui-ah* ou *o-oui-ah*.
Aire: Du S des É.-U. à l'Am. du S, Eurasie, Afrique, Australie. **Habitat:** Plages, plaines sablonneuses.

PLUVIER DE WILSON   *Charadrius wilsonia*   (18-20 cm)   122
Wilson's Plover

Plus gros que le P. semipalmé avec un collier plus large et un *gros bec noir*, bien plus long. Pattes de couleur chair grisâtre.
Voix: *Ouit!* ou *ouît!*, sifflé et énergique.
Aire: Du New Jersey au N de l'Am. du S. **Habitat:** Plages, estrans, îles sablonneuses.

PLUVIER KILDIR   *Charadrius vociferus*   (23-28 cm)   123
Killdeer

Bruyant; le pluvier nicheur commun des terres agricoles. Noter le *double collier noir* (le poussin n'en a qu'un). Révèle, en vol, un *croupion roux orangé*, une queue assez longue et une bande blanche sur l'aile.
Voix: Criard; *kill-dîâ* fort, insistant, répété; *dî-î* plaintif (montant); *dî-dî-dî*, etc. Aussi, un trille grave.
Aire: Du Canada au centre du Mex., Antilles, côtes du Pérou. Les populations du N migrent. **Habitat:** Champs, aérodromes, pelouses, berges, rivages.

PLUVIERS À COLLIER

PLUVIER
GRAND-GRAVELOT

PLUVIER
SEMIPALMÉ

été

hiver

hiver

été

jeune   ♀   ♂   été

forme à
collier entier

été

PLUVIER
SIFFLEUR

PLUVIER
À COLLIER
INTERROMPU

♀   ♂

PLUVIER DE
WILSON

PLUVIER KILDIR

poussin

TÊTES

Pluvier
grand-gravelot

Pluvier de Wilson

Pluvier siffleur

vier à collier
nterrompu

Pluvier semipalmé

Pluvier kildir

121

PLUVIERS ET TOURNEPIERRE EN VOL

Les cris émis en vol sont caractéristiques.

**Texte et
planche en
couleurs**

PLUVIER SIFFLEUR *Charadrius melodus*   **pp. 120, 121**
Couleur du sable sec; tache noire à la queue, *croupion
blanchâtre.*
Cri, sifflement plaintif: *Pîp-lo* (note initiale plus haute).

PLUVIER À COLLIER INTERROMPU   **pp. 120, 121**
Charadrius alexandrinus
Couleur du sable sec; queue à centre sombre et côtés blancs;
le croupion n'est pas blanc.
Cri, sifflement mélodieux: *Pi-oui-ah* ou *o-oui-ah.*

PLUVIER SEMIPALMÉ *Charadrius semipalmatus*   **pp. 120, 121**
Couleur du sable humide; queue sombre bordée de blanc.
Cri: *Tchi-oui* ou *tou-li* plaintif, lié et montant.

PLUVIER DE WILSON *Charadrius wilsonia*   **pp. 120, 121**
Motif comme celui du P. semipalmé; plus gros; *gros bec.*
Cri différent: *Ouit!* ou *ouît!,* sifflé et énergique.

PLUVIER KILDIR *Charadrius vociferus*   **pp. 120, 121**
Croupion roux orangé, queue assez longue.
Criard; *kill-dîâ* ou *kill-dîr* sonore; *dî-dî-dî,* etc.

PLUVIER ARGENTÉ *Pluvialis squatarola*   **pp. 118, 119**
Au printemps: Dessous noir, sous-caudales *blanches.* Motif
du dessus comme à l'automne.
À l'automne: Axillaires (aisselles) *noires,* du blanc dans les
ailes et la queue.
Cri, sifflement plaintif et doux: *Oui-eûr-î*

PLUVIER BRONZÉ *Pluvialis dominica*   **pp. 118, 119**
Au printemps: Dessous noir, sous-caudales *noires.* Motif
du dessus comme à l'automne.
À l'automne: Absence de motif dessus et dessous; dessous
de l'aile plus gris que chez le P. argenté; *les axillaires
ne sont pas noires.*
Cri: *Couidoul* ou *coui,* sifflé et dur.

TOURNEPIERRE À COLLIER *Arenaria interpres*   **pp. 118, 119**
Motif bariolé.
Cri: *Kit-a-kik* ou *kot-a-kot* gloussé et grave.

PLUVIERS, TOURNEPIERRE
en vol

PLUVIER
SIFFLEUR

PLUVIER À COLLIER
INTERROMPU

PLUVIER
KILDIR

PLUVIER
SEMIPALMÉ

PLUVIER DE
WILSON

hiver

PLUVIER
ARGENTÉ

été

PLUVIER
ARGENTÉ

hiver

hiver

été

PLUVIER
BRONZÉ

PLUVIER
BRONZÉ

TOURNEPIERRE
À COLLIER

été

123

■ BÉCASSEAUX, CHEVALIERS, etc.: Famille des Scolopacidés.

Limicoles de taille variable, à bec plus mince que celui des pluviers. Sexes semblables, sauf chez les phalaropes (nageurs autrefois rangés dans une famille distincte). **Nourriture:** Insectes, crustacés, mollusques, vers, etc. **Aire:** Monde entier. **Espèces:** Monde, 80; Est, 33 (+ 14 exceptionnelles).

BÉCASSE D'AMÉRIQUE *Scolopax minor* (28 cm) | 124 |

American Woodcock

Oiseau brun, rondelet, presque sans cou, de la couleur des feuilles mortes, avec de larges barres sur la tête. Sensiblement plus petit que la Gélinotte huppée. Bec très long et grands yeux ronds. Levé d'habitude dans les fourrés; ses courtes ailes *arrondies* produisent un sifflement.

Voix: Le printemps, au crépuscule, le mâle lance un *bîzp* nasillard (évoquant l'Engoulevent d'Amérique); en vol, trille mécanique (produit par les ailes) lorsque l'oiseau monte, devenant un pétillement à la descente.

Aire: Du S-E du Canada au g. du Mexique. Hiverne dans le S-E des É.-U.
Habitat: Fourrés et bois humides, marais broussailleux. Parade nocturne au-dessus des champs buissonneux.

BÉCASSINE DES MARAIS *Gallinago gallinago* (28 cm) | 125 |

Common Snipe

Noter le *bec très long*. Échassier de marais qui demeure tapi; brun, *tête rayée, raies chamois sur le dos*. S'envole en poussant un *skép* grinçant et *zigzague*, laissant voir une *courte queue orangée*.

Voix: *Skép* grinçant. Chant: *Tchip-a, tchip-a, tchip-a*, etc., cadencé. En parade aérienne: *houhouhouhouhouhouhou* vibrant.

Aire: N de l'Am. du N, N de l'Eurasie. Hiverne jusqu'au Brésil et jusqu'au centre de l'Afrique. **Habitat:** Marais, tourbières, prés humides.

BÉCASSIN ROUX *Limnodromus griseus* (26-30 cm) | 126 |

(Bécasseau roux)   Short-billed Dowitcher

Oiseau des grandes *vasières*, ressemblant à une bécassine. Noter le très long bec et le *long triangle blanc* au dos. Poitrine roux vif l'été, grise l'automne. Se nourrit avec des mouvements de machine à coudre.

Voix: *Tiou-tiou-tiou* à notes détachées; même ton que le Petit Chevalier.

Aire: S de l'Alaska, Canada. Hiverne du S des É.-U. au Brésil. **Habitat:** Vasières, marais côtiers, berges des étangs.

BÉCASSIN À LONG BEC *Limnodromus scolopaceus* (28-31 cm)

(Bécasseau à long bec)   Long-billed Dowitcher

Les longueurs de bec des limnodromes se chevauchent, mais les individus à très long bec (7,5 cm) de cette espèce sont faciles à distinguer. En plumage nuptial, côtés de la poitrine *barrés* et non mouchetés, dessous *rougeâtres jusqu'au bas du ventre*. L'automne, la voix est le meilleur critère.

Voix: *Kîk* grêle, parfois doublé ou triplé.

Aire: Du N-E de la Sibérie au N-O du Canada. Hiverne du S des É.-U. au Guatemala. **Est:** Migrateur; préfère les eaux douces. L'hiver, même aire dans le S des É.-U. que le Bécassin roux; arrive plus tard.

BÉCASSEAU MAUBÈCHE *Calidris canutus* (25-28 cm) | 127 |

Red Knot

Trapu, avec un bec assez court; bien plus gros que le B. sanderling. *Au printemps:* Poitrine *rouge brique pâle*. *À l'automne:* Limicole replet, d'aspect délavé; bec court, croupion clair, pattes verdâtres. De près, noter le *motif en écailles, créé par le liséré blanc des plumes*.

Voix: *Knout* bas; aussi, *touit-ouit* ou *ouah-quoit* grave et doux.

Aire: Arctique; circumpolaire. Hiverne jusque dans l'hémisphère S. **Habitat:** Estrans, rivages; toundra (l'été).

LIMICOLES

BÉCASSE
D'AMÉRIQUE

BÉCASSINE
DES MARAIS

hiver

hiver

BÉCASSIN
ROUX

été

été

BÉCASSIN
À LONG
BEC

hiver

été

hiver

BÉCASSEAU MAUBÈCHE

BARGE HUDSONIENNE *Limosa haemastica* (33-40 cm) 128
Hudsonian Godwit

Noter le motif en vol. La grande taille et le bec droit (ou *un peu retroussé*) de ce limicole annoncent une barge: la queue noire *à large bande blanche* caractérise cette espèce. Le dessous de l'aile est *noirâtre*. Au printemps, la poitrine est rougeâtre chez le mâle, plus terne chez la femelle; en automne les deux ont le dos gris, la poitrine claire.
Voix: *Ta-ouit!*, plus aigu que chez la B. marbrée.
Aire: Surtout l'Arctique canadien; hiverne en Am. du S. **Habitat:** Plages, mares de la Prairie; toundra (l'été).

BARGE MARBRÉE *Limosa fedoa* (40-50 cm) 129
Marbled Godwit

Les barges sont de gros limicoles à bec très long, droit ou un peu *retroussé*. Le plumage d'un riche *chamois-brun*, tacheté, caractérise cette espèce. Les couvertures sous-alaires sont *cannelle*.
Espèce semblable: La B. hudsonienne a du blanc sur les ailes et la queue.
Voix: *Keûr-ouit!* expressif; *raddica, raddica,* aussi.
Aire: N de la Prairie. Hiverne du S des É.-U. au N de l'Am. du S. **Habitat:** Steppes, mares, rivages; estrans.

COURLIS À LONG BEC *Numenius americanus* (50-65 cm) 130
Long-billed Curlew

Noter le *très long bec en faucille* (10-21 cm). Bien plus gros que le Courlis corlieu, plus chamois; n'a pas de raies nettes sur la tête. *Couvertures sous-alaires cannelle.* Le bec du jeune peut être à peine plus long que celui du C. corlieu.
Voix: *Keûr-lî* fort (avec inflexion montante); *klî-lî-lî-lî* rapide, sifflé. «Chant», trille doux: *keûrliiiiiiiiou.*
Aire: S-O du Canada, O des É.-U. Hiverne du S des É.-U. au Guatemala. **Habitat:** Steppes, hauts plateaux. Aussi, terres cultivées, estrans, plages et marais côtiers, l'hiver.

COURLIS ESQUIMAU *Numenius borealis* (30-35 cm)
Eskimo Curlew

Bien plus petit que le C. corlieu. Bec plus court (4-6,5 cm), plus fin, *à peine arqué*. Dessus plus bigarré que le C. corlieu, chamois vif tacheté de noir, comme chez le C. à long bec. Couvertures sous-alaires *chamois orangé*. Pattes ardoisées. Rémiges primaires non barrées.
Voix: Cri diversement décrit: *tî-dî-dî* ou *tî-dî*, répété, ou une note évoquant celle de la Sterne pierregarin.
Aire: Presque disparu. Autrefois l'Arctique américain, hivernant dans le S de l'Am. du S. Passait sur la côte E l'automne, à travers la Prairie au printemps. Observations récentes dans plusieurs États.

COURLIS CORLIEU *Numenius phaeopus* (38-48 cm) 131
Whimbrel

Gros limicole gris-brun, à long bec *arqué*. Plus gris que le C. à long bec; bec plus court (6,8-10 cm), *calotte rayée*. Les Courlis corlieux volent en file.
Voix: 5-7 sifflements brefs: *pu-pu-pu-pu-pu-pu.*
Aire: Arctique; circumpolaire. Hiverne jusque dans le S de l'Am. du S. **Habitat:** Rivages, vasières, marais, steppes; toundra.

BARGES,
COURLIS

été

hiver

BARGE
HUDSONIENNE

hiver

été

BARGE
MARBRÉE

COURLIS
À LONG
BEC

COURLIS ESQUIMAU

COURLIS CORLIEU

CHEVALIER SEMIPALMÉ *Catoptrophorus semipalmatus* (35-43 cm) 132
Willet

En vol, noter le motif noir et blanc frappant, des ailes. Au sol, les ailes fermées, ce gros limicole est terne; dessus gris et dessous un peu barré l'été, dessous uni l'automne et l'hiver; pattes gris-bleu.
Espèce semblable: Posé, plus trapu que le Grand Chevalier; en diffère par le plumage plus gris, le bec plus fort, les pattes sombres.
Voix: *Pill-ouill-ouillett* mélodieux, répété en pariade; *ké-i* fort (2e note plus grave). Aussi, *kip-kip-kip*, etc. répété rapidement. En vol, *houî, ouî, ouî.*
Aire: Du S du Canada au g. du Mexique, Antilles. Hiverne du S des É.-U. au Brésil. **Habitat:** Marais, prés humides, vasières, plages.

GRAND CHEVALIER *Tringa melanoleuca* (35 cm) 133
Greater Yellowlegs

Noter les *pattes jaune vif* (comme chez le Petit Chevalier, mais aux articulations plus fortes). Limicole svelte, gris; dos carrelé en gris, noir et blanc. En vol, *croupion et queue blanchâtres*, les *ailes* sans bande paraissant *sombres*. Bec long, à peine retroussé.
Espèce semblable: Voir le Petit Chevalier.
Voix: Sifflement trisyllabique; *Kiou-kiou-kiou*, ou *dirr! dirr! dirr!*
Aire: Alaska, Canada. Hiverne des É.-U. à la Terre de Feu. **Habitat:** Marais, vasières, cours d'eau, étangs; l'été, tourbières boisées.

PETIT CHEVALIER *Tringa flavipes* (25-28 cm) 134
Lesser Yellowlegs

Comme le Grand Chevalier, mais nettement plus petit. Son bec plus court et plus grêle est bien droit; celui du Grand Chevalier paraît souvent un peu retroussé. Se distingue facilement par la voix.
Espèces semblables: 1) Le Bécasseau à échasses et 2) le Phalarope de Wilson ont un motif similaire en vol. 3) Voir aussi le C. solitaire.
Voix: *Piou* ou *piou-piou* (1 ou 2 notes), plus grave, moins sonore que le *kiou-kiou-kiou* clair et trisyllabique du Grand Chevalier.
Aire: Alaska, Canada. Hiverne du S des É.-U. à l'Argentine. **Habitat:** Marais, vasières, rivages, étangs; l'été, forêts boréales claires.

CHEVALIER SOLITAIRE *Tringa solitaria* (20-23 cm) 135
Solitary Sandpiper

Noter les ailes sombres et les *côtés blancs de la queue* (avec barres noires nettes). Limicole à dos sombre, dessous blanchâtre et *cercle oculaire clair*.
Espèces semblables: 1) Le Petit Chevalier a les pattes jaunes (pas verdâtres), le croupion blanc (pas foncé). 2) Le C. grivelé (p. 132) se trémousse plus et les battements de ses ailes, marquées d'une bande blanche, sont de faible amplitude; plus puissants, ceux du C. solitaire tiennent de l'hirondelle.
Voix: *Pît* ou *pît-ouît-ouît!* (*plus aigu que chez le C. grivelé*).
Aire: Alaska, Canada. Hiverne du g. du Mexique à l'Argentine. **Habitat:** Rives, étangs, marais boisés, marais d'eau douce.

BÉCASSEAU À ÉCHASSES *Calidris himantopus* Voir p. 132
L'hiver: Longues pattes jaune verdâtre, croupion blanc, sourcil clair.

PHALAROPE DE WILSON *Phalaropus tricolor* Voir p. 136
L'hiver: Bec très fin, dessous bien blanc, pattes jaune terne.

128

CHEVALIERS

CHEVALIER
SEMIPALMÉ

été

hiver

PETIT
CHEVALIER

GRAND
CHEVALIER

(en vol,
p. 141)

CHEVALIER
SOLITAIRE

BÉCASSEAU
À ÉCHASSES

hiver

PHALAROPE
DE WILSON

hiver

BÉCASSEAU SANDERLING *Calidris alba* (18-20 cm)

Sanderling

Noter *la bande alaire blanche* bien nette. Bécasseau dodu, des plages littorales, qui poursuit inlassablement le ressac, comme un jouet mécanique. *En été:* Tête, dos et poitrine roux vif. *En hiver:* Le plus pâle des bécasseaux; dessous blanc neige, dessus gris clair, *épaules noires.*

Voix: Le *touik* ou *kouit,* bref est distinctif.

Aire: Arctique; circumpolaire. Hiverne du S des É.-U., de l'Angleterre et de la Chine à l'hémisphère S. **Habitat:** Plages côtières, estrans, rives des lacs; toundra pierreuse (l'été).

BÉCASSEAU ROUSSÂTRE *Tryngites subruficollis* (19 cm)

Buff-breasted Sandpiper

Aucun autre petit limicole n'a le *dessous entièrement chamois* uni (incluant les sous caudales). Petit échassier peu farouche, à port dressé, bec court, cercle oculaire clair et pattes jaunâtres. Au vol ou en parade, le chamois tranche sur le blanc du dessous des ailes (marbrées à l'extrémité).

Voix: Trille bas: *pr-r-rît. Tik* perçant.

Aire: O de l'Arctique américain. Hiverne en Argentine. Migre par la Prairie; des individus atteignent la côte atlantique, l'automne. **Habitat:** Steppes et prés à herbe courte; parties hautes de la toundra (l'été).

MAUBÈCHE DES CHAMPS *Bartramia longicauda* (29 cm)

Upland Sandpiper

Limicole brun, à tête de pigeon, plus grand que le Pluvier kildir. Le bec court, la *petite tête,* l'œil bien découpé, le cou mince et la *longue queue* aident à l'identifier. Souvent perché sur un poteau de clôture: en se posant, garde les ailes relevées un instant.

Voix: Sifflement doux, souvent émis la nuit: *kip-ip-ip-ip.* Chant: sifflements étranges et éthérés, *houîîîîî, houilou...* (note finale prolongée).

Aire: Surtout le Canada; le N des É.-U. Hiverne dans la Pampa argentine. **Habitat:** Steppes, prés, champs.

BÉCASSEAU À POITRINE CENDRÉE *Calidris melanotos*

(20-23 cm) Pectoral Sandpiper

Noter les raies serrées de la poitrine, formant une bavette *bien délimitée.* Taille moyenne (variable); cou plus long que chez les petits bécasseaux (p. 134). Dos sombre, *rayé* de blanc, comme chez la bécassine; bande alaire peu nette, ou absente; sommet de la tête rouille. Pattes et bec vert jaunâtre terne.

Voix: *Krik, krik,* ou *trrip-trrip* nasillard. **Aire:** N-E de la Sibérie, Arctique américain. Hiverne en Am. du S. **Habitat:** En migration, mares de la Prairie, rivages boueux, marais d'eau douce ou salée; toundra (l'été).

COMBATTANT VARIÉ *Philomachus pugnax* (♂ : 30 cm; ♀ :23 cm)

Ruff

(Bécasseau combattant)

Mâle en été: Unique; *aigrettes* et *collerette* érectiles, noires, brunes, rousses, chamois, blanches ou barrées, en combinaisons diverses. Pattes vertes, jaunes, orangées, ou couleur chair. Bec également variable (rouge, jaune, brun ou noirâtre). *Mâle en hiver:* Plutôt terne, dos brun d'aspect écailleux, poitrine chamois cendré, sans raie. Noter le *port dressé* et (en vol) la *tache blanche ovale* sur chaque côté de la queue sombre. *Femelle:* Comme le mâle en plumage d'hiver, mais plus petite.

Voix: Cri en vol: *tou-i* ou *tiou-houit,* grave. **Aire:** N de l'Eurasie; hiverne dans le S de l'Eurasie, en Afrique. Visiteur rare en Am. du N. Vu chaque année, plus souvent en automne qu'au printemps dans le N-E.

BÉCASSEAUX, MAUBÈCHE

été

hiver

BÉCASSEAU SANDERLING

BÉCASSEAU ROUSSÂTRE

MAUBÈCHE DES CHAMPS

BÉCASSEAU À POITRINE CENDRÉE

hiver ♂

plumage nuptial variable du ♂

♂

♀

♂

COMBATTANT VARIÉ

131

BÉCASSEAU À ÉCHASSES *Calidris himantopus* (20 cm)

Stilt Sandpiper

Au printemps, dessous fortement *barré transversalement*. Noter la *tache rouille à l'oreille*. En automne, comme le Petit Chevalier: dessus gris, dessous blanc, ailes sombres et *croupion blanc;* noter les *pattes verdâtres* et le *sourcil blanc*. Bec effilé, un peu arqué au bout. Se nourrit comme le Bécassin roux (mouvements de machine à coudre).

Voix: *Wou;* rappelle le Petit Chevalier, plus grave et plus rauque.

Aire: Arctique américain. Hiverne en Am. du S. **Habitat:** Mares peu profondes, vasières, marais: toundra (l'été).

BÉCASSEAU COCORLI *Calidris ferruginea* (18-23 cm)

Curlew Sandpiper

Noter le *bec* mince et *arqué*, le *croupion blanc*. *Au printemps:* Tête et dessous rouge brique. *En automne:* Comme le B. variable, mais à pattes plus longues, poitrine moins rayée et bec *un peu arqué sur toute sa longueur;* la différence principale est le *croupion blanc*.

Voix: *Tchirrip* doux, moins grinçant que le cri du B. variable.

Aire: E de l'Arctique asiatique. Migre en Afrique. Visiteur rare dans l'E de l'Am. du N. **Habitat:** Comme le B. variable.

BÉCASSEAU VARIABLE *Calidris alpina* (20-23 cm)

Dunlin

Un peu plus gros que le B. sanderling; bec fort, assez long et un peu *arqué au bout*. *En été:* Dos roux, *tache noire au ventre*. *En hiver:* Dessus gris-brun uni et poitrine délavée de gris (pas blanc pur, comme chez le B. sanderling). Noter le bout arqué du bec. Port voûté, lorsqu'il se nourrit.

Voix: *Tchîzp* ou *trîzp,* âpre et nasillard.

Aire: Arctique; circumpolaire. Hiverne des côtes des É.-U. et du S de l'Eurasie au Mexique, au N de l'Afrique et à l'Inde. **Habitat:** Estrans, plages, mares boueuses; toundra humide (l'été).

BÉCASSEAU VIOLET *Calidris maritima* (20-23 cm)

Purple Sandpiper

Les bécasseaux trapus et sombres vus l'hiver sur les rochers, les jetées et les brise-lames des côtes septentrionales appartiennent généralement à cette espèce. La coloration de junco, ardoisé à ventre blanc, est un bon indice. De près, noter les courtes pattes jaunes, la base jaunâtre du bec et le cercle oculaire blanc. En été, plus brun et fortement rayé. Voir le B. variable en plumage d'hiver (pattes et bec noirs).

Voix: *Ouît-ouit* ou *twit,* grave.

Aire: E de l'Arctique américain, N-O de l'Eurasie; hiverne sur les rives de l'Atlantique-N. **Habitat:** Jetées et rochers battus par les vagues.

CHEVALIER GRIVELÉ *Actitis macularia* (19 cm)

Spotted Sandpiper

(Chevalier branlequeue)

Le limicole nicheur le plus commun sur les rives des lacs et des cours d'eau. Se balance à chaque pas comme s'il perdait l'équilibre. En été, noter les *taches rondes de la poitrine*. En automne et en hiver: dessous uni, dessus brun-olive et sourcils blancs; la tache sombre bordant une pointe blanche devant l'épaule est un bon indice. Le vol est distinctif: le battement d'ailes *très court* fait paraître l'oiseau empesé et lui donne un profil arqué.

Voix: *Pît,* ou *pît-ouît* clair, ou *pî-huit-huit-huit-huit.*

Aire: Alaska, Canada et centre-N des É.-U. Hiverne du S des É.-U. au N de l'Argentine. **Habitat:** Rives caillouteuses, en eau douce; aussi les côtes, en hiver.

BÉCASSEAUX,
CHEVALIER GRIVELÉ

hiver

été

BÉCASSEAU
À ÉCHASSES

hiver

été

BÉCASSEAU
COCORLI

hiver

été

BÉCASSEAU
VARIABLE

hiver

été

BÉCASSEAU
VIOLET

hiver

été

CHEVALIER
GRIVELÉ

BÉCASSEAU MINUSCULE *Calidris minutilla* (13-16 cm) $\boxed{143}$
Least Sandpiper
La plupart des petits bécasseaux, de la taille du moineau, se ressemblent par leur livrée rayée. Le B. minuscule se reconnaît à sa taille plus petite, son plumage *plus brun,* ses pattes *jaunâtres ou verdâtres* (pas noirâtres), son *bec plus mince* et sa poitrine plus rayée.
Voix: *Krî-ît* ténu, avec voyelle plus haute que chez le B. semipalmé.
Aire: Alaska, Canada. Hiverne du S des É.-U. au Brésil. **Habitat:** Vasières, marais herbeux, mares, rivages.

BÉCASSEAU SEMIPALMÉ *Calidris pusilla* (14-16 cm) $\boxed{144}$
Semipalmated Sandpiper
En migration, le plus abondant des petits bécasseaux. Bec *plus fort* que le B. minuscule; un peu plus gros et plus gris dessus; pattes généralement *noirâtres.*
Espèce semblable: Souvent confondu avec le B. d'Alaska.
Voix: *Tchit* ou *tchéh* (sans la voyelle haute du B. minuscule et du B. d'Alaska). **Aire:** Arctique américain. Hiverne surtout dans le N de l'Am. du S. **Habitat:** Plages, vasières; toundra (l'été).

BÉCASSEAU D'ALASKA *Calidris mauri* (15-18 cm) $\boxed{145}$
Western Sandpiper
Très semblable au B. semipalmé; parfois un peu plus gros. La femelle adulte typique a un bec nettement plus épais à la base, plus long et un peu arqué au bout. L'été, l'adulte a le dessus de la tête et le dos plus roux (une trace de roux peut persister sur les scapulaires l'automne, produisant un contraste). L'hiver, peut-être le plus clair du groupe; les mâles au bec court ne se distinguent des B. semipalmés que par la voix. Hiverne aux É.-U., contrairement au Bécasseau semipalmé.
Voix: *Djît* ou *tchîp* ténu, différent du *tchit* doux du B. semipalmé.
Aire: Alaska; hiverne du S des É.-U. au Pérou. **Habitat:** Rivages, plages, vasières.

BÉCASSEAU DE BAIRD *Calidris bairdii* (18-19 cm) $\boxed{146}$
Baird's Sandpiper
Plus gros que les deux précédents, d'*aspect* plus *élancé* (les ailes dépassent la queue de 1 cm), plus brun et à poitrine plus chamois. On dirait un gros B. minuscule à pattes noires. Le dos du jeune a un aspect assez *écailleux.*
Espèces semblables: 1) Le B. roussâtre est chamois de la gorge aux sous-caudales et a les pattes *jaunâtres* (pas noirâtres). Voir aussi 2) le B. sanderling, l'été, et 3) le B. à poitrine cendrée.
Voix: *Krîp* ou *krî;* trille roulé.
Aire: N-E de la Sibérie et Arctique américain. Hiverne dans l'O et le S de l'Am. du S. **Habitat:** Mares, rives des étangs, vasières, rivages.

BÉCASSEAU À CROUPION BLANC *Calidris fuscicollis* $\boxed{147}$
(18-20 cm) White-rumped Sandpiper
Plus gros que le B. semipalmé, plus petit que le B. à poitrine cendrée. Le seul *petit* bécasseau à *croupion* entièrement *blanc,* remarquable en vol. Bien roux au printemps, plus gris que les petits bécasseaux, l'automne. Au repos, les ailes dépassent la queue: les flancs *rayés sous l'aile* sont un bon indice.
Voix: *Djît* de souris, comme le bruit de deux silex frottés.
Aire: Arctique américain. Hiverne dans le S de l'Am. du S. **Habitat:** Prés, rivages, vasières; toundra (l'été).

PETITS BÉCASSEAUX

hiver été

BÉCASSEAU
MINUSCULE

hiver été

BÉCASSEAU
SEMIPALMÉ

hiver été

BÉCASSEAU
D'ALASKA

hiver été

BÉCASSEAU
DE BAIRD

hiver été

BÉCASSEAU À
CROUPION
BLANC

Bécasseau
minuscule

Bécasseau
semipalmé

BECS

Bécasseau
d'Alaska

135

- **PHALAROPES:** Ces limicoles à doigts lobés marchent et nagent avec aisance. Tournent souvent sur l'eau comme des toupies, happant plancton, invertébrés marins, crevettes, larves de moustiques et insectes dans l'eau troublée. Les femelles sont plus grosses et plus colorées que les mâles. Deux des 3 espèces sont circumpolaires et hivernent en mer; l'autre niche dans la Prairie et hiverne en Am. du S.

PHALAROPE DE WILSON *Phalaropus tricolor* (23 cm)   148

Wilson's Phalarope

Ce phalarope élégant a les ailes sombres (sans bande) et le croupion blanc. La femelle en plumage nuptial est unique: large bandeau noir à la tête et au cou, *virant au marron.* Le mâle est plus terne; il a un soupçon de cannelle sur les côtés du cou et une tache blanche à la nuque. *L'automne:* Rappelle le Petit Chevalier (ailes sombres, croupion blanc), mais dessous plus blanc sans raies, bec *en aiguille,* pattes verdâtres ou jaune paille (pas jaune citron).
Espèces semblables: Les autres phalaropes ont des bandes alaires.
Voix: *Weûrk* nasillard; aussi, *tchèk, tchèk, tchèk.*
Aire: S-O du Canada, O des É.-U. Hiverne dans le S de l'Am. du S. **Habitat:** Étangs de la Prairie, marais d'eau douce, mares, rivages, vasières; marais côtiers également, en migration.

PHALAROPE À BEC ÉTROIT *Phalaropus lobatus* (18-20 cm)   149
(Phalarope hyperboréen)   Red-necked Phalarope

En mer, un oiseau ressemblant au B. sanderling est très probablement un phalarope. Cette espèce est la plus commune en mer et la plus fréquente dans les terres. La femelle en plumage nuptial a le dessus gris, *du roux au cou* et la gorge blanche. Le mâle est plus brun, mais le motif est semblable. L'hiver, chez les deux sexes, le dessus est gris (fortement rayé) et le dessous blanc; noter le bandeau sombre, typique des phalaropes, et le bec noir et fin.
Voix: *Kit* ou *ouit* perçant, comme le cri du B. sanderling.
Aire: Circumboréal. Hiverne en mer jusque dans l'hémisphère S. **Habitat:** Océans, baies, lacs, étangs; toundra (l'été).

PHALAROPE À BEC LARGE *Phalaropus fulicaria* (20-23 cm)   150
(Phalarope roux)   Red Phalarope

Le port en mer (flotte haut comme une mouette) annonce un phalarope; le *dessous rouge brique* et *la face blanche* du plumage nuptial caractérisent cette espèce. Le mâle est plus terne que la femelle. En automne et en hiver, dessus gris et dessous blanc: on dirait un B. sanderling avec un *bandeau sombre.*
Espèce semblable: En automne, le P. à bec étroit est plus sombre, a le dos fortement rayé, la calotte plus noire, une bande alaire plus contrastante et le bec plus fin. Le bec plus épais du P. à large bec peut être (rarement) jaunâtre à la base en automne.
Voix: Semblable au *ouit,* ou *prip,* du P. à bec étroit.
Aire: Arctique; circumpolaire. Aire d'hivernage mal connue; de l'Atlantique N à l'hémisphère S. **Habitat:** Plus strictement pélagique que le P. à bec étroit. L'été, en toundra.

136

PHALAROPES

hiver

été

hiver

hiver

été

PHALAROPE DE WILSON

hiver

hiver

hiver

été

été

PHALAROPE À BEC ÉTROIT

hiver

hiver

hiver

PHALAROPE À BEC LARGE

été

été

doigts lobés
du phalarope

137

GRANDS LIMICOLES EN VOL

Se familiariser avec les cris assez distinctifs émis en vol.

**Texte et
planche en
couleurs**

BARGE HUDSONIENNE *Limosa haemastica*   **pp. 126, 127**
  Bec retroussé, bande alaire blanche, queue noire et blanche.
  Dessous: Couvertures alaires noirâtres.
  Cri en vol: Ta-ouit! Plus aigu que chez la B. marbrée.

CHEVALIER SEMIPALMÉ *Catoptrophorus semipalmatus* **pp. 128, 129**
  Motif de l'aile contrasté: noir, gris et blanc
  Dessous: Motif encore plus frappant.
  Cri en vol: Houî-ouî-ouî sifflé.

BARGE MARBRÉE *Limosa fedoa*   **pp. 126, 127**
  Long bec retroussé, corps chamois.
  Dessous: Couvertures alaires cannelle.
  Cri en vol: Keûr-ouit! accentué.

COURLIS CORLIEU *Numenius phaeopus*   **pp. 126, 127**
  Bec arqué, corps gris-brun, raies sur la tête.
  Dessous: Plus gris que le C. à long bec, sans couvertures
  alaires cannelle.
  Cri en vol: 5-7 sifflements brefs et rapides, *pu-pu-pu-
  pu-pu-pu.*

COURLIS À LONG BEC *Numenius americanus*   **pp. 126, 127**
  Très long bec en faucille; tête sans raies.
  Dessous: Couvertures alaires cannelle vif.
  Cri en vol: Kli-li-li-li sifflé, rapide.

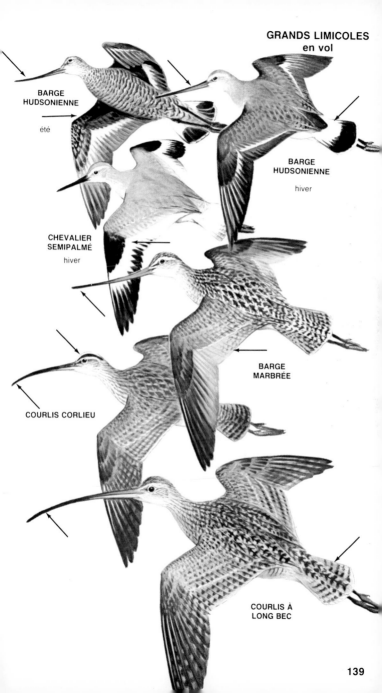

GRANDS LIMICOLES
en vol

BARGE
HUDSONIENNE

été

BARGE
HUDSONIENNE

hiver

CHEVALIER
SEMIPALMÉ

hiver

BARGE
MARBRÉE

COURLIS CORLIEU

COURLIS À
LONG BEC

LIMICOLES EN VOL

On présente ces limicoles et ceux de la planche suivante en noir et blanc pour faire ressortir les motifs de leur plumage. La plupart des espèces illustrées ici ont les ailes unies, sans bande centrale. Toutes sont illustrées en couleurs aux pages précédentes. Noter les cris distinctifs émis en vol.

Texte et planche en couleurs

BÉCASSINE DES MARAIS *Gallinago gallinago*   pp. 124, 125
     Bec long, ailes pointues, queue orangée, vol en zigzag.
     Cri en vol: Skép grinçant, lancé quand on la lève.

BÉCASSE D'AMÉRIQUE *Scolopax minor*   pp. 124, 125
     Bec long, ailes arrondies, formes rondes.
     Les ailes sifflent en vol. «Chant» aérien, la nuit.

CHEVALIER SOLITAIRE *Tringa solitaria*   pp. 128, 129
     Ailes sombres sans marque, barres noires sur les côtés de la queue.
     Cri en vol: Pît ou *pît-ouît-ouît!*, plus aigu que le Chevalier grivelé.

PETIT CHEVALIER *Tringa flavipes*   pp. 128, 129
     Semblable au Grand Chevalier, mais plus petit et le bec plus petit. Distingué par le cri à 1 ou 2 notes (pas 3).
     Cri en vol: Piou ou *piou-piou,* plus doux que le Grand Chevalier.

GRAND CHEVALIER *Tringa melanoleuca*   pp. 128, 129
     Ailes sombres, sans marque, croupion et queue blanchâtres.
     Cri en vol: Sifflement énergique à 3 notes: *kiou-kiou-kiou!*

PHALAROPE DE WILSON *Phalaropus tricolor*   pp. 128, 136
     L'automne: Rappelle le Petit Chevalier, mais plus petit, plus blanc, avec un bec en aiguille.
     Cri en vol: Weûrk nasillard et grave.

BÉCASSEAU À ÉCHASSES *Calidris himantopus*   pp. 128, 132
     Rappelle le Petit Chevalier, mais les pattes sont verdâtres.
     Cri en vol: Un *wou* plus bas que le cri du Petit Chevalier.

MAUBÈCHE DES CHAMPS *Bartramia longicauda*   pp. 130, 131
     Brune, petite tête, longue queue; bordure blanche à l'arrière de l'aile. Vole souvent du bout des ailes, comme le Chevalier grivelé.
     Cri en vol: Kip-ip-ip-ip sifflé et doux.

BÉCASSEAU ROUSSÂTRE *Tryngites subruficollis*   pp. 130, 131
     Dessous tout chamois, contrastant avec les couvertures sous-alaires blanches.
     Cri en vol: Trille bas, *pr-r-r-rît.*

BÉCASSEAU À POITRINE CENDRÉE *Calidris melanotos*   pp. 130, 131
     Comme un B. minuscule dont la taille aurait doublé. Bande alaire faible ou absente.
     Cri en vol: Krik, krik ténu.

LIMICOLES
en vol

BÉCASSINE
DES MARAIS

BÉCASSE
D'AMÉRIQUE

CHEVALIER
SOLITAIRE

GRAND
CHEVALIER

PETIT
CHEVALIER

PHALAROPE
DE WILSON

hiver

BÉCASSEAU
À
ÉCHASSES

hiver

MAUBÈCHE
DES CHAMPS

BÉCASSEAU
ROUSSÂTRE

BÉCASSEAU
À POITRINE
CENDRÉE

141

LIMICOLES EN VOL

La plupart de ces espèces ont une bande alaire claire. Retenir les cris.

Texte et planche en couleurs

BÉCASSINS *Limnodromus spp.* pp. 124, 125
Bec de bécassine et long triangle blanc au bas du dos.
Cri en vol: Bécassin roux *(L. griseus), tiou-tiou-tiou* à notes détachées; Bécassin à long bec *(L. scolopaceus), kîk,* parfois doublé ou triplé.

BÉCASSEAU VARIABLE *Calidris alpina* pp. 132, 133
En automne: Gris-brun, plus gros que les petits bécasseaux (p. 135), plus sombre que le B. sanderling.
Cri en vol: Tchîzp ou *trîzp* nasillard et grinçant.

BÉCASSEAU MAUBÈCHE *Calidris canutus* pp. 124, 125
En automne: Gris délavé, croupion clair.
Cri en vol: Knout grave.

BÉCASSEAU VIOLET *Calidris maritima* pp. 132, 133
Ardoisé; fréquente les rochers, les jetées, etc.
Cri en vol: Ouît-ouit ou *twit* grave.

BÉCASSEAU À CROUPION BLANC *Calidris fuscicollis* pp. 134, 135
Le seul petit bécasseau à avoir le croupion blanc.
Cri en vol: Cri aigu de souris, *djît.*

BÉCASSEAU COCORLI *Calidris ferruginea* pp. 132, 133
En automne: Rappelle le B. variable, mais le croupion est blanc.

COMBATTANT VARIÉ *Philomachus pugnax* pp. 130, 131
Tache blanche ovale, de chaque côté de la queue sombre.

CHEVALIER GRIVELÉ *Actitis macularia* pp. 132, 133
Les coups d'ailes très courts lui donnent un air empesé, un profil arqué.
Cri en vol: Pît ou *pît-ouît* clair.

BÉCASSEAU SANDERLING *Calidris alba* pp. 130, 131
Le petit bécasseau à la bande alaire la plus contrastante.
Cri en vol: Twick ou *kwit* bref.

PHALAROPE À BEC LARGE *Phalaropus fulicaria* pp. 136, 137
En automne: Plus clair que le P. à bec étroit; bec plus épais.

PHALAROPE À BEC ÉTROIT *Phalaropus lobatus* pp. 136, 137
En automne: Marin; comme le B. sanderling, mais à bande alaire plus courte.
Cri en vol (les deux phalaropes): Ouit perçant.

BÉCASSEAU MINUSCULE *Calidris minutilla* pp. 134, 135
Très petit, brun; bande alaire mal définie.
Cri en vol: Krî-ît ténu.

BÉCASSEAU SEMIPALMÉ *Calidris pusilla* pp. 134, 135
Plus gros, plus gris que le B. minuscule; se distingue à sa voix.
Cri en vol: Tchet doux (sans la voyelle haute du B. minuscule).

BÉCASSEAU D'ALASKA *Calidris mauri* (non illustré) pp. 134, 135
Se distingue en vol du B. semipalmé par la voix seulement.
Cri en vol: Djît ou *tchîp* ténu.

BÉCASSEAU DE BAIRD *Calidris bairdii* pp. 134, 135
Plus gros que les deux précédents. Taille du B. à croupion blanc; croupion sombre.
Cri en vol: Krîp ou *krî.*

BÉCASSIN ROUX

(le B. à long bec est très semblable)

LIMICOLES en vol

hiver

BÉCASSEAU MAUBÈCHE

hiver

BÉCASSEAU VARIABLE

BÉCASSEAU VIOLET

BÉCASSEAU À CROUPION BLANC

BÉCASSEAU COCORLI

hiver

hiver

COMBATTANT VARIÉ

hiver

CHEVALIER GRIVELÉ

hiver

PHALAROPE À BEC LARGE

BÉCASSEAU SANDERLING

PHALAROPE À BEC ÉTROIT

hiver

BÉCASSEAU MINUSCULE

BÉCASSEAU SEMIPALMÉ

BÉCASSEAU DE BAIRD

143

■ **DINDONS: Famille des Méléagrididés.** Très gros gallinacés au plumage irisé et à la tête nue; en parade, le mâle se pavane la queue en éventail; la femelle est plus petite. **Nourriture:** Baies, glands, noix, graines, insectes. **Aire:** De l'E et du S des É.-U. au Guatemala. Domestiqués presque partout dans le monde. **Espèces:** Monde, 2; Est, 1.

DINDON SAUVAGE   *Meleagris gallopavo*   [151]
(♂ : 120 cm; ♀ : 90 cm)   Wild Turkey
Comme un dindon de basse-cour, mais plus svelte et le bout de la queue *roux* (et non blanc). Tête nue, bleuâtre; caroncules rouges que le mâle en parade avive, en plus de faire la roue. Plumes du corps bronzées et irisées, rémiges barrées, «barbe» sur la poitrine. Femelle: plus petite, tête plus petite, plumage moins irisé, barbe peu fréquente.
Voix: Le mâle glougloute comme le dindon de basse-cour. Cri d'alarme: *pit!* ou *pot-pot!* Appel en groupe: *kiow-kiow*. La dinde lance des gloussements à ses poussins.
Aire: De l'E et du S-O des É.-U. au N du Mexique. Introduit ailleurs.
Habitat: Bois, forêts de montagne, marécages boisés.

■ **TÉTRAS, GÉLINOTTES, etc.: Famille des Tétraonidés.** Oiseaux terrestres semblables à la poule, plus gros que les colins, sans la longue queue de faisan. **Nourriture:** Insectes, graines, bourgeons, baies, etc. **Aire:** Am. du N, Europe, Asie. **Espèces:** Monde, 18; Est, 7

GÉLINOTTE HUPPÉE   *Bonasa umbellus*   (40-48 cm)   [152]
Ruffed Grouse
Noter la queue en éventail à large *bande noire* près du bout. (gros gallinacé des bois broussailleux, qu'on découvre rarement avant son envol bruyant qui fait sursauter. Deux formes existent: oiseaux *brun-roux* à queue rousse, et oiseaux *gris-brun,* à queue grise. La forme rousse est plus répandue dans le S de l'aire, la grise dans le N.
Voix: Le tambourinage du mâle évoque un moteur qui démarre au loin. Des coups sourds, d'abord espacés, se rapprochent en un vrombissement: *bop ...bop ...bop ..bop .bop.bop.op.r-rrrrrr.*
Aire: Alaska, Canada, N des É.-U. **Habitat:** Strates basses des forêts décidues et mixtes.

■ **FAISANS: Famille des Phasianidés** (en partie). Voir p. 148.

FAISAN DE COLCHIDE   *Phasianus colchicus*   [153]
(Faisan de chasse)   (♂ : 75-90 cm; ♀ : 53-63 cm)   Ring-necked Pheasant
Gros gallinacé à longue queue pointue et ondoyante. Court rapidement; vol vigoureux (envol bruyant). Le mâle, au plumage très coloré et irisé, a des caroncules écarlates à la face et un *collier blanc* (parfois absent). La femelle, tachetée de brun, a la *queue pointue,* modérément *longue.*
Voix: Le chant du mâle, un double cri rauque et fort, *kôrk-kok,* est suivi d'un bruissement bref produit par les ailes. Levé, il émet des croassements durs. Juché, il répète un cri dissyllabique, *kottok-kottok,* etc.
Aire: Eurasie. Introduit et répandu en Am. du N et ailleurs. **Habitat:** Fermes, champs, lisières de marais, broussailles.

parade

♂

♂

♀

DINDON SAUVAGE

♂

GÉLINOTTE HUPPÉE

forme grise

♂

forme rousse

♂

♂

parade

♂

♀

FAISAN DE COLCHIDE

145

TÉTRAS DU CANADA *Falcipennis canadensis* (38-43 cm)

Spruce Grouse

Il faut rechercher ce gallinacé sombre, et *très peu farouche* dans l'épaisse forêt boréale. Mâle: *poitrine noire* bien délimitée, flancs barrés de blanc et *bout* de la queue *roux;* une caroncule rouge au-dessus de l'œil est visible de près. Femelle: brun-rouille foncé, densément barrée; queue courte et sombre à bout rouille.

Aire: Alaska, Canada, N des É.-U. **Habitat:** Forêts de conifères, tourbières, bleuetières, etc.

TÉTRAS À QUEUE FINE *Tympanuchus phasianellus* (38-50 cm)

(Gélinotte à queue fine)   Sharp-tailed Grouse

Noter la *courte queue pointue,* dont les côtés *blancs* se voient en vol. Gallinacé brun pâle et moucheté, habitant les fourrés de la Prairie. Le mâle en parade gonfle des sacs *pourprés.*

Espèces semblables: 1) La femelle du Faisan de Colchide (p. 144) a la queue *longue* et pointue. 2) Les tétras des prairies ont la queue *courte, sombre et arrondie.* 3) La Gélinotte huppée a la queue *en éventail.*

Voix: *Cac-cac-cac,* etc. caqueté. Cri de parade: *coûte* ou *cou-ou,* avec bruissements d'ailes et piétinements.

Aire: Alaska, Canada, N-O et centre-N des É.-U. **Habitat:** Steppes, bosquets broussailleux, fourrés clairs, orées des bois, abattis, ravins, brûlis en forêt de conifères, etc.

TÉTRAS DES PRAIRIES *Tympanuchus cupido* (43-45 cm)

(Grande Poule-des-Prairies)   Greater Prairie-Chicken

Noter la courte *queue sombre et arrondie* (noire chez le mâle, barrée chez la femelle). Gallinacé brun, de la Prairie, fortement barré. Les mâles paradent ensemble, gonflant leurs sacs orangés et dressant, comme des cornes, les plumes noires du cou.

Espèces semblables: 1) La femelle du Faisan de Colchide (p. 144) a une longue queue pointue. 2) Le Tétras à queue fine a la queue blanchâtre. 3) La Gélinotte huppée (p. 144) vit dans les bois et a la queue en éventail. 4) Voir le Tétras pâle.

Voix: En parade, le mâle émet un *ou-lou-wou* creux, évoquant le bruit de l'air soufflé au goulot d'une bouteille.

Aire: De la Prairie canadienne (très rare aujourd'hui) à la côte du Texas. **Habitat:** Steppes à herbe longue (aujourd'hui très restreintes).

TÉTRAS PÂLE *Tympanuchus pallidicinctus* (40 cm)

(Petite Poule-des-Prairies)   Lesser Prairie-Chicken

Gallinacé clair de la Prairie, identifié surtout à son aire (voir plus bas). Les sacs du mâle sont pourpre terne, ou couleur prune (pas orangés comme chez l'espèce précédente).

Voix: Le ronflement de la parade n'est pas aussi fort ni aussi roulant que chez l'espèce précédente. Les deux espèces gloussent et caquètent.

Aire: Réside localement dans le S-E du Colorado, l'E du Nouveau-Mexique, le N du Texas et, dans notre région, dans l'extrême N du Kansas et de l'Oklahoma, juste à l'O de l'aire de l'espèce précédente indiquée sur la Carte 156. **Habitat:** Dunes couvertes d'armoises, de pâturins et de bosquets de chênes.

TÉTRAONIDÉS

TÉTRAS
DU CANADA

♀

♂

TÉTRAS À
QUEUE
FINE

♂ parade

♂

♂ parade

♂

TÉTRAS
DES PRAIRIES

♂ parade

♂

TÉTRAS
PÂLE

147

LAGOPÈDE DES SAULES *Lagopus lagopus* (40 cm)

Willow Ptarmigan

Petits gallinacés de l'Arctique, nos deux lagopèdes se ressemblent: bruns à ailes blanches en été, et blancs à queue noire en hiver. En été, le Lagopède des saules est souvent d'un marron plus intense que le L. alpin.

Espèce semblable: Certaines races du L. alpin sont franchement grises et finement barrées. Le bec est plus petit, plus fin. L'hiver, la plupart des L. alpins ont une *raie noire* entre l'œil et le bec. Les habitats diffèrent, le L. alpin préférant les terrains plus élevés et plus dénudés.

Voix: Cris sourds et rauques: *go-hâte, go-hâte.* Le mâle émet un appel saccadé: *kwow, kwow, tôbacco, tôbacco,* etc. ou *ké-bek, ké-bek.*

Aire: Arctique; circumpolaire. **Habitat:** Toundra, saules nains, tourbières; vallées abritées en hiver.

LAGOPÈDE ALPIN *Lagopus mutus* (33 cm)

(Lagopède des rochers)

Rock Ptarmigan

Voir le Lagopède des saules (ci-dessus).

Aire: Régions arctiques et alpines de l'hémisphère N. **Habitat:** Au-delà de la limite des arbres, en montagne (plus bas l'hiver); toundra côtière dénudée.

■ **PERDRIX, COLINS, etc.: Famille des Phasianidés** (en partie). Voir p. 144. Les perdrix et les colins sont généralement plus petits que les tétras. Les faisans sont de la taille d'une poule, avec une longue queue traînante. Sexes semblables ou dissemblables. **Nourriture:** Insectes, graines, bourgeons, baies. **Aire:** Presque mondiale. **Espèces:** Monde, 165; Est, 2 (+ 2 introduites avec succès: d'autres introductions ont échoué).

PERDRIX GRISE *Perdix perdix* (30-35 cm)

Gray Partridge

En vol, noter la *queue courte et rousse.* Oiseau rondelet, gris et brun, plus gros que le Colin de Virginie, face rouille, barres marron sur les flancs et «U» sombre sur le ventre.

Espèce semblable: La Perdrix choukar *(Alectoris chukar),* originaire elle aussi de l'Ancien-Monde, a été introduite avec succès dans l'Ouest, mais sans succès dans le Nord-Est. Voir p. 302.

Voix: *Kar-ouit, kar-ouit,* rauque. Caquetage à l'envol.

Aire: Eurasie; introduite en Am. du N. **Habitat:** Terres cultivées, champs de céréales.

COLIN DE VIRGINIE *Colinus virginianus* (21-26 cm)

Northern Bobwhite

Petit gallinacé rondelet, de la taille d'une sturnelle, roussâtre, à queue courte et, sombre. La gorge et le sourcil sont blancs et voyants chez le mâle, chamois chez la femelle.

Espèce semblable: La Gélinotte huppée est plus grosse et a la queue en éventail.

Voix: *Bob-wait!* net, sifflé, ou *pour-bob-whoit!* En compagnie: *ka-loil-kî?* auquel répond *woil-kî!*

Aire: Du centre et de l'E des É.-U. au Guatemala. **Habitat:** Fermes, lieux découverts avec broussailles, bords de routes, orées des bois.

COLIN ÉCAILLÉ *Callipepla squamata* (25-30 cm)

Scaled Quail

Colin gris des terres arides du S-O, au plumage d'aspect écailleux, avec une houppe blanche à la tête. S-O du Kansas et de l'Oklahoma. Seule la tête est illustrée.

LAGOPÈDES

♀ été

hiver

LAGOPÈDE DES SAULES

♂ été

♀ été

hiver

♂ été

LAGOPÈDE ALPIN

PERDRIX, COLINS

PERDRIX GRISE

sexes semblables

COLIN ÉCAILLÉ

COLIN DE VIRGINIE

♂

♀

149

■ **BUSES, AIGLES, etc.: Famille des Accipitridés.** Rapaces diurnes, à serres et bec crochus. Les sous-familles sont présentées séparément. Persécutés et méconnus, ils tiennent pourtant une position écologique importante. **Aire:** Presque mondiale. **Espèces:** Monde, 208; Est, 18 (+ 5 exceptionnelles) .

• **MILANS: Sous-familles des Élaninés et des Milvinés.** Rapaces gracieux du S. Avec leurs ailes pointues, les espèces des É.-U. (sauf le Milan des marais) ont une allure de faucon. **Nourriture:** Gros insectes, reptiles, rongeurs. Le Milan des marais se nourrit de gastéropodes.

MILAN À QUEUE FOURCHUE *Elanoides forficatus* (60 cm) 161
Swallow-tailed Kite

Par sa forme et son vol gracieux, on dirait une gigantesque Hirondelle rustique. Noter le dessus noir, la tête et le dessous bien blancs, la longue queue mobile et *très fourchue.*
Voix: *Îî-î* ou *pî-pî-pî,* vif et aigu.
Aire: S-E des É.-U. et Am. tropicale. Absent des É.-U. l'hiver. **Habitat:** Bois riverains marécageux.

MILAN DU MISSISSIPPI *Ictinia mississippiensis* (35 cm) 162
Mississippi Kite

Comme un gracieux faucon gris. Corps sombre dessus, plus clair dessous; tête *gris très pâle;* queue et dessous des ailes noirâtres. Le seul oiseau à forme de faucon qui a une queue noire, sans barres. Montre, en vol, une *zone claire* sur l'arrière de l'aile (qu'on ne voit pas d'en dessous). Le jeune a le dessous fortement rayé et la queue barrée.
Voix: *Fî-fiou* (G. M. Sutton); *kî-î* clair.
Aire: Surtout le S des É.-U. Hiverne en Am. centrale et dans le N de l'Am. du S. **Habitat:** Rives boisées, bosquets.

ÉLANION À QUEUE BLANCHE *Elanus leucurus* (38-43 cm)
White-tailed Kite

Ce milan blanchâtre, à l'allure de faucon, a les ailes longues et pointues et une *longue queue blanche.* Tournoie et plane comme un petit goéland; *vole souvent sur place. Adulte:* Gris pâle; tête, queue et dessous blancs; *grande zone noire* sur l'avant de l'aile. *Jeune:* Semblable, mais la poitrine est rouille, le dos brun, et la queue claire porte une fine barre noire près du bout.
Aire: S-E de l'Asie, Afrique, S-O de l'Europe; de la Californie et du S du Texas au Chili et à l'Argentine. Étend son aire en Am. du N. Visite parfois le S-E des É.-U. **Habitat:** Bosquets clairs, vallées, marais.

MILAN DES MARAIS *Rostrhamus sociabilis* (43-48 cm) 162
Snail Kite

Rappelle le Busard Saint-Martin, quelle que soit la distance, mais ne plane pas comme lui, en balançant le corps; vole de façon plus lâche, la tête penchée, à la recherche de gastéropodes. *Mâle:* Tout noir, sauf une large bande blanche à la base de la queue; *pattes rouges. Femelle:* Raies fortes sur fond chamois, sourcil blanc, queue noire à large bande blanche.
Voix: *Kor-î-î-a, kor-î-î-a* caqueté.
Aire: De la Floride, des Antilles et du Mexique à l'Argentine. **Habitat:** Marais d'eau douce peuplés de gastéropodes de l'espèce paludines *(Pomacea paludosa).*

Représentés
en vol, p. 171.

MILANS,
ÉLANION

MILAN À
QUEUE
FOURCHUE

MILAN DU
MISSISSIPPI

adulte

jeune

adulte

jeune

jeune

adulte

ÉLANION
À QUEUE
BLANCHE

adulte

jeune

♀

♂

MILAN DES
MARAIS

♂

151

- **ÉPERVIERS: Sous-famille des Accipitrinés.** Rapaces forestiers à longue queue et courtes ailes arrondies. Font généralement plusieurs battements rapides et un plané. Sexes semblables; femelles plus grosses. **Nourriture:** Surtout des oiseaux; aussi, de petits mammifères.

ÉPERVIER BRUN *Accipiter striatus* (25-35 cm) <u>163</u>

Sharp-shinned Hawk

Petit rapace forestier à corps svelte, queue longue, *ailes courtes et arrondies.* Vol: plusieurs battements rapides et un plané. L'adulte a le dos foncé, la poitrine barrée de roux. La queue fermée du mâle est *légèrement encochée* ou *carrée* (étalée, elle peut paraître arrondie). Jeune plus brun, rayé dessous.

Espèce semblable: La femelle de l'É. de Cooper est nettement plus grosse et la queue *bien arrondie;* cependant, la taille et la forme de la queue peuvent être si semblables chez le mâle de l'É. de Cooper et la femelle de l'É. brun que de nombreux individus ne peuvent être identifiés à coup sûr sur le terrain. Voir *American Birds,* mai 1979.

Voix: Comme chez l'É. de Cooper, mais plus stridente; *kik, kik, kik* aigu.

Aire: De la limite des arbres, au Canada jusqu'aux États du g. du Mexique; hiverne dans le N des É.-U. et plus au sud. **Habitat:** Forêts, bosquets.

ÉPERVIER DE COOPER *Accipiter cooperii* (35-50 cm) <u>164</u>

Cooper's Hawk

Rapace à ailes courtes et queue longue, très semblable à l'É. brun mais plus gros; les femelles sont en moyenne presque aussi grandes que la corneille. Même fermée, la queue de la femelle est *bien arrondie,* celle du mâle un peu moins.

Voix: Au nid, *kèk, kèk, kèk* rapide; évoque le Pic flamboyant.

Aire: Du S du Canada au N du Mexique. **Habitat:** Forêts claires, bosquets riverains.

AUTOUR DES PALOMBES *Accipiter gentilis* (50-65 cm) <u>165</u>

Northern Goshawk

Adulte: Gros rapace à queue assez longue et ailes arrondies. Calotte et joues noirâtres, *sourcil blanc.* Dessous gris pâle, finement barré; dos plus clair et plus gris que chez les éperviers. *Jeune:* Comme celui de l'É. de Cooper; d'habitude plus gros; noter le sourcil clair et les raies en zigzag de la queue.

Voix: *Kak, kak, kak* ou *kok, kok, kok,* plus sonore que chez l'É. de Cooper.

Aire: Eurasie, N de l'Am. du N. **Habitat:** Forêts boréales et mixtes; bois de feuillus aussi, en hiver.

- **BUSARDS: Sous-famille des Circinés.** Rapaces sveltes à queue longue et à ailes fines. Vol bas, mou, glissé, les ailes en «V» très ouvert. Sexes dissemblables. Chassent en terrain découvert.

BUSARD SAINT-MARTIN *Circus cyaneus* (44-60 cm) <u>166</u>

Northern Harrier

Noter le *croupion blanc* de ce rapace svelte. *Mâle* gris clair; *femelle* rayée de brun; *jeune* roux foncé dessous. Plane et se balance allègrement, en rase-mottes, les ailes un peu relevées, rappelant en silhouette l'Urubu à tête rouge. Chez le mâle clair, le bout des ailes paraît «trempé dans l'encre».

Voix: Un faible sifflement nasillard: *pî, pî, pî.*

Aire: De l'Alaska et du Canada au S des É.-U.; N de l'Eurasie. Hiverne jusque dans le N de l'Am. du S et le N de l'Afrique. **Habitat:** Marais, champs, etc.

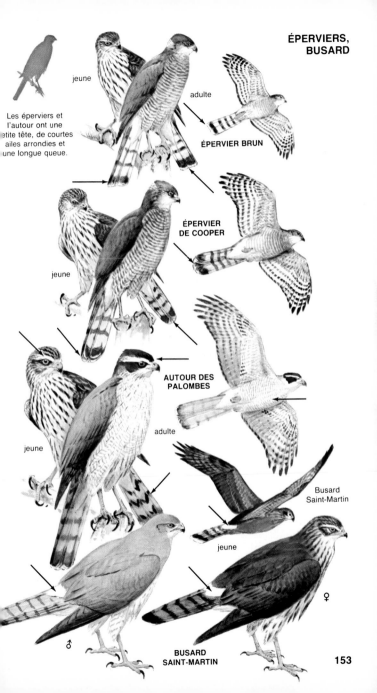

ÉPERVIERS,
BUSARD

jeune

adulte

ÉPERVIER BRUN

Les éperviers et
l'autour ont une
petite tête, de courtes
ailes arrondies et
une longue queue.

ÉPERVIER
DE COOPER

jeune

AUTOUR DES
PALOMBES

jeune

adulte

Busard
Saint-Martin

jeune

♂

♀

BUSARD
SAINT-MARTIN

153

- **BUSES: Sous-famille des Butéoninés** (en partie). Gros rapaces trapus, à ailes larges et à large queue arrondie. Tournoient souvent haut dans le ciel. Plumage très variable; sexes semblables; femelles plus grosses. Les jeunes sont généralement *rayés* dessous. Formes sombres fréquentes. **Nourriture:** Rongeurs, lapins; parfois des petits oiseaux, reptiles et criquets.

BUSE À QUEUE ROUSSE *Buteo jamaicensis* (en partie) [167]
(48-63 cm) Red-tailed Hawk
Quand ce rapace à ailes larges et à queue arrondie tournoie en planant, on peut voir le *roux* du dessus de la queue (chez l'adulte). La queue est claire dessous mais peut laisser transparaître un peu de roux. Le jeune a la queue gris foncé, avec ou sans barres. Le dessous des individus typiques est «zoné» (poitrine blanche, large bande formée de raies sur le ventre). Le plumage varie beaucoup dans l'O où l'on peut rencontrer la race claire *kriderii,* la race noirâtre *harlani,* ainsi que divers oiseaux mélaniques ou roux.
Voix: Plainte perçante: *Kîîîr-r-r* (descendant).
Aire: De l'Alaska et du Canada au Panama. **Habitat:** Lieux découverts, bois, bosquets, montagnes, plaines.

BUSE À QUEUE ROUSSE *Buteo jamaicensis kriderii*
(race de Krider) Race ou forme claire, de l'Ouest, à queue blanche parfois teintée de roux pâle.
Aire: La Prairie du S du Canada et du N des É.-U. Hiverne jusqu'au Texas et à la Louisiane.

BUSE À QUEUE ROUSSE *Buteo jamaicensis harlani*
(race de Harlan) Race noirâtre, variable; considérée comme une espèce distincte par certains. La queue n'est jamais toute rousse, mais blanc sale, mâchurée *en long* et terminée par une bande sombre, donnant *l'illusion d'un croupion blanc;* il y a généralement un soupçon de roux sur la queue. Très semblable aux autres formes sombres de la B. à queue rousse.
Aire: E de l'Alaska et N-O du Canada. Hiverne jusqu'au Texas et en Louisiane.

BUSE DE SWAINSON *Buteo swainsoni* (48-55 cm) [168]
Swainson's Hawk
Buse de la Prairie; proportionnée comme la B. à queue rousse, mais aux ailes un peu plus pointues. Plane les ailes légèrement relevées. L'adulte typique a une *bande pectorale sombre.* En dessous, les couvertures alaires chamois contrastent avec les rémiges *sombres.* Dessus de la queue gris, virant souvent au blanc à la base. Il existe des individus trompeurs, foncés ou à poitrine claire; noter les rémiges sombres.
Voix: Sifflement plaintif et perçant: *kriiiiiir.*
Aire: Du N-O de l'Am. du N au N du Mexique; hiverne jusqu'en Argentine. **Habitat:** Plaines, pâturages, collines dénudées, arbres épars.

BUSE ROUILLEUSE *Buteo regalis* (58-63 cm)
Ferruginous Hawk
Grosse buse de la Prairie, *rousse dessus* et blanchâtre dessous, à *queue blanchâtre ou roux pâle* et à tache claire sur l'aile. Tête souvent assez blanche. D'en dessous, l'adulte typique montre un «V» sombre formé par les pattes rousses.
Aire: S-O du Canada et O des É.-U. Hiverne dans le S-O des É.-U. et le N du Mexique. Niche dans la Prairie, à l'E jusqu'au 100e méridien. S'égare parfois jusqu'au Mississippi.

BUSES

jeune

Représentées en vol,
pp. 165, 169.

Les buses
sont trapues et ont
une queue large.

adulte

BUSE À QUEUE ROUSSE
(races typiques)

BUSE À QUEUE ROUSSE
(race de Harlan)

**BUSE À
UEUE ROUSSE**
race de Krider)

jeune

**BUSE DE
SWAINSON**

forme
sombre

forme
claire

BUSE ROUILLEUSE

BUSE PATTUE   *Buteo lagopus*   (48-60 cm)   169

Rough-legged Hawk
Cette grosse buse *vole souvent sur place* en terrain découvert. Plus grosse
que la plupart des buses, les ailes et la queue un peu plus longues. Les
individus typiques ont le *ventre sombre ou taché* et une *tache noire* sous
le poignet. Queue blanche *avec une ou plusieurs larges bandes noires* au
bout. Chez la forme sombre, il n'y a pas autant de blanc sur la queue,
mais il y en a beaucoup sous les rémiges.
Espèces semblables: 1) Le Busard Saint-Martin (croupion blanc) a les
ailes et la queue plus fines. Voir 2) l'Aigle royal et 3) la B. à queue rousse.
Aire: Arctique, circumpolaire. Hiverne jusque dans le S des É.-U. et le
centre de l'Eurasie. **Habitat:** Escarpements de la toundra, côtes arctiques;
en hiver, champs, plaines et marais.

BUSE À ÉPAULETTES   *Buteo lineatus*   (43-60 cm)   170

Red-shouldered Hawk
Adulte: La queue et les ailes larges annoncent une buse; les larges bandes
sombres sur les deux faces de la queue caractérisent l'espèce. L'adulte a
des *épaulettes rousses* (pas toujours visibles d'en dessous) et le dessous
rouge brique. Noter aussi en vol la zone translucide ou «fenêtre» à la base
des primaires. *Jeune:* Rayé; reconnu à ses proportions, aux barres de la
queue et, en vol, à la fenêtre dans l'aile.
Espèces semblables: 1) L'adulte de la Petite Buse a les sous-alaires
plus claires et les barres blanches de la queue plus larges. Voir la jeune
Petite Buse, ainsi que 2) la B. à queue rousse et 3) l'Épervier de Cooper
(profil différent).
Voix: *Ki-yeûr* perçant, dissyllabique (descendant).
Aire: S-E du Canada, E des É.-U., Californie, Mexique. **Habitat:** Bois,
rivières en forêt, forêts marécageuses.

PETITE BUSE   *Buteo platypterus*   (35-48 cm)   171

Broad-winged Hawk
Petite buse trapue, de la taille d'une corneille. Noter les bandes noires et
blanches, *de largeur presque égale,* de la queue de l'adulte. Couvertures
sous-alaires blanches. *Jeune:* Bandes plus nombreuses et moins de blanc
dans la queue. En migration, ces buses planent souvent en groupe.
Espèce semblable: La jeune B. à épaulettes est semblable à la jeune
Petite Buse, mais cette dernière est plus trapue et a la queue et les ailes
plus courtes; le dessous des ailes est généralement plus blanc.
Voix: *Ti-piiiiii* très aigu, en diminuendo.
Aire: Du S du Canada au g. du Mexique. Hiverne surtout en Am. centrale et en Am. du S. **Habitat:** Forêts, bosquets.

BUSE À QUEUE COURTE   *Buteo brachyurus*   (43 cm)   172

Short-tailed Hawk
Petite buse noire, ou noir et blanc, de la taille d'une corneille. Deux for-
mes: 1) corps noir et couvertures sous-alaires noires; 2) dessus noir, des-
sous blanc et couvertures sous-alaires blanches. Aucune autre buse de
Floride n'a le dessous tout noir ou tout blanc.
Aire: Floride; du Mexique au Chili, au N de l'Argentine et à la Bolivie.
Habitat: Pinèdes, orées des bois, marais à taxodiers, mangroves.

BUSES

Représentées en vol, pp. 165, 169.

forme sombre

forme claire

jeune

BUSE PATTUE

adulte

BUSE À ÉPAULETTES

jeune

ce claire
du S de
Floride

jeune

jeune

adulte

PETITE BUSE

adulte

jeune
de
forme
claire

forme sombre

forme claire

adulte de
forme claire

BUSE À QUEUE COURTE

forme sombre

- **AIGLES ET PYGARGUES: Sous-famille des Butéoninés** (en partie). Apparentés aux buses, ces oiseaux s'en distinguent par leur taille bien plus grande et leurs ailes proportionnellement plus longues. Bec énorme, presque aussi long que la tête. **Nourriture:** L'aigle mange surtout des lièvres et de gros rongeurs; le pygargue, surtout des poissons morts ou mourants.

PYGARGUE À TÊTE BLANCHE   *Haliaeetus leucocephalus*   [173]

(75-108 cm)   Bald Eagle

Emblème des É.-U. L'adulte, à *tête blanche* et à *queue blanche,* s'identifie instantanément. Bec jaune et fort. Le jeune a le bec, la tête, le corps et la queue sombres; beaucoup de blanc dans les couvertures sous-alaires et souvent sur la poitrine (voir le dessous en p. 167). Envergure: 2-2,5 m.
Espèce semblable: Voir l'Aigle royal.
Voix: Caquètement aigre et grinçant: *Klik-kik-ik-ik-ik,* ou *kak-kak-kak plus grave.*
Aire: De l'Alaska et du Canada au S des É.-U. **Habitat:** Côtes, rivières, lacs; les montagnes aussi, en migration.

AIGLE ROYAL   *Aquila chrysaetos*   (75-100 cm)   [174]

Golden Eagle

Majestueux, l'Aigle royal plane les ailes à plat, avec des battements occasionnels. Sa taille plus grande et ses ailes plus longues (envergure de plus de 2 m) le distinguent des grosses buses. *Adulte:* Dessous entièrement sombre, ou tache claire à la base de la queue légèrement barrée. La nuque est *teintée de doré. Jeune:* plus facile à identifier que l'adulte, par la *tache blanche à la base des primaires* et la queue blanche à large bande sombre au bout.
Espèces semblables: 1) D'habitude, le jeune pygargue a du blanc sur les couvertures sous-alaires et souvent sur le corps; la queue peut être marbrée de blanc à la base, mais sans bande nette. 2) La Buse pattue (forme sombre) est plus petite et a plus de blanc sous les ailes.
Voix: Rarement entendu; glapissement aboyé: *kia;* cris sifflés.
Aire: Surtout les régions montagneuses de l'hémisphère N. **Habitat:** Montagnes, escarpements, avant-monts, plaines, lieux découverts.

- **BALBUZARDS: Sous-famille des Pandioninés.** L'unique espèce de ce groupe est un grand rapace qui plonge sur les poissons pattes premières. Sexes semblables. **Aire:** Tous les continents sauf l'Antarctique. **Espèces:** Monde, 1; Est, 1.

BALBUZARD PÊCHEUR   *Pandion haliaetus*   (36-61 cm)   [175]

Osprey

Notre seul rapace plongeur. Grande taille (envergure 1,3-1,8 m); dessus noirâtre et dessous blanc. Tête en partie blanche, rappelant celle du pygargue, mais traversée par un *large bandeau noir.* Les ailes, souvent coudées en vol, ont une tache noire sous le «poignet». Vole sur place et plonge, pattes tendues, pour attraper les poissons.
Voix: sifflements perçants et contrariés, en série: *tchîp, tchîp* ou *youk, youk,* etc. Au nid, *tchîrîk!* affolé.
Aire: Presque mondiale. **Habitat:** Rivières, lacs, côtes.

PYGARGUE, AIGLE

Représentés
en vol, p. 167.

PYGARGUE À
TÊTE BLANCHE

adulte

PYGARGUE À
TÊTE BLANCHE

jeune

AIGLE
ROYAL

adulte

AIGLE
ROYAL

jeune

BALBUZARD

vol sur place

BALBUZARD
PÊCHEUR

adulte

159

■ **Famille des Cathartidés.** Gros rapaces ressemblant aux aigles, qui tournoient souvent haut dans le ciel. La tête nue est relativement plus petite que celle des buses et des aigles. Correspondent écologiquement aux vautours de l'Ancien-Monde. Sexes semblables. **Nourriture:** Charogne. **Aire:** Du S du Canada au cap Horn. **Espèces:** Monde, 7; Est, 2.

URUBU À TÊTE ROUGE *Cathartes aura* (65-80 cm) [176]

Turkey Vulture

Presque de la taille de l'aigle (envergure: 1,8 m). D'en dessous, noter les grandes ailes noirâtres en deux tons (rémiges plus claires). Plane les ailes un peu relevées (en «V» très ouvert); tangue et roule comme s'il était déséquilibré. De près, la petite *tête rouge* et nue de l'adulte se voit bien; le jeune a la tête noirâtre.

Espèces semblables: 1) Voir l'Urubu noir. 2) L'aigle et le pygargue ont la tête plus grosse et la queue plus courte; ils planent les ailes à plat.

Aire: Du S du Canada au cap Horn. Les populations du N migrent. **Habitat:** Généralement vu soit en train de planer, soit posé dans un arbre mort, sur un poteau, sur une charogne, ou au sol.

URUBU NOIR *Coragyps atratus* (58-68 cm) [177]

Black Vulture

On reconnaît facilement ce gros charognard noir à sa queue courte et carrée, qui dépasse à peine le bord arrière des ailes, et à la zone blanchâtre au bout de l'aile. Pattes plus longues et plus claires que chez l'Urubu à tête rouge. Noter les battements d'ailes rapides et laborieux, alternant avec des planés courts. Envergure: moins de 1,5 m.

Espèce semblable: L'Urubu à tête rouge a la queue plus longue, bat moins des ailes et plane davantage. L'Urubu noir est plus noir, a la queue courte, les ailes moins longues et plus larges. *Attention:* Le jeune Urubu à tête rouge a la tête noire.

Aire: De l'Ohio et la Pennsylvanie au N du Chili et de l'Argentine. **Habitat:** Comme l'Urubu à tête rouge, mais évite les hautes montagnes.

SARCORAMPHE ROI *Sarcoramphus papa* (80 cm)

(Condor royal) King Vulture

Charognard blanchâtre, à rémiges noires et à tête et cou vivement colorés. Résidant rare de l'Am. tropicale. Signalé par John et William Bartram en Floride, sur la rivière St. Johns en 1765-66; n'a jamais été vu depuis aux É.-U.

■ **CARACARAS ET FAUCONS: Famille des Falconidés.**

• **CARACARAS: Sous-famille des Caracarinés.** Grands rapaces à pattes longues et face nue. Sexes semblables. **Nourriture:** L'unique espèce des É.-U. est surtout charognarde. **Aire:** Du S des É.-U. à la Terre de Feu; Falkland. **Espèces:** Monde, 10; Est, 1.

CARACARA HUPPÉ *Caracara plancus* (50-63 cm) [178]

Crested Caracara

Gros rapace sombre, à longues pattes et long cou, qui se nourrit souvent avec les urubus: la *huppe noire* et *la face rouge* sont caractéristiques. En vol, le dessous présente des zones claires et sombres juxtaposées; poitrine blanche, ventre noir, queue blanche à extrémité sombre; noter la combinaison *poitrine blanche* et tache alaires *claires*. Le jeune est plus brun et rayé sur la poitrine.

Aire: Du S-O des É.-U. et de la Floride à l'Am. du S. **Habitat:** Prés, pâturages.

adulte

jeune

**URUBU À
TÊTE ROUGE**

**URUBU
NOIR**

adulte

adulte

une

en vignette, Sarcoramphe roi
(anciennement en Floride)

**CARACARA
HUPPÉ**

161

- **FAUCONS: Sous-famille des Falconinés.** Les faucons sont des rapaces aérodynamiques aux ailes pointues et à la queue assez longue, comme les milans. **Nourriture:** Oiseaux, rongeurs, insectes. **Aire:** Presque mondiale. **Espèces:** Monde, 52; Est, 5 (+ 1 exceptionnelle).

CRÉCERELLE D'AMÉRIQUE *Falco sparverius* (23-30 cm)   179
American Kestrel

Faucon de la taille d'un geai et à l'allure d'hirondelle. Aucun autre *petit* rapace n'a *la queue ou le dos roux*. Le mâle a les ailes bleu-gris. Les deux sexes ont un motif facial noir et blanc. Chasse en *volant sur place* avec des battements d'ailes rapides, comme le martin-pêcheur. Se perche assez droit, hochant la queue à l'occasion.
Espèces semblables: 1) L'Épervier brun a les ailes arrondies. Lui et 2) le Faucon émerillon ont la queue et le dos gris ou bruns.
Voix: *Gli gli gli* ou *killi killi killi* rapide et aigu. **Aire:** Majeure partie de l'Am. du N et du S. **Habitat:** Lieux découverts, terres cultivées, villes, orées des bois, arbres morts, fils.

FAUCON ÉMERILLON *Falco columbarius* (25-34 cm)   180
Merlin

Petit faucon trapu, de la taille d'un geai; Faucon pèlerin en miniature. *Mâle:* Dessus gris-bleu, queue grise à larges bandes noires. *Femelle et jeune:* Brun foncé, queue barrée. L'adulte et le jeune ont le dessous fortement rayé. **Espèces semblables:** 1) L'Épervier brun a les ailes arrondies. 2) La Crécerelle d'Amérique a la queue et le dos roux.
Aire: N. de l'hémisphère N. Hiverne jusque dans le N de l'Am. du S et le N de l'Afrique. **Habitat:** Forêts conifériennes claires; en migration, avant-monts, marais et lieux découverts, également.

FAUCON DES PRAIRIES *Falco mexicanus* (43 cm)
Prairie Falcon

Comme un Faucon pèlerin, mais brun blond et à *favoris plus fins*. En vol, montre une *tache noirâtre* aux aisselles (voir p. 171).
Espèce semblable: Le F. pèlerin a les favoris plus larges et le dos ardoisé. **Aire:** Du S-O du Canada et de l'O des É.-U. au S du Mexique. S'égare occasionnellement à l'est du 100e méridien, dans les États de la Prairie. Exceptionnel à l'est du Mississippi (oiseaux de fauconnerie échappés?).

FAUCON PÈLERIN *Falco peregrinus* (38-50 cm)   181
Peregrine Falcon

Noter les gros favoris noirs. C'est un faucon par ses ailes pointues, sa queue étroite, ses battements d'ailes rapides rappelant ceux du pigeon. La taille, près de celle de la corneille, et le motif facial contrastant caractérisent cette espèce. L'adulte a le dos ardoisé, le dessous barré et tacheté. Le jeune est brun, fortement rayé. **Voix:** Au nid, *oui-tchiou* répété; *kik kik kik kik* rapide.
Aire: Presque mondiale. **Habitat:** Lieux découverts surtout (de la montagne à la côte); autrefois, même dans les villes. Espèce menacée.

FAUCON GERFAUT *Falco rusticolus* (50-63 cm)   182
Gyrfalcon

Très gros faucon de l'Arctique, plus gros et plus massif que le F. pèlerin; queue un peu plus large. Les battements d'aile lents sont trompeurs. De couleur plus uniforme que le F. pèlerin. Dans l'Arctique, on rencontre des oiseaux noirs, gris ou blancs; il s'agit de formes de coloration et non de races.
Espèce semblable: Le F. pèlerin a une livrée plus contrastée, un capuchon sombre et de larges favoris noirs; plus svelte; queue plus étroite. **Aire:** Arctique; circumpolaire. **Habitat:** Toundra, côtes, montagnes dénudées.

FAUCONS

Représentés
en vol, p. 171.

Les faucons
ont de longues
ailes pointues
et une longue queue.

♀   ♂

CRÉCERELLE
D'AMÉRIQUE

♂

♀   ♂

FAUCON
MERILLON

♂

Faucon
émerillon

Faucon
pèlerin

jeune

FAUCON DES
PRAIRIES

adulte

FAUCON
PÈLERIN

forme
grise

forme
sombre

← forme
blanche

FAUCON
GERFAUT

163

BUSES ET BUSARD EN VOL

Les oiseaux de la planche ci-contre sont surtout des adultes

Les **buses** sont trapues, ont les ailes larges ainsi que la queue large et arrondie. Elles planent et tournoient haut dans le ciel.

Texte et planche en couleurs

BUSE À QUEUE ROUSSE *Buteo jamaicensis* **pp. 154, 155**
Poitrine claire, ventre rayé.
Queue à peine barrée ou pas du tout.

BUSE À ÉPAULETTES *Buteo lineatus* **pp. 156, 157**
Queue barrée (les barres blanches sont étroites)
«Fenêtre» translucide à l'aile (trait non infaillible).

BUSE DE SWAINSON *Buteo swainsoni* **pp. 154, 155**
Poitrine sombre, couvertures sous-alaires claires, rémiges sombres.

PETITE BUSE *Buteo platypterus* **pp. 156, 157**
Adulte: Barres larges à la queue (les barres blanches sont larges); couvertures sous-alaires blanchâtres.
Jeune: Barres étroites à la queue; couvertures sous-alaires blanchâtres.

BUSE À QUEUE COURTE *Buteo brachyurus* **pp. 156, 157**
Forme claire: Couvertures sous-alaires et ventre bien blancs.
(La seule buse de Floride ayant ce plumage).

BUSE PATTUE *Buteo lagopus* **pp. 156, 157**
Forme claire: Ventre sombre, poignets noirs.
Queue blanchâtre avec une ou plusieurs bandes sombres.

BUSE ROUILLEUSE *Buteo regalis* **pp. 154, 155**
Queue blanche ou roux clair; «V» foncé formé par les pattes rousses.

Le **busard** est svelte, a de longues ailes arrondies et une longue queue. Il vole bas, les ailes un peu relevées, comme les urubus.

BUSARD SAINT-MARTIN *Circus cyaneus* **pp. 152, 153**
Mâle: Svelte, pâle, le bout des ailes noir.
Femelle: Profil de busard; brune; rayée et barrée.

BUSES, BUSARDS
en vol

BUSE À
QUEUE ROUSSE

forme claire

BUSE DE
SWAINSON

BUSE À
QUEUE
COURTE

forme claire

BUSE
ROUILLEUSE

BUSE
À
ÉPAULETTES

jeune

PETITE
BUSE

adulte

BUSE PATTUE

forme claire

BUSARD SAINT-MARTIN

♂

♀

165

PYGARGUE, AIGLE ET BALBUZARD EN VOL

Texte et
planche en
couleurs

PYGARGUE À TÊTE BLANCHE *Haliaeetus leucocephalus*   **pp. 158, 159**
  Adulte: Tête et queue blanches.
  Jeune: Du blanc dans les couvertures sous-alaires.

AIGLE ROYAL *Aquila chrysaetos*   **pp. 158, 159**
  Adulte: Presque uniformément sombre; couvertures sous-alaires sombres.
  Jeune: Queue annelée; tache blanche à la base des rémiges primaires.

BALBUZARD PÊCHEUR *Pandion haliaetus*   **pp. 158, 159**
  Ventre bien blanc, poignets noirs.

Là où on rencontre à la fois le **Pygargue à tête blanche, l'Urubu à tête rouge** et le **Balbuzard pêcheur,** on peut les distinguer de très loin par leur façon de planer. Le pygargue garde les ailes droites, l'urubu les relève en angle et le balbuzard les coude souvent.

PYGARGUE, AIGLE,
BALBUZARD en vol

PYGARGUE À TÊTE BLANCHE adulte

PYGARGUE À TÊTE BLANCHE jeune

AIGLE ROYAL adulte

AIGLE ROYAL jeune

BALBUZARD PÊCHEUR

RAPACES SOMBRES, EN VOL

	Texte et planche en couleurs
URUBU À TÊTE ROUGE *Cathartes aura* Ailes à deux tons, tête petite, queue assez longue.	**pp. 160, 161**
URUBU NOIR *Coragyps atratus* Queue courte, tache blanche à l'aile.	**pp. 160, 161**
CARACARA HUPPÉ *Caracara plancus* Poitrine blanchâtre, ventre noir, tache claire sur les rémiges primaires.	**pp. 160, 161**
MILAN DES MARAIS *Rostrhamus sociabilis* *Jeune:* Brun, rayé, queue blanche à bande noire. *Mâle adulte:* Corps noir, queue blanche à bande noire.	**pp. 150, 151**
BUSE PATTUE *Buteo lagopus* *Forme sombre:* Corps sombre, rémiges blanchâtres; queue blanchâtre, à large bande noire au bout.	**pp. 156, 157**
BUSE DE SWAINSON *Buteo swainsoni* *Forme sombre:* Ailes d'habitude entièrement sombres, y compris les rémiges. Barres étroites à la queue.	**pp. 154, 155**
BUSE À QUEUE ROUSSE *Buteo jamaicensis harlani* (race de Harlan) Profil de B. à queue rousse, corps sombre; queue claire, marbrée. Les Buses à queue rousse mélaniques peuvent être semblables, à l'exception de la queue.	**pp. 154, 155**
BUSE À QUEUE COURTE *Buteo brachyurus* *Forme sombre:* Couvertures sous-alaires et corps noirs; queue claire, barrée. La seule petite buse *noire* de Floride.	**pp. 156, 157**

RAPACES SOMBRES
en vol

URUBU À TÊTE ROUGE

URUBU NOIR

CARACARA HUPPÉ

MILAN DES MARAIS
jeune

MILAN DES MARAIS
♂

BUSE PATTUE
forme sombre

BUSE DE SWAINSON
forme sombre

BUSE À QUEUE ROUSSE
(race de Harlan)

BUSE À QUEUE COURTE
forme sombre

169

ÉPERVIERS, FAUCONS ET MILANS EN VOL

Les éperviers (chasseurs d'oiseaux) ont de courtes *ailes arrondies* et une longue queue. En vol, plusieurs battements rapides alternent avec un plané court. Les femelles sont plus grosses que les mâles. Les jeunes (non illustrés) ont la poitrine rayée.

Texte et planche en couleurs

ÉPERVIER DE COOPER *Accipiter cooperii*　　**pp. 152, 153**
Dessous roux. Presque de la taille d'une corneille. Queue de la femelle *bien arrondie*, même quand elle est fermée; celle du mâle, un peu moins.

AUTOUR DES PALOMBES *Accipiter gentilis*　　**pp. 152, 153**
Adulte: Plus gros qu'une corneille; ventre *gris clair.*

ÉPERVIER BRUN *Accipiter striatus*　　**pp. 152, 153**
Petit, à peine plus gros qu'un geai. Queue fermée du mâle, *carrée ou encochée;* celle de la femelle, un peu moins. Une queue ouverte peut paraître plus arrondie.

Les **faucons** ont de longues *ailes pointues;* battements d'ailes puissants et rapides.

FAUCON GERFAUT *Falco rusticolus*　　**pp. 162, 163**
Forme noire: Dessous plus noir que chez le F. pèlerin.
Forme grise: Plumage plus uniforme que chez le F. pèlerin.
Forme blanche (non illustrée): Blanc comme le Harfang des neiges.

CRÉCERELLE D'AMÉRIQUE *Falco sparverius*　　**pp. 162, 163**
Petite; queue rousse à bout sombre ou à barres sombres.

FAUCON ÉMERILLON *Falco columbarius*　　**pp. 162, 163**
Petit; sombre; queue grise, barrée.

FAUCON PÈLERIN *Falco peregrinus*　　**pp. 162, 163**
Profil typique; presque de la taille d'une corneille; marques faciales contrastées.

FAUCON DES PRAIRIES *Falco mexicanus*　　**pp. 162, 163**
Taille du F. pèlerin; plus clair; noter la tache noire aux aisselles.

Les **milans** (sauf le M. des marais) ont la forme des faucons mais, contrairement à eux, ils planent allègrement et n'ont pas un vol puissant. Tous sont méridionaux.

MILAN À QUEUE FOURCHUE *Elanoides forficatus*　　**pp. 150, 151**
Couvertures alaires et corps blancs; queue noire très fourchue.

ÉLANION À QUEUE BLANCHE *Elanus leucurus*　　**pp. 150, 151**
Profil de faucon; corps blanc, queue blanchâtre.

MILAN DU MISSISSIPPI *Ictinia mississippiensis*　　**pp. 150, 151**
Profil de faucon. *Adulte:* Queue noire, ailes noirâtres, corps gris.
Jeune: Poitrine rayée; queue barrée, carrée ou encochée.

ÉPERVIERS, FAUCONS, MILANS en vol

adulte

AUTOUR DES PALOMBES

adulte

ÉPERVIER BRUN

adulte

ÉPERVIER DE COOPER

FAUCON GERFAUT
forme grise

FAUCON GERFAUT
forme sombre

FAUCON PÈLERIN

adulte

♂

CRÉCERELLE D'AMÉRIQUE

FAUCON ÉMERILLON

adulte

FAUCON DES PRAIRIES

MILAN À QUEUE FOURCHUE

adulte

ÉLANION À QUEUE BLANCHE

adulte

jeune

MILAN DU MISSISSIPPI

171

■ HIBOUX ET CHOUETTES: Famille des Tytonidés (effraies) et des Strigidés.

Rapaces surtout nocturnes; tête grosse, la face formant un disque, les yeux dirigés vers l'avant. Bec et griffes crochus, pattes généralement emplumées (doigt externe réversible). Vol silencieux, papillonnant. Les hiboux ont des aigrettes, les chouettes n'en ont pas. Sexes semblables; femelles plus grosses. **Nourriture:** Rongeurs, oiseaux, reptiles, poissons, gros insectes. **Aire:** Presque mondiale. **Espèce:** Monde, 134; Est, 12 (+ 1 exceptionnelle).

HIBOU DES MARAIS *Asio flammeus* (33-43 cm)

183

Short-eared Owl

Hibou de lieux découverts, chassant souvent le jour. Se reconnaît à son plumage brun chamois rayé et à son vol inégal et paresseux. De grandes taches alaires chamois et une tache noire sous le «poignet» sont visibles en vol. Le *disque facial sombre* rehausse les yeux jaunes.

Espèce semblable: L'Effraie des clochers a la face blanche et simiesque, et les yeux *sombres*.

Voix: Aboiement éternué énergique; *kî-yaou!, ouau!* ou *ouaou!*

Aire: Presque mondiale. En Am. du N, niche de l'Arctique au centre des É.-U. et hiverne jusqu'au Mexique. **Habitat:** Prés, marais, dunes, toundra.

PETIT-DUC MACULÉ *Otus asio* (18-25 cm)

184

Eastern Screech-Owl

Le seul *petit* hibou dans l'Est. Deux formes: une rousse et une grise. Aucun autre hibou n'est aussi roux. Les aigrettes ne sont pas toujours apparentes chez le jeune.

Voix: Hennissement ou gémissement lugubre, chevrotant et descendant. Parfois des hululements de même tonalité.

Aire: Du S du Canada au centre du Mexique. **Habitat:** Bois, bosquets, arbres d'ombrage.

HIBOU MOYEN-DUC *Asio otus* (33-40 cm)

185

Long-eared Owl

Hibou svelte de la taille d'une corneille. Souvent découvert «figé» contre le tronc d'un arbre touffu. Se juche souvent en groupe. Beaucoup plus petit que le Grand-duc d'Amérique. Dessous rayé *sur la longueur* (et non barré sur la largeur). Aigrettes plus rapprochées et érectiles.

Voix: Gémissement grave, *houououou*. Geignement de chat également.

Aire: Du Canada au S-O et au centre-S des É.-U., Eurasie, N de l'Afrique. **Habitat:** Forêts, fourrés, bosquets de conifères.

GRAND-DUC D'AMÉRIQUE *Bubo virginianus* (45-63 cm)

186

Great Horned Owl

Hibou *énorme*. Dessous fortement *barré; bavette blanche* voyante. En vol, aussi gros que nos plus grosses buses; semble sans cou mais la tête est massive. Races variées au Canada: très sombre dans les Maritimes, presque aussi pâle que le harfang dans les Territoires du N-O.

Espèce semblable: Le H. moyen-duc est bien plus petit (de la taille de la corneille en vol); son ventre est rayé longitudinalement plutôt que barré transversalement. Pas de bavette blanche; aigrettes plus rapprochées.

Voix: De 3 à 8 hululements résonnants. Chez le mâle, 4 ou 5: *Hou, hou-ou, hou, hou*. Ceux (6 à 8) de la femelle sont plus graves; *Hou, hou-hou-hou, hou-ou, hou-ou*.

Aire: De la limite des arbres à la Terre de Feu. **Habitat:** Forêts, fourrés, rives des cours d'eau, lieux découverts.

HIBOUX

forme rousse

OU DES MARAIS

PETIT-DUC MACULÉ

forme grise

HIBOU MOYEN-DUC

race subarctique claire

GRAND-DUC D'AMÉRIQUE

race nominale

173

CHOUETTE RAYÉE *Strix varia* (43-60 cm)

187

Barred Owl

Grosse chouette forestière gris-brun à très grosse tête. Noter les grands yeux *bruns* larmoyants et le dessin: poitrine barrée *sur la largeur* et ventre rayé *sur la longueur*. Dos moucheté de blanc.

Espèce semblable: Seule l'Effraie des clochers a aussi les yeux bruns.

Voix: Hululements plus énergiques que ceux du Grand-duc d'Amérique, moins caverneux, ressemblant parfois à des aboiements. Souvent en 2 groupes de 4: *houhou-houhou, houhou-houhouhâou.* Le *hâou* final est distinctif.

Aire: Du Canada au Honduras. **Habitat:** Forêts, bois inondés.

EFFRAIE DES CLOCHERS *Tyto alba* (35-50 cm)

188

Barn Owl

Notre seule chouette *à face blanche en forme de cœur.* Pattes longues et cagneuses, plumage clair, *yeux sombres.* En vol, la grosse tête et le vol léger et papillonnant annoncent une chouette; le dessous crème ou blanchâtre uni (fantomatique la nuit) et le dessus ambré ou rouille caractérisent l'espèce.

Espèce semblable: Le Hibou des marais est rayé, a la face et le dessous plus sombres, les yeux jaunes et les pattes plus courtes; son habitat est différent.

Voix: Chuintement grinçant et criard, *kschh ou chiiich.*

Aire: Presque toutes les régions tropicales ou tempérées; en Amérique, du Canada à la Terre de Feu. **Habitat:** Bois, bosquets, fermes, granges, villages, falaises.

CHOUETTE LAPONE *Strix nebulosa* (60-83 cm)

189

Great Gray Owl

Le plus grand strigidé de l'Am. du N; gris-brun, le dessous fortement rayé *sur la longueur.* La tête est ronde, sans aigrettes; le *disque facial,* relativement très grand et *fortement ligné,* rapetisse les yeux jaunes. Noter la *tache noire au menton* bordée par les *moustaches blanches.* La queue est particulièrement longue (30 cm). Chasse souvent le jour; très peu farouche.

Espèce semblable: La C. rayée est bien plus petite, plus brune; yeux *bruns* (pas jaunes), disque facial plus petit, queue plus courte.

Voix: *Hou-hou-hou* grave et retentissant. Des *hou* graves répétés aussi.

Aire: Forêt boréale de l'hémisphère N; rare. **Habitat:** Épaisses forêts de conifères et tourbières et prés voisins.

HARFANG DES NEIGES *Nyctea scandiaca* (50-68 cm)

190

Snowy Owl

Grosse chouette *blanche,* mouchetée ou barrée. Tête ronde et yeux *jaunes.* Certains individus sont entièrement blancs ou presque. Diurne. Se perche au sol, sur les poteaux, les tas de fumier, les granges, etc.

Espèces semblables: 1) L'Effraie des clochers n'a que le dessous blanchâtre et ses yeux sont bruns. 2) Chez les Strigidés, tous les juvéniles en duvet sont blanchâtres. 3) Voir la forme blanche du Faucon gerfaut.

Voix: Habituellement silencieux. Quand il niche, il émet en vol un *kraoou-aoou* fort et répété; *rik* répété aussi.

Aire: Arctique; circumpolaire. Fait irruption de façon cyclique jusqu'aux É.-U. en hiver. **Habitat:** Champs, marais, rivages, dunes: en été, la toundra.

CHOUETTE RAYÉE

EFFRAIE DES CLOCHERS

CHOUETTE LAPONE

HARFANG DES NEIGES

175

NYCTALE DE TENGMALM *Aegolius funereus* (23-35 cm) | 191 |
(Nyctale boréale)   Boreal Owl
Petite chouette à tête plate. Très peu farouche. Semblable à la Petite Nyctale, mais un peu plus grosse: disque facial blanc grisâtre, *bordé de noir; bec jaunâtre;* front *fortement pointillé* de blanc. *Juvénile:* Semblable à celui de la Petite Nyctale mais plus sombre; sourcils gris ou blanc sale; le ventre, qui n'est pas ocre, porte des taches obscures.
Espèces semblables: 1) La Petite Nyctale est plus petite. L'adulte a le bec foncé, de fines raies blanches au front (non des points) et un disque facial sans bordure noire. 2) La Chouette épervière, plus grosse et plus grise, a la *queue longue* et le *dessous barré.*
Voix: Tintements doux et aigus comme l'eau qui dégoutte: *lou-lou-lou-lou-lou-lou,* etc. répété inlassablement.
Aire: Forêt boréale de l'hémisphère N. **Habitat:** Forêts de conifères ou mixtes, tourbières.

PETITE NYCTALE *Aegolius acadicus* (18-21 cm) | 192 |
                                                    Northern Saw-whet Owl
Chouette très peu farouche, plus petite que le Petit-duc maculé. Dessous marqué de raies brunes, larges et floues. *Juvénile en été:* brun chocolat, le ventre *ocre;* d'épais sourcils blancs forment un triangle au front.
Espèce semblable: La Nyctale de Tengmalm est un peu plus grosse, a la face bordée de noir et le bec jaunâtre.
Voix: Sifflements doux répétés inlassablement, souvent de 100 à 130 fois par minute: tou, tou, tou, tou, tou, tou, etc.
Aire: Du S-E de l'Alaska et du S du Canada au centre du Mexique. **Habitat:** Forêts, conifères, bosquets.

CHEVÊCHE DES TERRIERS *Athene cunicularia* (23-28 cm) | 193 |
(Chouette des terriers)   Burrowing Owl
Petite chouette de lieux découverts, souvent vue le jour dressée sur un poteau ou au sol. Noter les *pattes* particulièrement *longues.* À peu près de la taille du Petit-duc maculé; barrée et mouchetée, bavette blanche, tête ronde, queue courte. Lorsqu'elle est inquiète, elle se baisse et s'incline nerveusement.
Voix: *Couik-couik-couik* rapide, caqueté. La nuit, *co-hou* doux, plus aigu que le *cou* de la Tourterelle triste.
Aire: Du S-O du Canada à l'Argentine; Floride. Les populations du N migrent.
Habitat: Prés, steppes, terres cultivées, aérodromes.

CHOUETTE ÉPERVIÈRE *Surnia ulula* (36-44 cm) | 194 |
                                                 Northern Hawk Owl
Chouette diurne de taille moyenne (plus petite qu'une corneille) qui a l'allure d'un épervier; *longue queue arrondie et dessous entièrement barré.* Ne se tient pas aussi dressée que les autres strigidés; se perche souvent à la cime d'un arbre et hoche la queue comme la crécerelle. Comme la pie-grièche, elle vole bas et remonte brusquement se percher. Noter les larges favoris noirs encadrant la face pâle.
Voix: *Kikikiki* caqueté, évoquant plus un faucon qu'une chouette: *illi-illi-lli-illi* de crécerelle; cri aigre également.
Aire: Forêt boréale de l'hémisphère N. **Habitat:** Forêts de conifères, fourrés de bouleaux, mélèzes, tourbières.

PETITES CHOUETTES

NYCTALE
DE TENGMALM

PETITE
NYCTALE
juvénile

PETITE
NYCTALE
adulte

CHOUETTE ÉPERVIÈRE

CHEVÊCHE
DES TERRIERS

177

■ **PIGEONS, TOURTERELLES ET COLOMBES: Famille des Columbidés.** Oiseaux dodus et rapides à petite tête; voix basse, roucoulante. Deux types: 1) à queue en éventail (Pigeon biset) et 2) à queue arrondie ou pointue, plus petit, brunâtre (Tourterelle triste). Sexes semblables. **Nourriture:** Graines, fruits, insectes. **Aire:** Presque toutes les régions tropicales et tempérées. **Espèces:** Monde, 289; Est, 4 (+ 5 exceptionnelles, 3 introduites, 1 disparue).

TOURTERELLE TRISTE *Zenaida macroura* (30 cm) 195
Mourning Dove
La colombe sauvage la plus répandue. Brune, plus petite et plus svelte que le Pigeon biset. Noter la *queue pointue* bordée de blanc.
Voix: *Cou-ah-cou, cou, cou* creux et mélancolique. De loin, on entend surtout les trois dernières notes. **Aire:** Du S-E de l'Alaska et du S du Canada au Panama. **Habitat:** Fermes, villages, bois clairs, broussailles, bords de route, champs.

COLOMBE À QUEUE NOIRE *Columbina passerina* (16 cm) 196
Common Ground-Dove
Colombe minuscule, *à peine plus grosse qu'un moineau.* Noter la *courte queue noire* et les ailes arrondies remarquablement *rousses* en vol. Hoche la tête en marchant. Pattes jaunes.
Voix: *Wou-ou, wou-ou,* etc. répété avec monotonie. Peut sembler monosyllabique: *wou* montant. **Aire:** Du S des É.-U. au Costa-Rica; N de l'Am. du S. **Habitat:** Fermes, vergers, orées des bois, bords de route.

COLOMBE INCA *Columbina inca* (19 cm)
Inca Dove
Très petite colombe svelte d'aspect *écailleux; primaires rousses.* Diffère de la précédente par sa queue *relativement longue,* carrée et *bordée de blanc.* **Aire:** Du S-O des É.-U. au N-O du Costa-Rica. A déjà niché à Key West (Flor.). Inusitée en Louisiane. **Habitat:** Villes, parcs, fermes.

TOURTERELLE À AILES BLANCHES
Zenaida asiatica (28-29 cm)   White-winged Dove
Grande tache blanche à l'aile. Queue arrondie à coins blancs. **Aire:** Du S-O des É.-U. au Pérou. Acclimatée dans le S de la Floride (introduite). Hiverne en petit nombre sur la côte du g. du Mexique; a niché en Louisiane. Exceptionnelle dans le N des É.-U.

PIGEON À COURONNE BLANCHE *Columba leucocephala* (33 cm)
White-crowned Pigeon
Pigeon trapu, manifestement sauvage; taille et forme du P. biset. *Complètement sombre* sauf pour la *coiffe blanc pur.* **Voix:** Cri grave: *ouof, ouof, ouo, co-wou* (Maynard), évoquant un hibou. **Aire:** Antilles, S de la Floride (surtout en été); localement au Belize. **Habitat:** Palétuviers, îles boisées.

TOURTERELLE RIEUSE *Streptopelia risoria* (30 cm)
Ringed Turtle-Dove
Très pâle, beige. Noter la *fine barre noire sur la nuque.* **Aire:** D'origine inconnue: très répandue à l'état domestique. Acclimatée dans plusieurs villes de Floride. **Habitat:** Parcs urbains.

PIGEON BISET *Columba livia* (33 cm)
Rock Dove
Les individus typiques sont gris; ils ont le croupion *blanchâtre, deux barres alaires noires* et la queue large à bout sombre. Les oiseaux d'élevage ont des couleurs variées.
Voix: *Co-rou-cou,* roucoulement doux bien connu des citadins. **Aire:** Originaire de l'Ancien-Monde; élevé partout. Se maintient à l'état sauvage dans les villes et près des fermes, des falaises et des ponts.

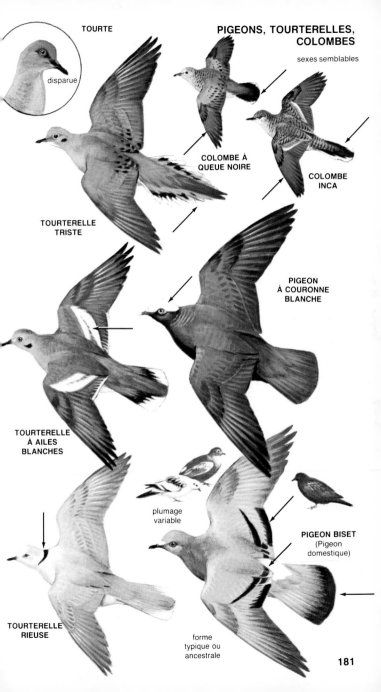

TOURTE

disparue

PIGEONS, TOURTERELLES, COLOMBES

sexes semblables

COLOMBE À QUEUE NOIRE

COLOMBE INCA

TOURTERELLE TRISTE

PIGEON À COURONNE BLANCHE

TOURTERELLE À AILES BLANCHES

plumage variable

PIGEON BISET
(Pigeon domestique)

TOURTERELLE RIEUSE

forme typique ou ancestrale

■ **COULICOUS, ANIS, etc.: Famille des Cuculidés.** Oiseaux sveltes à longue queue: pieds zygodactyles. Sexes semblables. **Nourriture:** Chenilles, autres insectes. Les géocoucous mangent des reptiles; les anis, des graines et des fruits. **Aire:** Régions chaudes et tempérées. **Espèces:** Monde, 128; Est, 6.

COULICOU À BEC JAUNE *Coccyzus americanus* (28-33 cm) 197
Yellow-billed Cuckoo
L'aspect svelte et sinueux, le dos brun et la poitrine bien blanche annoncent un coulicou; le roux dans les ailes, les *grandes* taches *blanches* au bout des rectrices (plus apparentes vues d'en dessous) et la mandibule jaune du bec un peu arqué caractérisent cette espèce.
Voix: *Ka-ka-ka-ka-ka-ka-ka-ka-ka-ka-ka-ka-kaou-kaou-kaoulp-kaoulp-kaoulp-kaoulp* rapide, guttural (notes finales détachées). **Aire:** Du S du Canada au Mexique; Antilles. Hiverne jusqu'en Argentine. **Habitat:** Bois, fourrés, vergers, fermes.

COULICOU À BEC NOIR *Coccyzus erythropthalmus* (28-30 cm) 198
Black-billed Cuckoo
Semblable au précédent, mais à bec noir; anneau oculaire étroit et *rouge* (chez l'adulte). Pas de roux dans les ailes, petites taches blanches dans la queue.
Voix: Coucoucou, coucoucou, coucoucou, etc., rapide et rythmé. Le groupe rythmé (de 3 ou 4 notes) est distinctif. Peut chanter la nuit. **Aire:** S du Canada, centre et N-E des É.-U. Hiverne dans le N de l'Am du S. **Habitat:** Orées des bois, bosquets, fourrés.

COULICOU MANIOC *Coccyzus minor* (30 cm) 199
(Coulicou masqué) Mangrove Cuckoo
Semblable au C. à bec jaune (les deux se rencontrent dans le S de la Floride), mais le ventre est *ocre pâle;* pas de roux dans les ailes. Noter les *auriculaires noires.*
Aire: Du S de la Floride au N du Brésil; Antilles. **Habitat:** En Floride, mangroves.

ANI À BEC LISSE *Crotophaga ani* (31 cm) 390
Smooth-billed Ani
Oiseau noir charbon à queue apparemment désarticulée; ailes courtes et bec énorme fortement *courbé* (lui donnant un profil de macareux). Vole sans vigueur, alternant battements et planés. De la taille d'un geai.
Voix: Sifflement plaintif. *Ké-lik* grognon. **Aire:** Du S de la Floride et des Antilles à l'Argentine. **Habitat:** Lisières broussailleuses, fourrés.

ANI À BEC CANNELÉ *Crotophaga sulcirostris* (33 cm)
Groove-billed Ani
Très semblable au précédent, mais avec 3 rainures à la mandibule supérieure et *sans la bosse* à la base du bec.
Voix: *Oui-o* ou *ti-ho* répété, la première note montante. **Aire:** De la côte du g. du Mexique à l'Argentine. Étend son aire vers l'est; niche maintenant sur la côte de la Louisiane; inusité en Floride sur la côte du g. du Mexique. Exceptionnel plus au nord jusqu'aux Grands Lacs.

GRAND GÉOCOUCOU *Geococcyx californianus* (50-60 cm) 199
Greater Roadrunner
Coucou coureur (les traces montrent 2 doigts dirigés vers l'avant, 2 vers l'arrière). Gros, svelte et rayé, la queue longue et bordée de blanc, la tête ébouriffée et les pattes longues. L'aile déployée présente un croissant blanc.
Voix: 6 à 8 *cou* graves et descendants; évoquent un pigeon. **Aire:** Du S-O des É.-U. au centre du Mexique. **Habitat:** Lieux secs découverts avec broussailles éparses.

COULICOUS, etc.

sexes semblables

COULICOU À
BEC JAUNE

adulte

COULICOU À
BEC NOIR

COULICOU
MANIOC

jeune

adulte

ANI À
BEC CANNELÉ

ANI
À BEC
LISSE

GRAND GÉOCOUCOU

183

■ **ENGOULEVENTS: Famille des Caprimulgidés.** Oiseaux nocturnes à
queue ample, grands yeux, bec minuscule, grande bouche bordée de vibrisses
et pattes très courtes. Le jour, se reposent à l'horizontale sur une branche ou au
sol, camouflés par leur coloration de feuilles mortes. Les cris émis la nuit sont
le meilleur critère d'identification. L'Engoulevent d'Amérique est atypique: il
chasse souvent le jour. **Nourriture:** Insectes nocturnes. **Aire:** Presque toutes
les zones continentales tropicales et tempérées. **Espèces:** Monde, 67; Est, 5
(+1 exceptionnelle).

ENGOULEVENT D'AMÉRIQUE *Chordeiles minor* (24 cm)   200
Common Nighthawk

Oiseau gris-brun, à ailes élancées, vu souvent haut dans le ciel; vole avec des
battements aisés, passant souvent à des battements rapides et irréguliers. Noter
la *large bande blanche* traversant l'aile pointue. Le mâle a la gorge blanche, la
queue encochée et traversée d'une barre blanche. Surtout nocturne mais chasse
aussi le jour.

Espèces semblables: 1) L'Engoulevent piramidig (*C. gundlachii*) se
rencontre dans les Keys de Floride; voix: 4 notes sèches, *piti-pit-pit* ou *killi-
kadik*. 2) L'Engoulevent minime (*C. acutipennis*) du S-O des É.-U. est inusité
en Louisiane et en Floride, exceptionnel en Ontario.
Voix: *Pîînt* ou *pî-ik* nasillard. En parade aérienne, le mâle plonge et remonte
brusquement en un vrombissement sourd produit par les ailes.
Aire: Du Canada au Panama. Hiverne en Am. du S. **Habitat:** Varié: lieux
découverts, montagnes, pinèdes claires; vu souvent dans le ciel des villes. Se
pose sur le sol, les poteaux et les toits.

ENGOULEVENT BOIS-POURRI *Caprimulgus vociferus* (24 cm)   201
Whip-poor-will

La voix nocturne de la forêt. Quand on le fait s'envoler de jour, cet oiseau aux
ailes *arrondies* volète comme un gros papillon nocturne foncé. Le mâle a de
grandes taches blanches à la queue; elles sont plutôt chamois chez la femelle.
Voix: *Bois-pourri, bois-pourri* roulé et répété de façon inlassable; première et
dernière notes accentuées.
Aire: Du centre et de l'E du Canada au Honduras. Hiverne du S-E des É.-U.
au Honduras. **Habitat:** Forêts.

ENGOULEVENT DE CAROLINE *Caprimulgus carolinensis* (30 cm)   202
Chuck-will 's-widow

Semblable au précédent, plus gros, bien plus chamois; gorge *brune* (pas
noirâtre). Se reconnaît à sa taille, au plumage plus brun, aux taches blanches
plus réduites de la queue du mâle; vérifier aussi la voix et l'aire.
Voix: *Tchok-ouill'-ouid'-ô* (moins vigoureux que le chant de l'E. bois-pourri);
4 notes, mais la première est souvent inaudible.
Aire: S-E des É.-U. Hiverne jusqu'en Colombie. **Habitat:** Pinèdes, bois
riverains, bosquets.

ENGOULEVENT DE NUTTALL *Phalaenoptilus nuttallii* (18-20 cm)   203
Common Poorwill

Reconnu surtout à son chant nocturne dans les collines arides. Plus petit que
l'E. d'Amérique, les ailes plus arrondies (sans bande blanche), la queue courte
et plutôt carrée à coins blancs.
Voix: *Pour-ouill* ou *pour-yillip* sonore, répété la nuit.
Aire: Du S-E de la Colombie-Britannique au centre du Mexique. Hiverne dans
le S-O des É.-U. et plus au sud. **Habitat:** Collines arides, maquis.

ENGOULEVENTS

aile de
l'ENGOULEVENT
MINIME

♀

ENGOULEVENT
D'AMÉRIQUE

♂

ENGOULEVENT
BOIS-POURRI

♂

ENGOULEVENT
D'AMÉRIQUE

♂

ENGOULEVENT BOIS-POURRI

♂

ENGOULEVENT
DE CAROLINE

♂

ENGOULEVENT
DE NUTTALL

♂

ENGOULEVENT
DE CAROLINE

♂

185

■ **COLIBRIS: Famille des Trochilidés.** Les oiseaux les plus petits. Plumage généralement irisé; bec en aiguille pour aspirer le nectar. La plupart des mâles adultes arborent des plumes rutilantes à la gorge. En vol, les ailes battent si vite qu'on les voit à peine. Les colibris se nourrissent en volant sur place; ils sont querelleurs. **Nourriture:** Nectar (les fleurs rouges sont préférées); pucerons, autres petits insectes, araignées. **Aire:** Amérique; la plupart sous les tropiques. **Espèces:** Monde, 319: Est, 2 (+ 6 exceptionnelles).

COLIBRI À GORGE RUBIS   *Archilochus colubris*   (8-9 cm)   204
Ruby-throated Hummingbird

Le mâle a la *gorge* d'un *rouge rutilant;* dos vert irisé, queue fourchue. La femelle n'a pas la gorge rouge; sa queue tachetée de blanc est plutôt arrondie.

Espèce semblable: C'est le seul colibri dans l'Est, mais le C. roux peut se rendre occasionnellement sur la côte du g. du Mexique en fin d'automne et en hiver. Les gros sphynx (Sphingidés) peuvent être pris pour des colibris mais ils butinent rarement avant le crépuscule.

Voix: Le mâle en parade aérienne parcourt comme un pendule un arc allongé, bourdonnant à chaque passage. Cris aigus et perçants.

Aire: Du S du Canada au g. du Mexique. Hiverne au Mexique et en Am. centrale. **Habitat:** Fleurs, jardins, orées des bois.

COLIBRI ROUX   *Selasphorus rufus*   (9 cm)
Rufous Hummingbird

Mâle: Le seul colibri à *dos roux* en Am. du N. Dessus roux vif, gorge rouge orangé. *Femelle:* Dos vert; *base de la queue et flancs roux* ternes.

Aire: Niche dans le N-O de l'Am. du N; hiverne au Mexique. Migre à l'ouest des Rocheuses au printemps, par les Rocheuses en automne. Visiteur rare mais régulier de novembre à avril sur la côte du g. du Mexique, en Louis. et en Flor. Inusité ou exceptionnel dans l'E des É.-U. **Habitat:** En Louis., préfère les hibiscus et les sauges à floraison tardive.

■ **MARTINS-PÊCHEURS: Famille des Alcédinidés.** Oiseaux solitaires à grosse tête, bec de héron et petits pieds syndactyles (2 doigts partiellement soudés). Les espèces américaines sont piscivores et plongent tête première d'un perchoir ou du ciel, après avoir volé sur place. **Nourriture:** Poissons surtout; des espèces mangent des insectes, des reptiles. **Aire:** Presque mondiale. **Espèces:** Monde, 87; Est, 1.

MARTIN-PÊCHEUR D'AMÉRIQUE   *Ceryle alcyon*   (33 cm)   205
Belted Kingfisher

Volant sur place, prêt à plonger, ou avançant à coups d'ailes inégaux (comme s'il passait les vitesses) en crépitant au passage, cet oiseau est facile à identifier. Perché, c'est un oiseau à grosse tête et gros bec, plus gros qu'un merle, bleu grisâtre dessus, avec une épaisse huppe en désordre et une large bande grise à la poitrine. La femelle a une seconde bande pectorale rousse.

Voix: Bruit fort et sec de crécelle.

Aire: De l'Alaska et du Canada au S des É.-U. Hiverne jusqu'au Panama. **Habitat:** Cours d'eau, lacs, côtes; niche dans un terrier creusé dans les berges.

COLIBRIS

espèces
exceptionnelles, p. 299

♂

♂

COLIBRI
À GORGE
RUBIS

♀

Les sphynx
ressemblent
aux colibris.

♂

♀

COLIBRI
ROUX

MARTIN-PÊCHEUR

♀

vol
sur place

♂

plongeon

MARTIN-PÊCHEUR D'AMÉRIQUE

187

■ **PICS: Famille des Picidés.** Ces oiseaux au bec fort et pointu pour creuser le bois grimpent aux troncs en s'appuyant sur leur queue raide et épineuse. Pieds zygodactyles forts et langue très longue. Vol généralement onduleux. La plupart des mâles ont du rouge sur la tête. **Nourriture:** Insectes lignicoles; fourmis, insectes volants, baies, glands ou sève (certaines espèces). **Aire:** Surtout les forêts du Monde, mais absent de l'Océanie, de Madagascar et de la plupart des îles océaniques. **Espèces:** Monde, 210; Est, 11 (+ 2 exceptionnelles).

PIC À TÊTE ROUGE *Melanerpes erythrocephalus* (21-24 cm) 206
Red-headed Woodpecker

Notre seul pic à tête *toute* rouge (d'autres n'ont qu'une tache rouge). Dos *noir uni*, croupion blanc. Grand rectangle blanc voyant à l'aile (faisant paraître le bas du dos blanc quand l'oiseau est posé). Sexes semblables. Le jeune a la tête sombre; on le reconnaît à la grande tache blanche à l'aile.
Voix: *Kouir* ou *kouîah* fort, plus fort et plus aigu que le *tcheurr* du P. à ventre roux.
Aire: Du S du Canada (à l'E des Rocheuses) au g. du Mexique. Les populations du N migrent. **Habitat:** Bosquets, vergers, arbres d'ombrage en ville, grands arbres épars.

GRAND PIC *Dryocopus pileatus* (40-49 cm) 207
Pileated Woodpecker

Pic spectaculaire, noir, *grand comme une corneille, à huppe* rouge vif. La femelle a le front noirâtre et n'a pas de rouge à la moustache. La grande taille et les battements profonds des ailes, découvrant du blanc dessous, distinguent ce pic en vol. Les grands trous *ovales* ou *oblongs* creusés dans les arbres indiquent sa présence.
Voix: Ressemble à celle du P. flamboyant mais plus forte, entrecoupée: *kik-kik-kikkik—kik-kik*, etc. Un autre cri précipité, plus retentissant, peut monter ou descendre un peu.
Aire: Du Canada au S des É.-U. **Habitat:** Forêts âgées, de conifères, de feuillus ou mixtes.

PIC À BEC IVOIRE *Campephilus principalis* (50 cm)
Ivory-billed Woodpecker

L'oiseau le plus rare d'Am. du N se distingue du Grand Pic par la taille plus grande, le bec blanc ivoire, les grandes taches alaires blanches, *visibles quand il est posé*, et les ailes marquées différemment dessous. La femelle a la huppe *noire*.
Espèce semblable: Voir le Grand Pic.
Voix: Différente de celle du Grand Pic; une seule note forte claironnante, répétée constamment quand l'oiseau est en quête de nourriture — *kent* nasillard et aigu évoquant chez certaines personnes le cri d'une sittelle géante. Audubon l'écrivait *péit*, comme la haute note faussée d'une clarinette.
Aire: Autrefois, les forêts alluviales vierges du S des É.-U. Présence signalée ces dernières années (demandant vérification) en Floride, Louisiane, Caroline du N et dans l'E du Texas (Big Thicket). À deux pas de l'extinction, s'il n'a pas déjà disparu.

Pic Presener 2019 - 2019

jeune

adulte

**PIC À
TÊTE ROUGE**

sexes semblables

♀

♂

dessous

GRAND PIC

♀

♂

dessous

dessus

**PIC À BEC
IVOIRE**

presque disparu

PIC FLAMBOYANT   *Colaptes auratus* (en partie)   (30-35 cm) $\boxed{208}$
Northern Flicker
(forme dorée) Noter le *croupion blanc* voyant, visible quand l'oiseau vole.
Ce trait et le *dos brun* caractérisent l'espèce. Vol très onduleux; vu d'en
dessous, le *jaune doré* du dessous des ailes et de la queue «clignote». Col-
lier noir et nuque rouge, visibles de près. Le mâle a la moustache noire.
Ce pic sautille maladroitement au sol, en quête de fourmis.
Voix: *Ouik ouik, ouik ouik ouik,* etc, fort. Cris: *kli-yeûr* fort et *flik-a, flik-
a,* etc. grinçant.
Aire: De la limite des arbres en Alaska et au Canada au g. du Mexique;
Cuba. Les populations du N migrent. **Habitat:** Forêts claires, petits bois,
bosquets, fermes, jardins, lieux semi-découverts.

PIC FLAMBOYANT   *Colaptes auratus* (en partie)   (30-35 cm)
Northern Flicker
(forme rosée) Semblable à la forme dorée, mais le dessous des ailes et de
la queue est *rose saumon.* La tache rouge à la nuque est absente chez les
deux sexes. Le mâle a la moustache *rouge* (pas noire). Là où leurs aires
se chevauchent (limite ouest de la Prairie), les individus hybrides et les
intermédiaires sont fréquents. Ils peuvent avoir le dessous des ailes orangé
ou une combinaison de caractères.
Aire: Du S-E de l'Alaska et du S-O du Canada au Guatemala. Des pics
de cette forme, généralement des hybrides, peuvent migrer à la partie ouest
de notre territoire.

PIC À VENTRE ROUX   *Melanerpes carolinus*   (23-26 cm) $\boxed{209}$
Red-bellied Woodpecker
Pic à *dos zébré, calotte rouge* et croupion blanc. Le rouge coiffe la tête
et la nuque chez le mâle, la nuque seulement chez la femelle. Le juvénile
a aussi le dos zébré mais sa tête est toute brune.
Voix: *Kouirr, tcheurr* ou *tchâ; tchiv, tchiv* aussi. Également, une série
de notes étouffées évoquant le P. flamboyant.
Aire: Des Grands Lacs et du S de la Nouv.-Angl. au g. du Mexique. **Habitat:** Bois, bosquets, vergers, banlieues.

PIC À FACE BLANCHE   *Picoides borealis*   (21 cm) $\boxed{210}$
Red-cockaded Woodpecker
Dos zébré et *calotte noire.* La *joue blanche* est un caractère voyant. Le
mâle porte un minuscule point rouge à l'oreille, difficile à voir.
Voix: *Sripp* ou *zhilp* dur et âpre (évoque les cris de jeunes étourneaux en
bande). Parfois un *tsik* plus aigu.
Aire: S-E des É.-U. **Habitat:** Pinèdes claires.

PIC MACULÉ   *Sphyrapicus varius*   (20-23 cm) $\boxed{211}$
Yellow-bellied Sapsucker
Noter la longue tache blanche à l'aile et le front rouge. La gorge du mâle
est rouge, celle de la femelle est blanche. Le jeune est brun mais porte
la tache blanche caractéristique à l'aile. Ce pic creuse des petits trous bien
alignés dans les troncs pour s'y nourrir de sève.
Voix: Miaulement nasillard ou grincement: *tchiair,* lié et descendant. Tambourinage distinctif sur le territoire de reproduction: plusieurs coups rapides suivis de plusieurs coups espacés et rythmés.
Aire: S du Canada, centre-N et N-E des É.-U. Hiverne du centre-S des
É.-U. à l'Am. centrale et aux Antilles. **Habitat:** Forêts, bosquets de trembles; également, vergers et autres arbres en hiver.

forme
dorée

forme rosée

forme
dorée

me rosée ♂

♂

♀

**PIC
FLAMBOYANT**

forme dorée

♀

jeune

♂

**PIC À
VENTRE ROUX**

♂

jeune

**PIC À FACE
BLANCHE**

♂

PIC MACULÉ

191

PIC MINEUR   *Picoides pubescens*   (16 cm) $\boxed{212}$

Downy Woodpecker

Noter le dos *blanc* et le *petit* bec. À part ce dernier caractère, cet oiseau affairé est un Pic chevelu en modèle réduit.

Espèce semblable: Plus grand, le P. chevelu a un bec plus gros.

Voix: Hennissement précipité, descendant. Cri: *pik* terne, pas aussi perçant que le *pîîk* du P. chevelu.

Aire: De l'Alaska et du Canada au S des É.-U. **Habitat:** Forêts, petits bois, bosquets riverains, vergers, arbres d'ombrage.

PIC CHEVELU   *Picoides villosus*   (24 cm) $\boxed{213}$

Hairy Woodpecker

Noter le dos *blanc* et le bec *fort*. D'autres pics ont le croupion blanc ou des barres blanches au dos, mais le P. mineur et le P. chevelu sont les seuls à avoir le *dos blanc*. Ils sont quasi identiquement carrelés et tachetés de noir et de blanc, le *mâle* ayant une petite tache rouge à l'arrière de la tête, la *femelle* en étant dépourvue. Le Pic chevelu est comme un gros Pic mineur, mais dont le bec est proportionnellement bien plus long.

Espèce semblable: De près on voit souvent des taches sur les rectrices externes du P. mineur; son petit bec demeure le caractère le plus fiable.

Voix: Crépitement de martin-pêcheur, les notes étant plus serrées que chez le P. mineur. Cri: *pîîk* perçant (*pik* chez le P. mineur).

Aire: De l'Alaska et du Canada au Panama. **Habitat:** Forêts, bosquets riverains, arbres d'ombrage.

PIC TRIDACTYLE   *Picoides tridactylus*   (20-24 cm) $\boxed{214}$

Three-toed Woodpecker

En temps normal, les seuls pics qui ont la calotte *jaune* sont les mâles de cette espèce et de la suivante. Les deux ont les *flancs barrés*. Les barres du dos distinguent cette espèce. Sans la calotte jaune, la femelle ressemble à un Pic mineur ou à un P. chevelu, mais les *flancs* sont *barrés*.

Espèces semblables: 1) Le P. à dos noir a le dos tout *noir*. 2) Exceptionnellement, un jeune aberrant du P. chevelu a la calotte orangée ou jaunâtre, mais il n'a pas les flancs barrés et a plus de blanc à la face.

Voix: Cris semblables à ceux du Pic à dos noir.

Aire: Forêt boréale de l'hémisphère N. **Habitat:** Forêts de conifères.

PIC À DOS NOIR   *Picoides arcticus*   (23-25 cm) $\boxed{215}$

Black-backed Woodpecker

Noter la combinaison du *dos tout noir* et des *flancs barrés*. Cette espèce et la précédente (les deux n'ont que trois doigts) vivent dans la forêt boréale: les amas de lambeaux d'écorce de conifères morts dénotent leur présence.

Espèce semblable: Le Pic tridactyle (dos barré).

Voix: *Kik* ou *tchik* bref, perçant; également, même cri en série.

Aire: Forêt boréale du N de l'Am. du N. **Habitat:** Sapinières et pessières.

PIC MINEUR

forme
méridionale

PIC CHEVELU

**PIC
TRIDACTYLE**

**PIC
À DOS
NOIR**

■ **TYRANS ET MOUCHEROLLES: Famille des Tyrannidés.** La plupart des tyrannidés se tiennent droits et immobiles sur un perchoir bien exposé, et partent en vol pour happer un insecte. Bec aplati, garni de vibrisses à la base. **Nourriture:** Insectes en vol. **Aire:** Nouveau-Monde; famille surtout tropicale. **Espèces:** Monde, 365: Est, 16 (+ 10 exceptionnelles).

TYRAN À LONGUE QUEUE *Tyrannus forficatus* (28-38 cm) 216
Scissor-tailed Flycatcher

Oiseau magnifique, gris perle, à *très longue queue fourchue* généralement fermée. Flancs et couvertures sous-alaires rose saumon. Le jeune, qui a la queue courte, peut ressembler à un Tyran de l'Ouest.
Voix: *Kek* ou *kiou* aigre; *ka-lîp* répété; aussi, des cris stridents, agressifs et bégayés. **Aire:** Du S-E du Colorado et du S du Nebraska à l'E du Nouveau-Mexique et au S du Texas. Hiverne surtout du S du Texas au Panama. **Habitat:** Lieux assez découverts, campagnes, bords de route, fils.

TYRAN TRITRI *Tyrannus tyrannus* (20 cm) 217
Eastern Kingbird

La *bande blanche* au bout de la queue caractérise ce tyran. La couronne rouge est dissimulée et se voit rarement. Vol souvent frémissant, du «bout des ailes». Harcèle les corneilles et les rapaces.
Voix: Cris aigus et agressifs lancés rapidement: *dzî, dzî, dzî,* etc., et *kit-kit-kitteûr-kitteûr,* etc. *Dzîb* nasillard aussi. **Aire:** Du centre du Canada au g. du Mexique. Hiverne du Pérou à la Bolivie. **Habitat:** Orées des bois, bosquets riverains, fermes, vergers, bords de route, haies, fils.

TYRAN DE L'OUEST *Tyrannus verticalis* (20 cm) 218
Western Kingbird

De la taille du T. tritri, mais la tête et le dos sont plus *clairs* et le ventre est *jaunâtre.* La queue noire est *lisérée de blanc* de chaque côté, et non frangée à l'extrémité.
Voix: Cris agressifs stridents; *ouit* ou *ouit-keûr-ouit* perçant. **Aire:** Du S-O du Canada au N du Mexique. Hiverne du S des É.-U. au Costa-Rica. **Habitat:** Fermes, lieux découverts avec arbres épars, bords de route, fils.

TYRAN GRIS *Tyrannus dominicensis* (23 cm) 219
Gray Kingbird

Semblable au T. tritri, mais plus gros et bien plus clair. La queue nettement encochée n'a *pas de marques blanches.* Le *très groc bec* semble lui grossir la tête. Noter les auriculaires noires.
Voix: *Pi-tîr-rrré* ou *pi-tchîr-ré* roulé. **Aire:** S de la Floride et Antilles. Hiverne des Antilles au N de l'Am. du S. **Habitat:** Bords de route, fils, palétuviers, lisières.

TYRAN HUPPÉ *Myiarchus crinitus* (20-23 cm) 220
Great Crested Flycatcher

Tyran à *ailes et queue cannelle,* poitrine grise et ventre jaune. Dresse souvent une huppe hirsute.
Voix: *Ouîîp!* fort, sifflé. *Prrrrrrît* roulé aussi. **Aire:** S du Canada, E et centre des É.-U. Hiverne de l'E du Mexique à la Colombie. **Habitat:** Bois, bosquets.

TYRAN À GORGE CENDRÉE *Myiarchus cinerascens* (20 cm)
Ash-throated Flycatcher

Visiteur de l'Ouest; on dirait un petit Tyran huppé, délavé, moins roux, à *gorge blanche* et ventre moins jaune. Inusité sur la côte du g. du Mexique jusqu'en Floride; exceptionnel plus au nord. Un *Myiarchus* observé tard en automne pourrait appartenir à cette espèce.

TYRANS

sexes semblables

TYRAN
TRITRI

TYRAN À
LONGUE QUEUE

TYRAN
À GORGE
CENDRÉE

TYRAN DE
L'OUEST

TYRAN
HUPPÉ

TYRAN
GRIS

195

MOUCHEROLLE PHÉBI *Sayornis phoebe* (16-18 cm) [222]
Eastern Phoebe

Noter les *hochements de queue*. Moucherolle brun grisâtre de la taille du moineau, sans anneau oculaire ni barres alaires nettes (peut présenter des barres ternes, le jeune surtout). Le bec est *tout noir*.

Espèces semblables: Le Pioui de l'Est et les petits *Empidonax* ont des barres alaires apparentes. Leur mandibule inférieure est jaunâtre ou blanchâtre. Ils ne hochent pas la queue.

Voix: Chant: *Fibi, fébri* bien articulé (2ᵉ note alternativement plus haute ou plus basse). Cri: *tchîp* perçant. **Aire:** Du S du Canada au S des É.-U., à l'E des Rocheuses. Hiverne jusqu'au S du Mexique. **Habitat:** Bords des cours d'eau et des étangs, ponts, bords de route, jardins.

PIOUI DE L'EST *Contopus virens* (15-16 cm) [221]
Eastern Wood-Pewee

Presque aussi gros que le M. phébi, mais muni de *2 étroites barres alaires blanches*. Semblable aux *Empidonax*, mais un peu plus gros et *sans anneau oculaire*. Les ailes fermées s'étendent un peu plus bas sur la queue.

Espèce semblable: Le M. phébi n'a pas de barres alaires blanches et hoche la queue.

Voix: Doux sifflement plaintif: *pî-ou-hî* lié, descendant puis montant. Aussi, *pi-hu*, lié et descendant. **Aire:** S du Canada, E des É.-U. Hiverne du Costa-Rica au Pérou. **Habitat:** Forêts, bosquets.

MOUCHEROLLE TCHÉBEC *Empidonax minimus* Voir p. 198

MOUCHEROLLE À CÔTÉS OLIVE *Contopus cooperi* (18-20 cm) [223]
Olive-sided Flycatcher

Moucherolle à grosse tête, assez gros et robuste; se perche souvent à la cîme des arbres. Noter le bec assez gros et les *taches sombres de la poitrine* séparées par une étroite bande blanche (on dirait un veston déboutonné). Une *touffe cotonneuse* peut déborder de sous l'aile.

Espèce semblable: Le Pioui de l'Est est plus petit et a de légères barres alaires.

Voix: Cri: *pip-pip-pip* aigu. Chant: *vite-trois-bières!* (*ouip-ti biu*) sifflé avec entrain, la note médiane la plus haute, la dernière prolongée. **Aire:** Alaska, Canada, O de N-E des É.-U. Hiverne de la Colombie au Pérou. **Habitat:** Forêts de conifères, brûlis, clairières. En migration, vu généralement à la cîme des arbres morts.

MOUCHEROLLE À VENTRE ROUX *Sayornis saya* (18-20 cm)
Say's Phoebe

Moucherolle gris-brun, assez gros, au ventre *rouille* pâle. Avec sa *queue noire* et son ventre rouille, il a l'air d'un petit Merle d'Amérique.

Voix: *Pî-ur* ou *pî-î* plaintif; trille bref également. **Aire:** O de l'Am. du N jusqu'au 100ᵉ méridien. Inusité ou exceptionnel dans l'Est.

MOUCHEROLLE VERMILLON *Pyrocephalus rubinus* (15 cm)
Vermilion Flycatcher

Mâle: Coiffe (souvent soulevée en huppe touffue) et dessous *vermillon;* dessus et queue brun foncé ou noirâtres. *Femelle et jeune:* Dessous blanchâtre, rayé finement; sous-caudales et ventre teintés de rosâtre ou de jaune.

Espèce semblable: Le mâle du Tangara écarlate a le *dos rouge*.

Voix: *P-p-pit-zî* ou *pit-a-zî*, rappelant un peu le M. phébi. **Aire:** Du S-O des É.-U. à l'Argentine. En hiver, quelques individus errent le long de la côte du g. du Mexique de la Louisiane à la Floride. Inusité ou exceptionnel plus au nord sur le littoral atlantique.

MOUCHEROLLES

sexes semblables
sauf chez le M. vermillon

MOUCHEROLLE
PHÉBI

PIOUI
DE L'EST

MOUCHEROLLE
TCHÉBEC

Le M. tchébec
est un Empidonax;
voir les autres, p. 199

MOUCHEROLLE
À CÔTÉS OLIVE

MOUCHEROLLE
À VENTRE ROUX

MOUCHEROLLE
VERMILLON
♀

MOUCHEROLLE
VERMILLON
♂

197

- **PETITS MOUCHEROLLES: Genre Empidonax.** Dans l'Est, cinq petits moucherolles ont *l'anneau oculaire clair* et *2 barres alaires blanchâtres*. En saison de reproduction, ils se distinguent facilement par la voix, l'habitat et la façon de nidifier (voir *A Field Guide to Bird's Nests* de Hal Harrison). Ils chantent si peu en migration qu'on doit se résigner à ne pas pouvoir différencier la plupart d'entre eux.

MOUCHEROLLE VERT *Empidonax virescens* (14 cm) 224

Acadian Flycatcher

Empidonax verdâtre aux flancs teintés de jaunâtre; se distingue surtout des autres petits moucherolles par l'habitat, l'aire et la voix. Le *seul Empidonax* nicheur dans la majeure partie du S-E des É.-U.

Voix: *Pit-tiou!* ou *oui-tsî!* explosif et perçant (vive inflexion montante). *Pît* ténu également.

Aire: E des É.-U. Hiverne du Costa-Rica à l'Équateur. **Habitat:** Forêts décidues, ravins, bois marécageux, bosquets de hêtres.

MOUCHEROLLE À VENTRE JAUNE *Empidonax flaviventris* 225

(14 cm) Yellow-bellied Flycatcher

Le dessous franchement *jaunâtre* (gorge incluse) distingue ce petit moucherolle nordique des autres.

Espèces semblables: D'autres petits moucherolles peuvent être teintés de jaune, surtout en automne, mais aucun autre du groupe n'est jaunâtre sur toute la gorge et le ventre; anneau oculaire également jaunâtre. En automne, certains M. verts ressemblent beaucoup au M. à ventre jaune.

Voix: *Peûr-ouî* ou *tchou-ouî* terne. *Killik* aussi.

Aire: Canada, N-E des É.-U. Hiverne du Mexique au Panama. **Habitat:** Forêts boréales, tourbières.

MOUCHEROLLE TCHÉBEC *Empidonax minimus* (13 cm) 226

Least Flycatcher

Plus gris dessus et plus blanc dessous que les autres *Empidonax*. À distinguer par sa voix et son habitat (bois clairs).

Voix: *Tché-bek!* sec et perçant, poussé avec force.

Aire: Canada à l'E des Rocheuses; centre-N et N-E des É.-U. Hiverne du Mexique au Panama. **Habitat:** Forêts claires, petits bois, bosquets de trembles, vergers.

MOUCHEROLLE DES SAULES *Empidonax traillii* (14 cm) 227

Willow Flycatcher

À peine plus gros et plus bruns que le M. tchébec, le M. des saules et le M. des aulnes sont quasi identiques. On les considérait autrefois comme une seule espèce (M. des aulnes). On ne peut les distinguer que par la voix et l'habitat.

Voix: Chant: *fitz-bîou* éternué, bien différent du *roui-bi-yu* du M. des aulnes.

Aire: De l'Alaska et de l'O du Canada au N-E des É.-U. Hiverne du S du Mexique à l'Argentine. **Habitat:** Assez semblable à celui du M. des aulnes (buissons, fourrés de saules) mais plus souvent en terrain plus sec; friches, champs buissonneux.

MOUCHEROLLE DES AULNES *Empidonax alnorum* (14 cm) 228

Alder Flycatcher

Cette espèce et la précédente ne peuvent être distinguées sur le terrain que par la voix et l'habitat.

Voix: Chant: *roui-bi-yu accentué.* Cri: *pep, ouit* ou *viou.*

Aire: Canada et N-E des É.-U. Hiverne en Am. tropicale. **Habitat:** Saules, aulnes, marais buissonneux.

PETITS MOUCHEROLLES

sexes semblables

oui-tsî!

Les 5 Empidonax ont un anneau oculaire et des barres alaires; les identifier par l'habitat et la voix.

tchou-ouî

forêts décidues, surtout de hêtres; forêts inondées; S et centre des É.-U.

forêts de conifères, tourbières; Canada, N des É.-U.

MOUCHEROLLE VERT
plus vert que M. tchébec, M. des aulnes et M. des saules

ou
tché-BEK   TCHÉ-bek

MOUCHEROLLE À VENTRE JAUNE

poitrine jaunâtre

fitz-bîou

bois, bosquets, vergers; N des É.-U. et Canada

MOUCHEROLLE TCHÉBEC
le plus gris du groupe

roui-bi-yu

fourrés secs ou humides, friches, vieux vergers, saules; N et centre des É.-U.

aulnaies, fourrés humides, d'habitude près de l'eau; N des É.-U., Canada

MOUCHEROLLE DES SAULES

MOUCHEROLLE DES AULNES

199

■ **ALOUETTES: Famille des Alaudidés.** La plupart des alouettes sont des oiseaux bruns et rayés qui vivent au sol. La griffe du doigt postérieur est allongée, presque droite. Chants mélodieux, émis souvent haut dans le ciel durant la pariade. Souvent grégaires. Sexes généralement semblables. **Nourriture:** Graines surtout; insectes. **Aire:** Ancien-Monde (sauf l'Alouette haussecol). **Espèces:** Monde, 75; Est, 1.

ALOUETTE HAUSSE-COL *Eremophila alpestris* (18-20 cm)   229
(Alouette cornue)   Horned Lark
  Noter le motif de la tête. Brune, plus grosse qu'un moineau, avec favoris noirs, 2 petites *cornes* noires (pas toujours apparentes) et une bande pectorale noire. Au sol: *marche*, ne sautille pas. D'en dessous: claire, à queue *noire;* ferme les ailes après chaque battement. La femelle et le jeune sont plus ternes, mais ont grosso modo la même livrée.
  Voix: Chant émis au sol ou haut dans le ciel; tintant, argentin, irrégulier, très aigu, souvent soutenu. Cri: *tsî-titi* clair.
  Aire: Répandue dans l'hémisphère N (par endroits jusque dans le N de l'Afrique et de l'Am. du S); certaines populations migrent. **Habitat:** Prés, champs dénudés, aérodromes, rivages, toundra.

■ **PIPITS: Famille des Motacillidés.** Passereaux bruns et rayés à rectrices externes blanches, longue griffe au doigt postérieur et bec fin. Se tiennent au sol; ne sautillent pas, mais marchent avec vivacité, hochant la queue continuellement. **Nourriture:** Insectes, graines. **Aire:** Presque mondiale. **Espèces:** Monde, 48; Est, 2.

PIPIT D'AMÉRIQUE *Anthus rubescens* (15-18 cm)   230
                                                                     American Pipit
  Passereau brun et svelte de terrains découverts, de la taille d'un moineau. Bec *fin*: dessous chamois, rayé: *rectrices externes blanches.* Marche; hoche la queue à tout moment ou presque. Vol onduleux. Retenir le cri – on détecte souvent l'oiseau lorsque celui-ci l'émet en vol.
  Espèces semblables: Le Bruant vespéral (p. 284) et les bruants du genre *Calcarius* (p. 264) ont le bec plus épais et ne hochent pas la queue. Voir aussi le Pipit de Sprague.
  Voix: Cri: djît ou *dji-ît* ténu. Chant en vol nuptial battu: *tchoui, tchoui, tchoui, tchoui, tchoui, tchoui, tchoui.* **Aire:** Régions froides de l'Am. du Nord et de l'E de la Sibérie. Hiverne jusque dans l'Am. centrale et dans le S de l'Asie.
  Habitat: Toundra, sommets alpins; en migration et en hiver, plaines, labours, rivages.

PIPIT DE SPRAGUE *Anthus spragueii* (16 cm)   231
(Pipit des prairies)   Sprague's Pipit
  Noter les pattes *jaunâtres* ou couleur *chair pâle.* Passereau chamois ressemblant à un bruant, à dos rayé et rectrices externes blanches. On dirait un Bruant vespéral ou un bruant du genre *Calcarius* (p. 264) ayant le *bec fin.* Dos rayé de *chamois et de noir.* Plus solitaire que le P. d'Amérique; lorsqu'on le fait lever, il monte haut, erre et revient au sol.
  Espèce semblable: Le Pipit d'Amérique a le dos plus sombre (sans raies marquées), la poitrine plus chamois, les pattes brunes ou noires.
  Voix: Chant émis haut dans le ciel, des tintements descendants doux et ténus: tchign-a-rign-a-rign-a-rign-a (Salt, Wilk).
  Aire: La Prairie du Canada et du N des É.-U. **Habitat:** Plaines, steppes à herbe courte.

ALOUETTE, PIPITS

sexes semblables

jeune

dessous

race
méridionale

race
nordique

ALOUETTE
HAUSSE-COL

dessous

dessus

été

hochement de queue

PIPIT D'AMÉRIQUE

hiver

ascension

dessous

PIPIT DE SPRAGUE

■ **HIRONDELLES: Famille des Hirundinidés.** La forme élancée, aérodynamique, et le vol gracieux caractérisent ces passereaux de la taille du moineau. Pattes minuscules, longues ailes pointues, petit bec et bouche très large. **Nourriture:** Insectes en vol; petits fruits (H. bicolore). **Aire:** Partout sauf dans les régions polaires et certaines îles. **Espèces:** Monde, 75; Est, 5 (+ 6 excep-tionnelles).

HIRONDELLE NOIRE *Progne subis* (18-21 cm) `232`

Purple Martin

La plus grosse hirondelle de l'Am. du N. Le mâle est bleu-noir uni *dessus et dessous.* Aucune autre hirondelle n'a le ventre noir. La femelle a le ventre clair, la gorge et la poitrine grisâtres et, souvent, un col peu apparent à la nuque. Tournoie en alternant des battements rapides et des planés; étale souvent la queue.

Espèces semblables: 1) L'Hirondelle bicolore est bien plus petite que la femelle, a le dessous blanc immaculé. 2) En vol, l'Étourneau sansonnet (ailes triangulaires) peut ressembler à une H. noire.

Voix: *Tchiou-ouiou,* etc.; *piou piou* étouffés et gutturaux. Le chant glou-gloutant se termine sur une série de notes gutturales, riches et graves.

Aire: Du S du Canada au N du Mexique. Hiverne en Am. du S. **Habitat:** Villes, fermes, lieux découverts, souvent près de l'eau. Niche en colonies dans des maisonnettes à «appartements».

HIRONDELLE À FRONT BLANC *Petrochelidon pyrrhonota* (13-15 cm) `233`

Cliff Swallow

Noter le croupion *rouille* ou *chamois.* Vue d'en dessous: queue carrée et gorge sombre. Parcourt en planant de longues ellipses au bout desquelles elle remonte brusquement.

Espèce semblable: L'H. rustique construit un nid en coupe, *souvent,* mais pas toujours, à l'intérieur d'une grange; coloniale, l'H. à front blanc accroche une «gourde de boue» sous un avant-toit.

Voix: *Dzerp; tcheûr* bas. Cri d'alarme: *kîr!* Chant: notes grinçantes et cris-sements gutturaux, plus rauques que ceux de l'H. rustique.

Aire: De l'Alaska et du Canada au Mexique. Hiverne au Brésil, en Argentine et au Chili. **Habitat:** Lieux assez découverts, fermes, falaises. Niche en colonie sur les falaises, les granges, les ponts.

HIRONDELLE RUSTIQUE *Hirundo rustica* (15-19 cm) `234`

(Hirondelle des granges)   Barn Swallow

Notre seule hirondelle à *queue* vraiment *fourchue et marquée de taches blanches.* Dessus bleu-noir, dessous chamois, gorge marron. Vol direct, à ras de terre; le bout de l'aile est rejeté à l'arrière à chaque battement; ne plane guère.

Espèces semblables: La plupart des autres hirondelles ont la queue encochée (pas vraiment fourchue). Comparer le nid avec celui de l'espèce précédente.

Voix: *Vit* doux ou *kvik-kvik, vit-vit. Szî-szâ* ou *szî* aussi. Cri d'inquiétude près du nid: *î-tî* ou *kît.* Chant: long gazouillis mélodieux entremêlé de notes gutturales.

Aire: Répandue dans l'hémisphère N. Hiverne du Costa-Rica à l'Argentine, en Afrique, dans le S de l'Asie. **Habitat:** Lieux découverts, champs, fermes, marais, lacs, fils; généralement près des habitations.

HIRONDELLE NOIRE

nichoir
colonial

♂

♀

**HIRONDELLE À
FRONT BLANC**

nids en forme de gourde
sous les avant-toits ou
sur les falaises; coloniale

jeune

nid sur une poutre à
l'intérieur d'une grange

HIRONDELLE RUSTIQUE

HIRONDELLE BICOLORE *Tachycineta bicolor* (13-15 cm) 235

Tree Swallow

Dessus turquoise-noir métallique, *dessous blanc éclatant*. Le jeune à dos brun foncé et collier incomplet peut être pris pour une H. à ailes hérissées (gorge brunie) ou une H. de rivage (collier complet). Termine ses planés courbes par 3 ou 4 battements rapides et une brève remontée.

Voix: Cri: *tchît* ou *tchi-vît*. Trisse harmonieusement. Chant: *ouît-trit, ouît*, répété avec des variations. **Aire:** De l'Alaska et du Canada à la Californie et au centre-N des É.-U. Hiverne du S des É.-U. à l'Am. centrale. **Habitat:** Près de l'eau; marais, prés, fils. Se juche dans les quenouilles. Niche dans les cavités d'arbres morts et dans les nichoirs.

HIRONDELLE À AILES HÉRISSÉES *Stelgidopteryx serripennis* 236

(13-14 cm) Northern Rough-winged Swallow

Hirondelle au *dos* d'un *brun* plus clair que celui de l'H. de rivage: *sans* collier; noter la *gorge brunie*. Ne vole pas comme l'H. de rivage, mais plutôt comme l'H. rustique (ailes rejetées à l'arrière après chaque battement).

Voix: *Trrit,* plus rauque que le cri de l'H. de rivage. **Aire:** Du S du Canada au Mexique. Hiverne du S des É.-U. jusqu'en Am. centrale. **Habitat:** Près des cours d'eau et des lacs.

HIRONDELLE DE RIVAGE *Riparia riparia* (11-14 cm) 237

Bank Swallow

Petite hirondelle à *dos brun.* Noter le *collier sombre,* bien net. Vol irrégulier, plus papillonnant que celui des autres hirondelles.

Espèce semblable: L'H. à ailes hérissées n'a pas de collier, niche généralement isolément (L'H. de rivage est coloniale).

Voix: Trille sec répété ou crépité: *brrt* ou *trr-tri-tri*. **Aire:** Répandue dans l'hémisphère N. Hiverne en Am. du S, en Afrique, dans le S de l'Asie. **Habitat:** Près de l'eau, champs, marais. Niche en colonies, dans un terrier creusé dans les berges escarpées.

■ **MARTINETS: Famille des Apodidés.** Ressemblent aux hirondelles mais de structure différente: crâne plat et 4 doigts dirigés vers l'avant (hallux réversible). Vol remarquablement rapide; pointes de vitesse suivies de planés; les ailes sont souvent raidies en *arc.* Sexes semblables. **Nourriture:** Insectes en vol. **Aire:** Presque mondiale. **Espèces:** Monde, 79; Est, 2 (+ 3 exceptionnelles).

MARTINET RAMONEUR *Chaetura pelagica* (12-14 cm) 238

Chimney Swift

On dirait un cigare avec des ailes. Oiseau noirâtre semblable aux hirondelles, avec de longues ailes raides un peu courbées; pas de queue apparente (sauf quand elle est étalée). Comme il semble battre des ailes l'une après l'autre (mais c'est là une illusion), son vol rappelle plus celui d'une chauve-souris que celui d'une hirondelle (pas de rase-mottes). On dirait vraiment qu'il «scintille», planant entre des pointes de vitesse les ailes *arquées en croissant.*

Voix: Cliquetis rapide et fort. **Aire:** Du S du Canada au g. du Mexique. Hiverne au Pérou. **Habitat:** Le ciel, particulièrement celui des villes et villages; niche et se juche dans les cheminées.

MARTINET DE VAUX *Chaetura vauxi* (11 cm)

Vaux's Swift

Comme le Martinet ramoneur, mais plus petit et plus clair dessous. **Aire:** O de l'Am. du N. Visiteur très rare, mais probablement régulier en Louisiane de novembre à mars (capturé à Bâton-Rouge).

HIRONDELLES,
MARTINETS

HIRONDELLE
BICOLORE

adulte

sexes semblables

niche dans un trou
d'arbre ou un nichoir

HIRONDELLE
BICOLORE

jeune

colonie
hirondelles
rivage

HIRONDELLE DE RIVAGE

HIRONDELLE À
AILES HÉRISSÉES

MARTINET
DE VAUX

MARTINET
RAMONEUR

martinets
rentrant au
dortoir

♂

H.
noire

H.
rustique

H. à front
blanc

H.
bicolore

H. à ailes
hérissées

H. de
rivage

HIRONDELLES SUR UN FIL

205

■ **CORNEILLES, GEAIS, etc.: Famille des Corvidés.** Grands oiseaux percheurs au bec fort, assez long; narines recouvertes de vibrisses pointant vers l'avant. Les corneilles et les corbeaux sont noirs et très gros. Les geais (p. 208) sont souvent très colorés (habituellement bleus). Les pies sont noir et blanc, avec une longue queue. Sexes semblables. Les jeunes de la plupart des espèces ressemblent aux adultes. **Nourriture:** Omnivores. **Aire:** Monde entier, sauf le S de l'Am. du S, l'Antarctique, quelques îles. **Espèces:** Monde, 100; Est, 8 (+ 2 exceptionnelles).

CORNEILLE DE RIVAGE *Corvus ossifragus* (40-50 cm) 239
Fish Crow

Cette corneille plutôt petite vit près de l'eau salée. Elle se reconnaît à sa voix, non à sa taille: les mensurations des deux corneilles se chevauchent largement.
Espèce semblable: La Corneille d'Amérique a une voix différente.
Voix: Court *câhr* ou *can* nasal. Parfois *ca-han* dissyllabique (la Corneille d'Amérique émet un *cââ* franc). Des cris de jeunes Corneilles d'Amérique peuvent ressembler à ceux de la C. de rivage.
Aire: Surtout côtière: du S de la Nouv.-Angl. à la Flor. et à l'E du Texas.
Habitat: Semblable à celui de la Corneille d'Amérique; davantage confinée aux zones de marées et aux estuaires.

CORNEILLE D'AMÉRIQUE *Corvus brachyrhynchos* (43-53 cm) 240
American Crow

Gros oiseau massif entièrement noir; reflets violacés au soleil. Pattes et bec forts et noirs. Souvent grégaire.
Espèces semblables: 1) Le Grand Corbeau est plus gros; il a la queue cunéiforme. 2) La C. de rivage est plus petite; sa voix est différente.
Voix: *Câ, câh* ou *cââhr,* très fort; facile à imiter.
Aire: Canada, É.-U., N de la Basse-Californie. Les populations du N migrent. **Habitat:** Forêts, fermes, champs, bosquets riverains, plages.

CORBEAU À COU BLANC *Corvus cryptoleucus* (48-53 cm)
Chihuahuan Raven

Petit corbeau des régions arides, à peu près de la taille de la Corneille d'Amérique. En vol, plane comme un corbeau, les ailes à plat; queue quelque peu cunéiforme. La base blanche des plumes du cou et de la poitrine n'apparaît que lorsque les plumes sont hérissées.
Voix: *Craak* rauque, plus terne et plus aigu que chez le Grand Corbeau.
Aire: Du S-O des É.-U. au centre du Mexique. Présent tout juste à l'E du 100e méridien en Okl. et au Kansas.

GRAND CORBEAU *Corvus corax* (55-68 cm) 241
Common Raven

Noter la *queue cunéiforme.* Beaucoup plus gros que la Corneille d'Amérique et généralement plus solitaire. Ressemble à un rapace; en alternance, bat des ailes et plane les ailes à plat (la corneille plane avec les ailes un peu relevées). Perché et proche, noter l'aspect «goitreux» (plumes de la gorge hirsutes) et le bec plus fort, plus aquilin.
Espèce semblable: La Corneille d'Amérique est plus petite et a la voix différente.
Voix: Croassement, *cr-r-ôk* ou *prôk: toc* métallique.
Aire: Am. du N, Eurasie, Afrique. **Habitat:** Forêts boréales, montagnes boisées, falaises côtières, toundra.

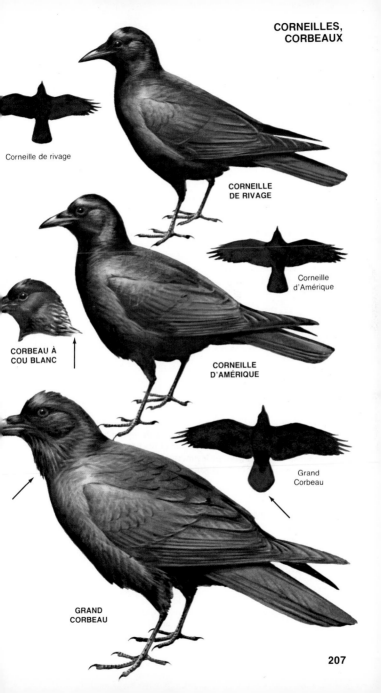

CORNEILLES,
CORBEAUX

Corneille de rivage

CORNEILLE
DE RIVAGE

Corneille
d'Amérique

CORBEAU À
COU BLANC

CORNEILLE
D'AMÉRIQUE

Grand
Corbeau

GRAND
CORBEAU

GEAI BLEU *Cyanocitta cristata* (28-31 cm) 242
Blue Jay

Oiseau *bleu, huppé,* bruyant et voyant; plus gros que le merle. Taches blanches voyantes sur les ailes et la queue; dessous blanchâtre ou gris terne: collier noir.
Espèces semblables: 1) Le Merlebleu de l'Est (p. 220) est nettement plus petit (à peine plus gros que le moineau), sans huppe, et a la poitrine rougeâtre. 2) Voir le Martin-pêcheur d'Amérique (p. 186). 3) Le G. à gorge blanche de Floride n'a ni huppe, ni blanc sur les ailes et la queue.
Voix: *Djyâ* ou *djé re*tentissant et bredouillé, *couidul, couidul* musical; plusieurs autres notes. Imite le cri de la Buse à épaulettes et de la Buse à queue rousse.
Aire: Le centre de la Floride.
Habitat: En Floride, surtout les buissons, les petits chênes.

GEAI À GORGE BLANCHE *Aphelocoma coerulescens* (28-30 cm) 243
Scrub Jay

Chercher ce geai sans huppe en Floride, dans les étendues de buissons de chênes. Ailes et queue uniformément bleues (sans taches blanches); dos beige.
Espèce semblable: La race de Floride du Geai bleu, souvent présente aux mêmes endroits, est huppée et tachetée de blanc aux ailes et à la queue.
Voix: *Couèche...couèche,* rauque et grinçant. Aussi *zhrîk* ou *zhrink,* faible et grinçant.
Aire: Le centre de la Floride.
Habitat: En Floride, surtout les buissons, les petits chênes.

MÉSANGEAI DU CANADA *Perisoreus canadensis* (28-33 cm) 244
(Geai du Canada)
Gray Jay

Gros oiseau gris, au plumage duveteux, des forêts nordiques; plus gros que le merle; calotte partielle ou plage *noire* sur la nuque et front (ou calotte) *blanc;* on dirait une mésange géante. Les juvéniles sont d'un *gris cendre foncé;* la moustache blanchâtre est leur seul trait distinctif.
Voix: *Oui-ah* doux; aussi plusieurs autres notes, quelques-unes rauques. **Aire:** Forêt boréale d'Am. du N. **Habitat:** Forêts de sapins et d'épinettes.

PIE BAVARDE *Pica pica* (44-55 cm; queue 24-30 cm) 245
Black-billed Magpie

Grand oiseau effilé, noir et blanc. En vol, la longue queue émarginée, d'un noir verdâtre chatoyant, flotte au vent et de grandes plages blanchâtres contrastantes apparaissent aux ailes.
Voix: *Couig, couig, couig, couig* rapide. Aussi, *maag?* ou *aag-aag?* nasal et interrogatif.
Aire: Eurasie, O de l'Am. du N. En hiver, quelques-unes errent vers l'E, rarement jusqu'aux Grands Lacs et exceptionnellement jusqu'aux États côtiers du N-E. **Habitat:** Champs, zones broussailleuses, conifères, bords des cours d'eau.

GEAIS, PIE

GEAI BLEU

sexes semblables

GEAI À GORGE BLANCHE

MÉSANGEAI DU CANADA

adulte

MÉSANGEAI DU CANADA juvénile

PIE BAVARDE

■ **MÉSANGES: Famille des Paridés.** Petits oiseaux rondelets à bec court. Ils ont des mouvements acrobatiques en s'alimentant, et vagabondent souvent par petits groupes. Sexes habituellement semblables. **Nourriture:** Insectes, graines, glands, fruits; aux mangeoires, gras, graines de tournesol. **Aire:** Répandues en Am. du N, en Eurasie, en Afrique. **Espèces:** Monde, 64; Est, 4.

MÉSANGE À TÊTE NOIRE   *Poecile atricapillus*   (12-14 cm)   246

Black-capped Chickadee

Ce petit acrobate peu farouche se caractérise par une *bavette* et un *capuchon noirs,* et des *joues blanches.* Les flancs sont chamois.
Espèce semblable: Voir la M. de Caroline.
Voix: *Tchic-a-di-di-di* ou *di-di-di,* clairement articulé. Chant: sifflement clair, *ti,u-u* ou *ti,u,* la première note plus aiguë.
Aire: Alaska, Canada, moitié N des É.-U. **Habitat:** Forêts mixtes et décidues; fourrés de saules, bosquets, arbres d'ombrage. Fréquente les mangeoires où elle mange du gras et des graines de tournesol.

MÉSANGE DE CAROLINE   *Poecile carolinensis*   (11 cm)   247
(Mésange minime)   Swallow-tailed Kite

Presque identique à la M. à tête noire, mais nettement plus petite et sans tache alaire créée par le liséré blanc des plumes. La voix est nettement différente.
Espèce semblable: Remplacée par la M. à tête noire au N. En été, les deux se distinguent d'abord par l'aire de répartition et la voix. Le blanc dans l'aile de la M. à tête noire est habituellement un bon critère distinctif, mais peut être moins fiable selon les saisons, l'usure, la luminosité, etc. Il existe des hybrides et des formes intermédiaires.
Voix: Le «tchikadi» de cette espèce est plus aigu et plus rapide que celui de la M. à tête noire. Le sifflement dissyllabique est remplacé par un chant à 4 notes: *ti-tu, ti-tu.*
Aire: Réside de la limite S de l'aire de la M. à tête noire (N.-J., Ohio, Mo., Okl.) à la Flor. et au Texas. Dans les zones limitrophes, consulter les publications locales ou régionales pour plus de précision. La M. à tête noire pénètre dans l'aire de la M. de Caroline certains hivers.

MÉSANGE À TÊTE BRUNE   *Poecile hudsonicus*   (13-14 cm)   248

Boreal Chickadee

Noter le capuchon *brun terne,* les flancs d'un brun riche. La petite taille, la bavette noire, les joues blanchâtres et le bec minuscule sont caractéristiques des mésanges, mais la couleur générale est *brune* plutôt que grise.
Voix: Notes plus lentes et traînantes que le *tchic-a-di-di-di* vif de la M. à tête noire; à la place, *tchic-tchi-dé-dé* asthmatique.
Aire: Forêt boréale d'Alaska, du Canada et du N de la Nouv.-Angl. **Habitat:** Forêts de conifères.

MÉSANGE BICOLORE   *Baeolophus bicolor*   (15 cm)   249

Tufted Titmouse

Petit oiseau gris souris à *huppe touffue.* Flancs roussâtres. Voir les jaseurs (p. 224).
Voix: Chant siffé clair, *piteur, piteur, piteur* ou *tiu, tiu, tiu, tiu.* Notes semblables à celles des autres mésanges, mais plus traînantes, nasales et plaintives.
Aire: De l'extrême S de l'Ont. et du Maine à la Flor. et au Texas. **Habitat:** Bois, arbres d'ombrage, bosquets; mangeoires.

sexes semblables

MÉSANGE
À TÊTE
NOIRE

MÉSANGE
DE CAROLINE

MÉSANGE À
TÊTE BRUNE

jeune

adulte

MÉSANGE
BICOLORE

■ **SITTELLES: Famille des Sittidés.** Petits grimpeurs trapus au bec fort, comparable à celui des pics, et aux pattes fortes. Queue tronquée et carrée, ne servant pas d'appui pour grimper comme chez les pics. Se déplacent habituellement la *tête en bas*. Sexes semblables. **Nourriture:** Insectes lignicoles, graines, noix; attirées par le gras, les graines de tournesol. **Aire:** Presque tout l'hémisphère N. **Espèces:** Monde, 31; Est, 3.

SITTELLE À POITRINE BLANCHE *Sitta carolinensis* $\boxed{250}$
(13-15 cm) White-breasted Nuthatch

Les sittelles descendent le long des troncs la *tête en bas*. Cette espèce se caractérise par le capuchon noir et le petit oeil saillant au milieu de la face blanche. Les sous-caudales sont marron.

Voix: Le chant est une suite de notes basses, nasales et sifflées sur un seul ton: *hein!, hein!, hein!, hein!*, ou *han!, han!, han!, han!*, etc. Cri, *iank* nasal; aussi *toutou* nasal.

Aire: Du S du Canada au S du Mexique. **Habitat:** Forêts, petits bois, bosquets, arbres d'ombrage; fréquente les mangeoires.

SITTELLE À POITRINE ROUSSE *Sitta canadensis* (11 cm) $\boxed{251}$
Red-breasted Nuthatch

Petite sittelle à *large ligne noire* traversant l'oeil et à sourcil blanc. Dessous d'un roux délavé.

Voix: Cri plus aigu, plus nasillard que celui de la Sittelle à poitrine blanche, *hank* ou *heink*, sonnant comme un «bébé» sittelle ou un cornet en tôle.

Aire: S-E de l'Alaska, Canada, O et N-E des É.-U. Hiverne irrégulièrement dans le S des É.-U. **Habitat:** Forêts de conifères; en hiver, d'autres forêts également; peut visiter les mangeoires.

SITTELLE À TÊTE BRUNE *Sitta pusilla* (11 cm) $\boxed{252}$
Brown-headed Nuthatch

Sittelle naine des pinèdes du Sud. Plus petite que la S. à poitrine blanche, à *calotte brune s'étendant jusqu'à l'oeil* et point blanchâtre sur la nuque. Se déplace en groupe.

Voix: Atypique pour une sittelle, *kit-kit-kit* aigu et rapide; aussi, pépiement criard, *ki-dé* ou *ki-dî-dî*, répété constamment, devenant quelquefois un gazouillis excité.

Aire: S-E des É.-U. **Habitat:** Forêts de pins clairsemés.

■ **GRIMPEREAUX: Famille des Certhiidés.** Petits oiseaux effilés, à queue raide, utilisant leur bec mince et légèrement recourbé pour sonder l'écorce des arbres. **Nourriture:** Insectes lignicoles. **Aire:** Parties froides de l'hémisphère N. **Espèces:** Monde, 6; Est, 1.

GRIMPEREAU BRUN *Certhia americana* (13 cm) $\boxed{253}$
Brown Creeper

Petit grimpeur effilé, au mimétisme remarquable: brun dessus et blanc dessous. *Bec fin, recourbé;* queue raide, servant d'appui lorsqu'il monte le long des arbres, en spirale à partir de la base.

Voix: Cri: *sî* unique, ténu et aigu, semblable aux triples notes rapides (*sî-sî-sî*) du Roitelet à couronne dorée. Chant: *sî-ti-ouî-tou-ouî* ou *sî-sî-sî-sisi-sî* ténu et sifflé.

Aire: Du S de l'Alaska et du Canada au Nicaragua. **Habitat:** Forêts, bosquets, arbres d'ombrage.

♀

**SITTELLE
À POITRINE
BLANCHE**

♂

**GRIMPEREAU
BRUN**

sexes semblables

♀

♂

**SITTELLE
À POITRINE
ROUSSE**

SITTELLE À TÊTE BRUNE

sexes semblables

- **TROGLODYTES: Famille des Troglodytidés.** Petits oiseaux énergiques, bruns et courts, au bec fin légèrement recourbé; queue souvent dressée. **Nourriture:** Insectes, araignées. **Aire:** Nouveau-Monde; une seule espèce en Eurasie (Troglodyte mignon). **Espèces:** Monde, 63; Est, 7.

TROGLODYTE FAMILIER *Troglodytes aedon* (11-13 cm) [254]

House Wren

Petit troglodyte gris-brun, plein de vie; se distingue des autres par l'anneau oculaire pâle et l'absence de rayures faciales.
Voix: Chant bégayé et gloussé; monte en un éclatement de notes, puis tombe à la fin. **Aire:** Du S du Canada à l'Argentine (incl. *T. brunneicollis, T. musculus*). Les populations du N migrent. **Habitat:** Bois clairs, fourrés, jardins; niche souvent dans des maisonnettes.

TROGLODYTE MIGNON *Troglodytes troglodytes* (10 cm) [255]

(Troglodyte des forêts) Winter Wren

Troglodyte très petit, rond, foncé; se distingue du T. familier par la *queue beaucoup plus courte,* la ligne pâle au-dessus de l'œil et le *ventre sombre fortement barré.* Hoche souvent la tête nerveusement. Se tient près du sol tout comme les souris.
Voix: Chant: succession rapide et prolongée de gazouillis et de trilles aigus et sonores, finissant souvent par un trille faible et *très aigu.* Cri: *kip-kip* dissyllabique sec (rappelle le *tchip* du Bruant chanteur). **Aire:** N de l'hémisphère N. **Habitat:** Broussailles en forêt; forêts de conifères (l'été).

TROGLODYTE DE BEWICK *Thryomanes bewickii* (13 cm) [256]

Bewick's Wren

Noter la longue queue à *coins blancs. Sourcil blanc.*
Voix: Chant rappelant celui du Bruant chanteur, mais plus ténu; commence par 2 ou 3 notes, chute, et finit par un trille ténu. **Aire:** Du S du Canada au Mexique. **Habitat:** Fourrés, broussailles, jardins. Niche souvent dans des maisonnettes.

TROGLODYTE DE CAROLINE *Thryothorus ludovicianus* (14 cm) [257]

Carolina Wren

Grand troglodyte de la taille d'un moineau. Dessus d'un *riche brun roussâtre,* dessous chamois. *Sourcil blanc* voyant.
Voix: Chant trisyllabique clair, variable: *ti-kettèle, ti-kettèle, ti-kettèle, ti ou tcheûrpeti, tcheûrpeti, tcheûrpeti, tcheûrp;* parfois dissyllabique. **Aire:** Réside dans l'E des É.-U. et du Mexique. **Habitat:** Ronces, broussailles, jardins de banlieue.

TROGLODYTE DES MARAIS *Cistothorus palustris* (13 cm) [258]

Marsh Wren

Les *nettes raies blanches du dos* et le sourcil blanc caractérisent cet hôte des marais.
Voix: Chant flûté, gloussé, se terminant en crépitement guttural, *cot-cot - teurrrrrrrrr-eur;* chante souvent la nuit. Cri, *tsoc* grave. **Aire:** Du S du Canada au N-O du Mexique. Hiverne dans le centre du Mexique. **Habitat:** Marais (à quenouilles, à scirpes, saumâtres).

TROGLODYTE À BEC COURT *Cistothorus platensis* (10-11 cm) [259]

Sedge Wren

Se distingue du T. des marais par les sous-caudales *chamois* et la calotte *rayée.* Les deux ont le dos rayé.
Voix: Chant: caquetage de notes bien détachées: *tchap tchap tchap tchappeûr-rrrr.* Cri, *tchap.* **Aire:** Par endroits, du S du Canada à l'Am. du S. **Habitat:** Marais herbeux, carex; plutôt rare et localisé.

TROGLODYTE DES ROCHERS *Salpinctes obsoletus* Voir p. 216

TROGLODYTES

sexes semblables

TROGLODYTE FAMILIER

TROGLODYTE
MIGNON

TROGLODYTE DE BEWICK

TROGLODYTE
DE CAROLINE

TROGLODYTE
DES MARAIS

TROGLODYTE À BEC COURT

TROGLODYTE DES ROCHERS

215

TROGLODYTE DES ROCHERS *Salpinctes obsoletus* (14-16 cm)

Rock Wren

(Illustré p. 215). Troglodyte de l'Ouest, gris, à *poitrine finement rayée*, croupion rouille et *coins de la queue chamois*.
Voix: Chant: trille rauque, fort et sec; *ti-kîr* également.
Aire: Du S-O du Canada au Costa-Rica. Niche dans les parties centrales des É.-U. (Dakota, Nebr., Kans., Okl.). Exceptionnel à l'E du Mississippi.
Habitat: Pentes rocheuses, canyons.

■ **GOBEMOUCHERONS ET ROITELETS: Famille des Sylviidés.**
Petits oiseaux actifs, à bec fin et court. Les gobemoucherons ont la queue longue et mobile; les roitelets, la queue courte et la calotte éclatante.
Nourriture: Insectes, larves. **Aire:** La plupart des grandes forêts du Monde.
Espèces: Monde, 332 (incluant les fauvettes de l'Ancien-Monde); Est, 3.

ROITELET À COURONNE RUBIS *Regulus calendula* (10 cm) | 261 |

Ruby-crowned Kinglet

Oiseau minuscule à queue courte; dessus gris-olive et barres alaires nettes; le mâle a *la calotte écarlate* (habituellement cachée, hérissée quand il est excité). L'*anneau oculaire blanc interrompu* fait ressortir l'œil. Tout roitelet sans couronne ni sourcil appartient à cette espèce. Les deux roitelets tremblotent des ailes.
Voix: *Dji-dit* enroué. Chant variable, assez fort; 3 ou 4 notes aiguës, plusieurs notes graves et une fin musicale: *tî tî tî, tiou tiou tiou tiou, tou-dadi, tou-dadi, tou-dadi.*
Aire: Canada, Alaska, O des É.-U. Hiverne de la moitié S des É.-U. à l'Am. centrale. **Habitat:** Bois de conifères; en hiver, autres forêts.

ROITELET À COURONNE DORÉE *Regulus satrapa* (9 cm) | 260 |

Golden-crowned Kinglet

Noter la calotte vive (*jaune chez la femelle*, *orange chez le mâle*) *bordée de noir* et le *sourcil blanchâtre*. Les roitelets sont de petits oiseaux gris olive, plus petits que la plupart des parulines. Leurs «haussements d'épaule» et leurs fortes barres alaires sont caractéristiques.
Voix: Cri: *sî-sî-sî* aigu et nerveux. Chant: série de notes fines et aiguës, ascendantes, puis chutant en gazouillis ténu.
Aire: S de l'Alaska, O du Canada jusqu'au Guatemala. Dans l'E, du S du Canada jusque dans l'O de la Car. du N; hiverne jusqu'aux États du g. du Mexique. **Habitat:** Conifères; en hiver, d'autres arbres également.

GOBEMOUCHERON GRIS-BLEU *Polioptila caerulea* (11 cm) | 262 |

Blue-gray Gnatcatcher

On dirait un Moqueur polyglotte miniature. Petit oiseau élancé, plus petit que la mésange. Dessus gris-bleu et dessous blanchâtre; *anneau oculaire blanc* et mince; *longue queue noire et blanche,* souvent agitée et dressée comme chez les troglodytes.
Voix: Cri: *zpî* ou *tchî* ténu et plaintif. Chant: série de notes grinçantes et plaintives, difficiles à détecter.
Aire: Du S de l'Alaska et du S de l'Ontario au Guatemala. Hiverne jusqu'au Honduras. **Habitat:** Forêts claires, chênes, pins, fourrés.

■ **BULBULS: Famille des Pycnonotidés.** Oiseaux des tropiques de l'Ancien-Monde; 119 espèces, dont 1 introduite en Floride.
BULBUL ORPHÉE *Pycnonotus jocosus* (18 cm)

Red-whiskered Bulbul

Noter la *huppe noire*, la *tache rouge sur la joue* et les sous-caudales rouges. S-E de l'Asie. Acclimaté localement dans le S de Miami.

ROITELET À
COURONNE RUBIS

ROITELET À
COURONNE DORÉE

GOBEMOUCHERON
GRIS-BLEU

adulte

BULBUL ORPHÉE

■ **MOQUEURS: Famille des Mimidés.** Excellents chanteurs; quelques-uns imitent d'autres oiseaux. Pattes fortes; queue habituellement plus longue que celle des grives, bec habituellement plus recourbé. **Nourriture:** Insectes, fruits. **Aire:** Nouveau-Monde; du Canada à l'Argentine. **Espèces:** Monde, 30; Est, 3 (+ 3 exceptionnelles).

MOQUEUR ROUX *Toxostoma rufum* (29 cm) | 263 |
Brown Thrasher

Plus élancé que le merle; dessus *roux éclatant,* dessous *fortement rayé.* Noter aussi les barres alaires, le bec assez courbé, la queue longue, l'oeil jaune.

Espèces semblables: Les grives n'ont pas de barres alaires et sont tachetées (non rayées). Elles ont les yeux bruns (non jaunes) et la queue plus courte.

Voix: Chant: succession de phrases et de notes franches ressemblant au chant du Moqueur chat, mais plus musicales; chaque phrase est habituellement *donnée deux fois.* Cri: *tchac!* sonore.

Aire: Du S du Canada aux États du g. du Mexique; à l'E des Rocheuses. **Habitat:** Fourrés, arbustes, buissons épineux.

MOQUEUR CHAT *Dumetella carolinensis* (23 cm) | 264 |
Gray Catbird

Gris ardoise; élancé. Noter la *calotte noire.* Les sous-caudales *marron* peuvent passer inaperçues. Redresse la queue d'un mouvement «enjoué».

Voix: *Miaulement* distinctif. Aussi *tchèc-tchèc* grinçant. Chant: notes et phrases détachées et sans suite, non répétées contrairement aux phrases du M. roux et du M. polyglotte.

Aire: Du S du Canada, de l'E et du centre des É.-U. aux États du g. du Mexique. Hiverne principalement du S des É.-U. au Panama et aux Antilles. **Habitat:** Broussailles, buissons épineux, jardins.

MOQUEUR POLYGLOTTE *Mimus polyglottos* (23-28 cm) | 265 |
Northern Mockingbird

Gris; plus élancé et à queue plus longue que chez le Merle d'Amérique. Noter les *larges taches blanches* aux ailes et à la queue; elles sont voyantes en vol.

Espèces semblables: Les pies-grièches ont un masque noir. Voir p. 224.

Voix: Chant: succession variée et prolongée de notes et phrases, chacune répétée six fois ou plus (Le M. roux répète habituellement une fois, le M. chat ne répète pas). Chante souvent la nuit. Les M. polyglottes sont souvent d'excellents imitateurs d'autres espèces. Cri: *tchac* fort; aussi, *tchèr.*

Aire: Du S du Canada au S du Mexique; Antilles, Hawaï (introduit). **Habitat:** Villes, fermes, bords de route, fourrés.

■ **GRIVES: Famille des Turdidés.** Voir p. 220

SOLITAIRE DE TOWNSEND *Myadestes townsendi* (20 cm)
Townsend's Solitaire

Oiseau gris, élancé. Il a un *anneau oculaire blanc,* les *côtés de la queue blancs* et une *tache alaire chamois.* Les motifs de l'aile et de la queue évoquent ceux du M. polyglotte, mais noter l'anneau oculaire, la poitrine plus foncée et surtout les taches alaires chamois.

Aire: Alaska, du N-O du Canada à la Californie, N du Mexique. Visiteur d'hiver très rare ou inusité jusqu'aux Maritimes et à la Nouv.-Angl.

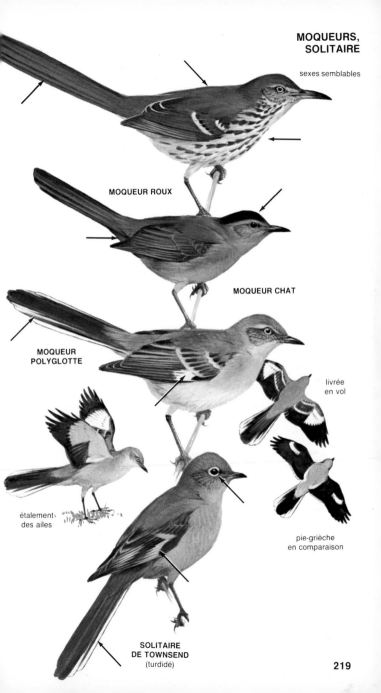

MOQUEURS, SOLITAIRE

sexes semblables

MOQUEUR ROUX

MOQUEUR CHAT

MOQUEUR
POLYGLOTTE

livrée
en vol

étalement
des ailes

pie-grièche
en comparaison

SOLITAIRE
DE TOWNSEND
(turdidé)

219

■GRIVES, MERLES, etc.: Famille des Turdidés. Passereaux aux grands yeux, au bec petit et aux pattes habituellement fortes. Dans l'Est, les grives proprement dites ont le dos brun et la poitrine *grivelée*. Les jeunes merles et les merlebleus signalent leur appartenance à la famille par leur poitrine grivelée. Chants souvent très mélodieux. **Nourriture:** Insectes, vers, limaces, baies, fruits. **Aire:** Pratiquement mondiale. **Espèces:** Monde, 304; Est, 10 (+ 2 exceptionnelles).

MERLEBLEU DE L'EST *Sialia sialis* (18 cm) 266

Eastern Bluebird

Oiseau *bleu* à poitrine *rousse,* légèrement plus gros qu'un moineau. Semble avoir le dos «voûté» lorsqu'il est perché. Femelle plus terne que le mâle; jeunes grivelés sur la poitrine, grisâtres, sans rouge, mais toujours avec un peu de bleu terne aux ailes et à la queue.

Voix: Cri: *tcheur-oui* ou *trou-li* musical. Chant: 3 ou 4 notes douces gazouillées *(ti-û-utiu).* **Aire:** À l'E des Rocheuses; du S du Canada au S des É.-U. et du S-E de l'Arizona au Nicaragua. Les populations du N migrent. **Habitat:** Terrains découverts avec arbres dispersés: fermes, haies, bords de route.

MERLEBLEU AZURÉ *Sialia currucoides* (18cm)

Mountain Bluebird

Mâle: Bleu tendre, plus pâle dessous, ventre blanchâtre. *Femelle:* Brunâtre terne avec un soupçon de bleu au croupion, à la queue et aux ailes.

Aire: De l'Alaska et de l'O du Canada au S-O des É.-U. Visiteur rare dans la Prairie à l'E du 100e méridien; exceptionnel plus à l'E.

MERLE D'AMÉRIQUE *Turdus migratorius* (23-28 cm) 267

American Robin

Oiseau bien connu qui fréquente les pelouses, l'air hautain. Se reconnaît au dos gris foncé et à la poitrine rouge brique. La tête et la queue sont noirâtres chez le mâle, plus grises chez la femelle. Les jeunes ont la poitrine grivelée, mais le délavé rouille facilite l'identification.

Voix: Chant: «turlutte» claire; phrases courtes, ascendantes et descendantes, souvent longuement enchaînées. Cri: *tiîp* et *tut-tut-tut.*

Aire: De l'Alaska et du Canada au S du Mexique. Hiverne principalement au S du Canada. **Habitat:** Villes, fermes, pelouses, jardins, forêts; en hiver, arbres porteurs de fruits.

GRIVE À COLLIER *Ixoreus naevius* (23-25 cm)

Varied Thrush

Grive du N-O qui s'égare exceptionnellement dans l'E en hiver. Semblable au Merle d'Amérique; s'en distingue par la *ligne de l'œil* et les *barres alaires orangées,* et la large *bande* noire (mâle) ou grise (femelle) en travers de la poitrine rouille.

Aire: Alaska, O du Canada, N-O des É.-U. Inusitée; plusieurs mentions récentes l'hiver à des mangeoires, des Maritimes au S-E des É.-U.

TRAQUET MOTTEUX *Oenanthe oenanthe* (15 cm) 268

Northern Wheatear

Élégant oiseau de la toundra arctique. Nerveux, il voltige de roche en roche, étale la queue et se trémousse. Remarquer le croupion blanc et les côtés blancs de la queue. Le noir de la queue forme un large T inversé. Le mâle en plumage nuptial a le dos gris-bleu, les ailes noires, une tache noire à l'oreille et le dessous chamois. À l'automne, le mâle est plus chamois et a le dos brunâtre. La femelle ressemble au mâle à l'automne.

Voix: Cri: *tchak-tchak* sec ou *tchack-ouît, ouît-tchack.* **Aire:** Eurasie, Alaska, N-O et N-E du Canada, Groenland. Hiverne en Afrique et en Inde. Visiteur inusité à l'automne dans l'E des É.-U. **Habitat:** En été, la toundra.

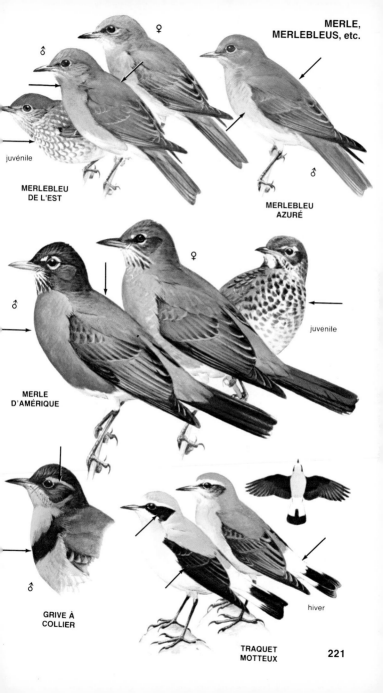

MERLE,
MERLEBLEUS, etc.

♂
♀

juvénile

MERLEBLEU
DE L'EST

MERLEBLEU
AZURÉ

♂

♂
♀

juvénile

MERLE
D'AMÉRIQUE

GRIVE À
COLLIER

♂

hiver

TRAQUET
MOTTEUX

221

GRIVE À JOUES GRISES *Catharus minimus* (18-20 cm)

Western Grebe

Grive d'un gris-brun terne, différenciée de la G. à dos olive par les joues *grisâtres* et l'anneau oculaire moins net.

Espèces semblables: La Grive de Bicknell(*Catharus bicknelli*, Bicknell's Thrush), reconnue comme espèce distincte (non ilustrée; Appalaches).

Voix: Chant ténu et nasal rappelant celui de la G. fauve, mais montant souvent brusquement vers la fin (celui de la G. Fauve descend): oui-ouioutiti-oui. Cri: *vi-a* ou *koui-a* plus haut et plus nasal que celui de la G. fauve.

Aire: N-E de la Sibérie, Alaska, Canada, N-E des É.-U. Hiverne au Antilles et dans le N de l'Am. du S. **Habitat:** Taïga, arbrisseaux de toundra; en migration, autres forêts.

GRIVE À DOS OLIVE *Catharus ustulatus* (18 cm)

Swainson's Thrush

Seulement 2 grives tachetées ont le dessus uniformément gris-brun terne. Une seule a l'*anneau oculaire chamois*, les joues et le haut de la poitrine chamois: c'est la Grive à dos olive (La G. à joues grises n'a pas l'anneau oculaire).

Voix: Chant: phrases flûtées toujours *ascendantes*. Cri: *houit*. En migration la nuit, *hîp* bref.

Aire: Alaska, Canada, O et N-E des É.-U. Hiverne du Mexique au Pérou.

Habitat: Forêts d'épinettes; en migration, autres forêts.

GRIVE SOLITAIRE *Catharus guttatus* (18 cm)

Hermit Thrush

Grive brune, tachetée, à queue *rousse*. Perchée, elle a l'habitude de relever la queue et de la rabaisser lentement.

Espèces semblables: 1) Le Bruant fauve (queue rousse) a le bec conique et est plus rayé. 2) Voir les autres grives.

Voix: Cri: *tchock* grave; aussi *tok-tok-tok* criard et *pé* rauque. Chant: clair, éthéré, flûté; 3 ou 4 phrases de *tonalités différentes* chacune précédée d'une *longue note d'introduction*.

Aire: Alaska, Canada, O et N-E des É.-U. Hiverne des É.-U. au Guatemala. **Habitat:** Conifères et forêts mixtes, sol forestier; en hiver, bois fourrés, parcs.

GRIVE FAUVE *Catharus fuscescens* (16-19 cm)

Veery

Noter le dessus *uniforme, brun riche* ou *fauve*. Absence d'anneau oculaire net (parfois, anneau blanchâtre terne). De toutes nos grives, c'est la moins tachetée; les taches sont souvent indistinctes.

Voix: Chant coulant, rapide et éthéré; cascade descendante: *vî-ur, vî-ur, vur, vur*. Cri: *ziou* ou *vriou* grave, légèrement vrombi.

Aire: S du Canada, N et centre des É.-U. Hiverne en Am. centrale et dans le N de l'Am. du S. **Habitat:** Forêts décidues humides.

GRIVE DES BOIS *Hylocichla mustelina* (20 cm)

Wood Thrush

Tête rousse. Plus petite que le merle et plus dodue que les autres grives; se distingue par la rousseur plus intense de la tête et les taches *rondes* plus grandes et plus nombreuses de la poitrine.

Voix: Chant flûté; phrases plus sonores que celles des autres grives. Noter le *î-o-lé* flûté. Des notes gutturales occasionnelles sont caractéristiques. Cri: *pip-pip-pip-pip* rapide.

Aire: S-E du Canada, E des É.-U. Hiverne jusqu'au Panama. **Habitat:** Surtout les forêts décidues.

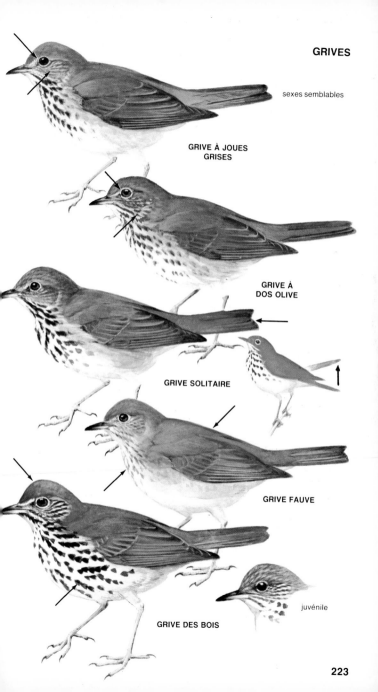

GRIVES

sexes semblables

GRIVE À JOUES GRISES

GRIVE À DOS OLIVE

GRIVE SOLITAIRE

GRIVE FAUVE

GRIVE DES BOIS

juvénile

- **PIES-GRIÈCHES: Famille des Laniidés.** Passereaux au bec crochu et aux mœurs rapaces. Chassent à l'affût, perchées au sommet des arbres et sur les fils. Elles empalent leur proie sur des épines ou des fils barbelés. **Nourriture:** Insectes, lézards, souris, petits oiseaux. **Aire:** Répandues dans l'Ancien-Monde; 2 espèces en Am. du N. **Espèces:** Monde, 74; Est 2.

PIE-GRIÈCHE GRISE *Lanius excubitor* (23-25 cm)   274
           Northern Shrike

Très semblable à la P.-g. migratrice, mais noter la poitrine *faiblement barrée* et la *base claire* de la mandibule inférieure. Bec plus long et plus crochu. *Jeune:* brun, la poitrine *finement barrée.*

Espèce semblable: La P.-g. migratrice adulte a le bec entièrement noir. Le masque noir est continu au-dessus de la base du bec. La jeune P.-g. migratrice peut avoir de légères barres, mais elle est plus grise que la jeune P.-g. grise. **Voix:** Chant: succession discontinue de notes discordantes et musicales, comme chez le Moqueur roux. Cri: *chèque-chèque,* *djaèg* grinçant. **Aire:** Alaska, Canada, Eurasie, Afrique du N. Hiverne jusqu'au centre des É.-U. **Habitat:** Terrains assez dégagés, avec postes de guet (fils, arbres, buissons).

PIE-GRIÈCHE MIGRATRICE *Lanius ludovicianus* (23 cm)   275
           Loggerhead Shrike

Oiseau gris, noir et blanc, à grosse tête, à queue longue et à *masque noir;* à peine plus petit qu'un merle. Les pies-grièches se perchent immobiles sur les fils ou au sommet des arbustes. Elles volent bas en ondulant, ce qui laisse voir leurs taches blanches, et remontent brusquement se percher.

Espèces semblables: 1) Le Moqueur polyglotte (p. 218) a la queue plus longue et les taches alaires plus grandes; ne porte pas de masque. Vol moins onduleux (mouvement ramé). 2) Voir la Pie-grièche grise. **Voix:** Chant: notes et phrases sèches et franches, répétées de 3 à 20 fois comme chez le Moqueur polyglotte; *couidel, couidel* continu, ou *tseurp-si, tseurp-si.* Cri: *chak, chak.* **Aire:** Du S du Canada au S du Mexique. **Habitat:** Terrains assez dégagés, avec postes de guet.

- **JASEURS: Famille des Bombycillidés.** Oiseaux huppés au plumage lisse. Pointes de cire rouge aux rémiges secondaires. Grégaires. **Nourriture:** Petits fruits, insectes. **Aire:** Hémisphère N. **Espèces:** Monde, 3; Est, 2.

JASEUR BORÉAL *Bombycilla garrulus* (20 cm)   276
           Bohemian Waxwing

Semblable au J. d'Amérique; plus grand, plus gris (sans jaune sur la poitrine); ailes marquées de blanc ou de *blanc et de jaune.* Noter les sous caudales *marron* (blanchâtres chez le J. d'Amérique). **Voix:** *Zriii,* plus rauque que le cri du J. d'Amérique. **Aire:** N de l'Eurasie, N-O de l'Am. du N. Hiverne au S de l'Eurasie, le N-E et au S-O des É.-U. **Habitat:** Forêts boréales, tourbières; se disperse en hiver en quête de petits fruits.

JASEUR D'AMÉRIQUE *Bombycilla cedrorum* (18 cm)   277
(Jaseur des cèdres)   Cedar Waxwing

Noter la *bande jaune* au bout de la queue. Oiseau brun, huppé, au plumage lisse, plus gros qu'un moineau. Adultes avec *pointes de cire rouge* aux rémiges secondaires. Juvéniles plus gris, légèrement rayés dessous. Grégaire; vole en bandes serrées. Poursuit souvent des insectes en vol.

Voix: Zézaiement aigu et ténu ou *ziii;* parfois un peu trillé.

Aire: Du S-E de l'Alaska et du Canada au centre-S des É.-U. Hiverne du S du Canada au Panama. **Habitat:** Bois clairs, arbres fruitiers, vergers; en hiver, répandu, irrégulier.

PIES-GRIÈCHES

jeune

sexes semblables

PIE-GRIÈCHE
GRISE

PIE-GRIÈCHE
MIGRATRICE

JASEURS

juvénile

♂

♂

JASEUR
BORÉAL

JASEUR
D'AMÉRIQUE

225

- **VIRÉOS: Famille des Viréonidés.** Petits oiseaux au dos olive ou gris; très semblables aux parulines, mais habituellement moins actifs. Bec plus courbé et légèrement crochu. On sépare ici les viréos à barres alaires (et anneau oculaire) des viréos sans barres alaires (avec sourcil). Les premiers pourraient être confondus avec les moucherolles *Empidonax (*p. 198), mais ils ne se perchent pas comme eux à la verticale. **Nourriture:** Surtout des insectes. **Aire:** Du Canada à l'Argentine. **Espèces:** Monde, 41; Est, 9 (+ 2 exceptionnelles).

VIRÉO AUX YEUX ROUGES *Vireo olivaceus* (15 cm)

278

Red-eyed Vireo

Noter la *calotte grise* contrastant avec le dos olive, le *sourcil blanc bordé de noir.* L'iris n'apparaît rouge que de près; il est brun chez les jeunes à l'automne.

Espèce semblable: Le V. mélodieux est plus pâle, de couleur uniforme dessous et sans la double bordure noire au sourcil. Chant très différent.

Voix: Chant: courtes notes flûtées, de la qualité de celles du merle, séparées par des pauses nettes; *viréo, viréo* répétés jusqu'à 40 fois à la minute; monotone. Cri: *tchoin* nasal et plaintif.

Aire: Du Canada au g. du Mexique. Hiverne dans le bassin de l'Amazone. **Habitat:** Forêts, arbres d'ombrage, bosquets.

VIRÉO À MOUSTACHES *Vireo altiloquus* (13 cm)

279

Black-whiskered Vireo

Noter l'étroite *moustache noire* de chaque côté de la gorge. Très semblable par ailleurs au Viréo aux yeux rouges. Chant semblable.

Aire: Niche aux Antilles et dans le S de la Floride. Hiverne jusque dans le N de l'Am. du S. **Habitat:** Palétuviers; forêts littorales.

VIRÉO MÉLODIEUX *Vireo gilvus* (13 cm)

280

Warbling Vireo

Un des trois viréos communs dépourvus de barres alaires. Noter la poitrine blanchâtre et l'absence de bordures noires au sourcil.

Espèces semblables: 1) Le V. de Philadelphie est jaunâtre dessous. 2) Le V. aux yeux rouges a une bordure noire de chaque côté du sourcil.

Voix: Chant: gazouillis languissant, différent des courtes phrases interrompues des autres viréos; évoque le chant du Roselin pourpré, en moins énergique et plus sourd. Cri: *djouî* enroué et colérique.

Aire: Du Canada au S des É.-U. et l'O du Mexique. Hiverne au Mexique et au Guatemala. **Habitat:** Forêts décidues et mixtes, bosquets de trembles, peupliers, arbres d'ombrage.

VIRÉO DE PHILADELPHIE *Vireo philadelphicus* (12 cm)

281

Philadelphia Vireo

Ce viréo sans barres alaires et au dessous fortement *teinté de jaune* (surtout la poitrine) ressemble à une paruline.

Espèces semblables: 1) Le V. mélodieux n'a généralement pas de jaune (flancs parfois jaunâtres). Noter la *tache foncée devant l'œil* (entre l'œil et le bec) chez le V. de Philadelphie. 2) À l'automne, la Paruline obscure (p. 250) a les sous-caudales nettement blanches. 3) Voir aussi la femelle et le jeune de la Paruline bleue (p. 250).

Voix: Chant: semblable à celui du V. aux yeux rouges, plus aigu et plus lent.

Aire: S du Canada, bordure N-E des É.-U. Hiverne en Am. centrale. **Habitat:** Jeunes forêts; peupliers, saules, aulnes.

**VIRÉOS
sans barres alaires**

sexes semblables

VIRÉO AUX
YEUX ROUGES

VIRÉO À MOUSTACHES

VIRÉO
MÉLODIEUX

variante
du plumage

VIRÉO DE
PHILADELPHIE

VIRÉO À GORGE JAUNE *Vireo flavifrons* (13 cm) 282

Yellow-throated Vireo

Noter la gorge *jaune vif*, les «lunettes» *jaunes* et les barres alaires blanches. C'est le seul viréo ayant du jaune *vif*.

Espèces semblables: 1) La Paruline polyglotte n'a pas de barres alaires. 2) La Paruline des pins a des raies sombres aux flancs et du blanc à la queue.

Voix: Chant: semblable à celui du V. aux yeux rouges, mais plus musical, plus grave, grasseyé et interrompu de pauses plus longues entre les phrases. Une phrase ressemble à *zi-yu* ou *zri-ziu*.

Aire: E des É.-U., S-E du Canada. Hiverne en Amérique tropicale. **Habitat:** Forêts décidues, arbres d'ombrage.

VIRÉO AUX YEUX BLANCS *Vireo griseus* (13 cm) 283

White-eyed Vireo

Noter la combinaison «lunettes» *jaunes* et gorge *blanchâtre*. Il a également deux barres alaires, les flancs jaunâtres et les *yeux blancs*.

Espèces semblables: Voir 1) le V. à tête bleue («lunettes» *blanches)*; 2) Le V. à gorge jaune (gorge *jaune*); 3) les moucherolles *Empidonax* (p. 198).

Voix: Chant: non caractéristique d'un viréo, *tchic'-a-peeûr-ouiiou-tchic'* distinctement articulé. Variable; noter le *tchic'* au début et à la fin.

Aire: E des É.-U. Hiverne du S des É.-U. au Nicaragua. **Habitat:** Orées des bois, fourrés, broussailles.

VIRÉO DE BELL *Vireo bellii* (11-13 cm) 284

Bell's Vireo

Petit, grisâtre; peu différencié. Une ou 2 barres alaires ternes, flancs teintés de jaunâtre pâle. Diffère du V. mélodieux par les barres alaires et l'anneau oculaire.

Espèce semblable: Les jeunes V. aux yeux blancs ont les yeux foncés.

Voix: Chante comme s'il «serrait les dents»; phrases enrouées, non-musicales, émises à intervalles rapprochés: *tchîdel tchîdel tchi? tchîdel tchîdel tchou!* La première phrase se termine en montant, la seconde en descendant. **Aire:** Centre et S-O des É.-U., N du Mexique. Hiverne du Mexique au Nicaragua. **Habitat:** Saules, bords de cours d'eau.

VIRÉO À TÊTE BLEUE *Vireo solitarius* (13-15 cm) 285

Solitary Vireo

Noter les «lunettes» *blanches*, la tête *gris-bleu*, le dos olive et la gorge *blanche*; 2 barres alaires blanches. C'est le viréo le plus printannier.

Voix: Chant: phrases sifflées avec courtes pauses. Semblable à celui du V. aux yeux rouges, mais plus mesuré, plus aigu, plus doux.

Aire: Du Canada au Salvador. Hiverne du S des É.-U. au Nicaragua, à Cuba. **Habitat:** Forêts mixtes.

VIRÉO À TÊTE NOIRE *Vireo atricapillus* (11 cm)

Black-capped Vireo

Petit viréo «enjoué», ayant le dessus et les côtés de la tête *noir luisant* chez le mâle et gris ardoise chez la femelle. «Lunettes» voyantes, formées par l'anneau oculaire et la tache devant l'oeil; 2 barres alaires; yeux *rouges*.

Espèce semblable: La femelle peut être prise pour un V. à tête bleue, mais a les yeux rouges. **Voix:** Chant: précipité, rauque; phrases remarquables par leur variété, ininterrompues, presque colériques. Cri d'alarme: *tchit-ah* aigre. **Aire:** Niche du S-O du Kansas, du centre de l'Okl., de l'O et du centre du Texas (plateau Edwards) jusqu'au Coahuila (Mexique). Hiverne dans l'O du Mexique. **Habitat:** Chênes rabougris, pentes broussailleuses, canyons.

VIRÉOS
avec barres alaires

sexes semblables

VIRÉO À
GORGE JAUNE

VIRÉO AUX
YEUX BLANCS

jeune

VIRÉO
DE BELL

VIRÉO À
TÊTE BLEUE

♂

♀

VIRÉO À
TÊTE NOIRE

■ **PARULINES: Famille des Parulidés.** Petits passereaux brillamment colorés et nerveux, généralement plus petits que les bruants, au bec effilé et pointu. La plupart ont du jaune. Leur identification est souvent difficile à l'automne (voir pp. 248-250). **Nourriture:** Surtout des insectes. **Aire:** De l'Alaska et du Canada au N de l'Argentine. **Espèces:** Monde, 114; Est, 40 (+ 7 exceptionnelles).

PARULINE À COLLIER *Parula americana* (11 cm) 287

Northern Parula

Paruline bleutée, à gorge et poitrine jaunes, ayant 2 barres alaires blanches et nettes. La tache verdâtre diffuse du dos est caractéristique. Chez le mâle, le caractère le plus utile est le *collier foncé* (indistinct ou absent chez la femelle).
Voix: Chant: trille bourdonnant ou mécanique devenant plus aigu et trébuchant à la fin: *ziiiiiiiii-op.* Aussi, une série de notes bourdonnantes en fin de trille: *zrh-zrh-zrh-zrhiiiiii.*
Aire: S-E du Canada, E des É.-U. Hiverne en Floride, aux Antilles et du Mexique au Nicaragua. **Habitat:** Niche dans les forêts, surtout celles humides où croissent lichens et épiphytes.

PARULINE «DE SUTTON» *Dendroica dominica x Parula americana*

«Sutton's» Warbler

(hybride) Deux spécimens connus, récoltés dans l'E de la Virginie occ.; plusieurs observations. Considérée comme un hybride entre la P. à gorge jaune et la P. à collier. Ressemble à la P. à gorge jaune, mais sans les rayures latérales; dos verdâtre de la P. à collier. Chant semblable à celui de la P. à collier, mais répété: *ziiiiiiiii-op ziiiiiiiii-op.*

PARULINE À GORGE JAUNE *Dendroica dominica* (13-14 cm) 288

Yellow-throated Warbler

Paruline à dos gris et à bavette jaune. Sourcil blanc, 2 barres alaires blanches, raies noires aux flancs. Sexes semblables. Se déplace le long des branches d'arbres.
Voix: Chant: série de notes claires bredouillées, diminuant un peu d'intensité: *tî-ou, tiou, tiou, tiou, tiou, tiou* oui (dernière note ascendante).
Aire: E et centre des É.-U. Hiverne du S des É.-U. au Costa-Rica. **Habitat:** Bois clairs; bosquets, surtout de chênes à feuilles persistantes; pins.

PARULINE À GORGE NOIRE *Dendroica virens* (11-13 cm) 289

(Paruline verte à gorge noire) Black-throated Green Warbler

Mâle: Noter la *face jaune* vif, encadrée par la gorge noire et la calotte vert olive. *Femelle:* Face jaune; beaucoup moins de noir à la gorge. *Jeune, à l'automne:* Voir p. 248.
Voix: Zézaiement rêveur: *zou zi zou zou zi* ou *zi zi zi zi zou zi*, les notes *zi* sur le même ton, la note *zou* plus grave.
Aire: Canada, N-E des É.-U., Appalaches. Hiverne du S du Texas à la Colombie. **Habitat:** Surtout les conifères.

PARULINE ORANGÉE *Protonotaria citrea* (14 cm) 286

Prothonotary Warbler

Paruline dorée des forêts marécageuses. Toute la tête et la poitrine jaune vif, presque orange. Ailes gris-bleu, sans barres. Femelle plus terne.
Espèces semblables: (Voir 1) la P. jaune, 2) la P. à ailes bleues.
Voix: Chant: *zuît, zuît, zuît, zuît, zuît* sur le même ton.
Aire: De la région des Grands Lacs au g. du Mexique. Hiverne du S-E du Mexique à la Colombie et au Venezuela. **Habitat:** Forêts marécageuses.

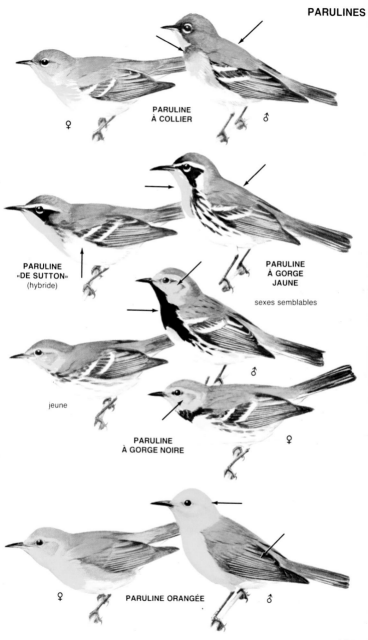

PARULINE
À COLLIER

♀   ♂

PARULINE
«DE SUTTON»
(hybride)

PARULINE
À GORGE
JAUNE

sexes semblables

♂

jeune

PARULINE
À GORGE NOIRE

♀

PARULINE ORANGÉE

♀   ♂

231

PARULINE NOIR ET BLANC *Mniotilta varia* (11-14 cm) 290

Black-and-white Warbler

Rayée longitudinalement de *noir et de blanc;* grimpe sur les troncs et les grosses branches des arbres. *Calotte rayée,* raies blanches sur le dos. La femelle a le dessous plus blanc.

Voix: Chant: *ui-si ui-si ui-si ui-si ui-si ui-si* ténu; évoque l'un des chants de la P. flamboyante, mais plus aigu et plus long. Un autre chant est plus décousu avec chute brève à mi-chemin.

Aire: Du Canada au g. du Mexique. Hiverne du S des É.-U. jusque dans le N de l'Am. du S. **Habitat:** Forêts, troncs et branches d'arbres.

PARULINE RAYÉE *Dendroica striata* (13 cm) 291

Blackpoll Warbler

Mâle au printemps: Paruline grise, rayée, à *calotte noire* et *joues blanches. Femelle au printemps:* Moins fortement rayée, sans calotte noire; dessus gris verdâtre, dessous blanc, rayé. *Automne:* Dessus olive, dessous jaune verdâtre, légèrement rayés; 2 barres alaires, sous-caudales blanches, pattes habituellement *jaunâtre pâle;* voir p. 248.

Espèces semblables: 1) La P. noir et blanc a la calotte rayée. 2) Voir la P. à poitrine baie à l'automne (p. 248).

Voix: Chant: *tzi-tzi-tzi-tzi-tzi-tzi-tzi-tzi-tzi* ténu, mesuré et mécanique, sur un seul ton, augmentant, puis diminuant d'intensité.

Aire: Alaska, Canada, N-E des É.-U. Hiverne en Am. du S tropicale. **Habitat:** Conifères; en migration, d'autres arbres.

PARULINE GRISE *Dendroica nigrescens* (11-13 cm)

(Paruline grise à gorge noire) Black-throated Gray Warbler

Mâle: Gris; gorge, joue et calotte noires, séparées par du blanc. *Femelle:* Calotte et joues *ardoisées,* gorge claire.

Aire: O de l'Am. du N. Inusitée dans l'Est. Très rare, mais probablement régulière en hiver dans le S de la Louis. et de la Flor.

PARULINE BLEUE *Dendroica caerulescens* (13-14 cm) 292

(Paruline bleue à gorge noire) Black-throated Blue Warbler

Mâle: Couleurs tranchées: dessus *gris-bleu,* gorge et flancs *noirs,* poitrine blanche. *Femelle:* Dos brun, ligne claire au-dessus de l'œil et petit *carré blanc à l'aile* (pas toujours visible). Le jeune et la femelle à l'automne peuvent ne pas arborer ce carré; noter alors la *joue sombre.* Voir aussi p. 250.

Voix: Chant: *zeur, zeur, zeur, zriiii* ou *bîr, bîr, bîr, bî* enroué et paresseux (à finale plus aiguë). Peut être écourté à 2 ou 3 notes.

Aire: E de l'Am. du N. Hiverne surtout aux Antilles. **Habitat:** Étage inférieur des forêts décidues ou mixtes.

PARULINE AZURÉE *Dendroica cerulea* (11 cm) 293

Cerulean Warbler

Mâle: Dessus *bleu,* dessous blanc. Vu d'en dessous, noter *l'étroit collier noir. Femelle:* Dessus gris-bleu et olive, dessous blanchâtre, 2 barres alaires blanches et sourcil pâle.

Espèces semblables: La femelle rappelle 1) la P. obscure (p. 240), cette dernière n'ayant pas de barres alaires; 2) la P. rayée à l'automne (p. 248), qui a le dessus plus vert, le dessous blanchâtre et le sourcil plus net.

Voix: Le chant évoque celui de la P. à collier; notes rapides et bourdonnées sur le même ton, suivies d'une note plus longue et plus aiguë: *zré zré zré zriiiii.* A également la qualité du chant de la P. bleue.

Aire: E des É.-U. Hiverne de la Colombie au N de la Bolivie. **Habitat:** Forêts décidues, particulièrement près des cours d'eau.

PARULINES
zébrées, grises
ou bleutées

PARULINE NOIR
ET BLANC

♀ ♂

♂
été

PARULINE
RAYÉE

hiver

♀

♂
♀

jeune

PARULINE GRISE
(exceptionnelle)

♂

PARULINE BLEUE

♀

PARULINE AZURÉE

♀ ♂

233

PARULINE À TÊTE CENDRÉE *Dendroica magnolia* (12 cm) 294
Magnolia Warbler

La paruline «jaune et noir». Dessus noirâtre, grandes taches blanches aux ailes et à la queue; dessous jaune, fortement rayé de noir. En tout plumage, la queue est noire, traversée au milieu d'une *large bande blanche* (de dessous, elle a l'air blanche avec une large bande noire à l'extrémité). *Jeune:* Voir p. 248.
Voix: Le chant évoque celui de la P. jaune en plus court: *ouita ouita ouitsi* (note finale ascendante), ou *ouita ouita ouit-tchou*.
Aire: Canada, N-E des É.-U. Hiverne aux Antilles et du Mexique au Panama. **Habitat:** Parties basses des conifères; en migration, d'autres arbres.

PARULINE À CROUPION JAUNE *Dendroica coronata* (13-15 cm) 295
Yellow-rumped Warbler

Caractérisée par son *croupion jaune* et son cri (*tchep* fort). *Mâle au printemps:* Dessus gris-bleu; forte tache noire à la poitrine (en forme de U renversé); tache jaune à la calotte et devant l'aile. *Femelle au printemps:* Brunâtre; même motif de base. *En hiver:* Rayée; dessus brunâtre, dessous blanchâtre, *croupion jaune*. La forme de l'Ouest, exceptionnelle dans l'est, a la gorge *jaune* ou *jaunâtre*.
Voix: Chant: trille lâche ressemblant à celui du junco, mais montant ou descendant vers la fin. Cri: *tchep* fort.
Aire: Alaska, Canada, N-E des É.-U. Hiverne jusqu'au Panama. **Habitat:** Forêts de conifères et mixtes. En migration et en hiver, divers habitats: bois, fourrés, broussailles, buissons.

PARULINE DE KIRTLAND *Dendroica kirtlandii* (15 cm) 296
Kirtland's Warbler

Dessus gris bleuâtre, rayé de noir; dessous jaune, tacheté ou rayé de noir *aux flancs seulement.* Le mâle a un masque noirâtre, la femelle est plus grise, sans masque; les deux sont plus bruns à l'automne. Seule paruline à dos gris qui *agite la queue* continuellement.
Voix: Le chant, fort et grave pour une *Dendroica,* ressemble à celui de la P. des ruisseaux ou évoque parfois celui du Troglodyte familier. Chant typique: 3 ou 4 notes graves et détachées, courtes notes sonores plus aigües, fin abrupte.
Aire: Centre-N du Michigan, nichant en petites colonies dans un territoire de 160 sur 100 km environ. Hiverne aux Bahamas. **Habitat:** Bosquets de jeunes Pins gris de 1,5 à 5 m de haut, poussant sur un tapis de bleuets, de raisins-d'ours ou de comptonies.

PARULINE DU CANADA *Wilsonia canadensis* (13-14 cm) 297
Canada Warbler

La paruline au collier de perles. *Mâle:* Dessus gris uniforme, dessous jaune vif; *collier de courtes raies noires. Femelle et jeune* semblables, mais à collier à peine visible ou absent. Tous ont des «lunettes» jaunes. Tous les plumages sont caractérisés par le gris du dessus, allié à l'absence de blanc aux ailes et à la queue.
Voix: Chant: staccato brusque et d'arrangement irrégulier. *Tchip, j'suis-petit-j'suis, dis-j'sais-ti!* Cri: *tchip.*
Aire: Canada, N-E des É.-U., Appalaches. Hiverne dans le N de l'Am. du S. **Habitat:** Strates basses en forêt, fourrés ombragés.

PARULINES
grisâtres, rayées

PARULINE À
TÊTE CENDRÉE

♀

♂

hiver

♂
été

♀

PARULINE À
CROUPION
JAUNE

♂
été

hiver

forme de l'Ouest
de la P. à croupion jaune

sexes semblables   PARULINE
DE KIRTLAND

PARULINE
DU CANADA

♀

♂

PARULINE TIGRÉE   *Dendroica tigrina*   (13 cm)   <u>298</u>

Cape May Warbler

Mâle au printemps: Noter les joues *marron.* Dessous jaune rayé de noir, croupion jaune, couronne noire. *Mâle à l'automne et femelle:* Sans la tache marron, plus ternes; poitrine souvent blanchâtre, rayée. Noter la *tache jaune* terne *derrière l'oreille.* Voir aussi p. 248.

Voix: Chant, *sît sît sît sît* ténu et très aigu, facile à confondre avec celui de la P. à poitrine baie. **Aire:** Canada, N-E des É.-U. Hiverne aux Antilles. **Habitat:** Épinettes; en migration, d'autres arbres.

PARULINE À FLANCS MARRON   *Dendroica pensylvanica*   (11-14 cm)   <u>299</u>

Chestnut-sided Warbler

Adulte au printemps: Identifié facilement par la combinaison *calotte jaune* et *flancs marron.* *Automne:* Dessus citron verdâtre, dessous blanc. Anneau oculaire blanc et mince, 2 barres alaires jaune pâle. Les adultes conservent un peu de marron. *Jeune:* Voir p. 248.

Voix: Chant, comparable à celui de la P. jaune: *sî sî sî sî où vas-tu* ou *ti, ti, ti, huit oui-tchou,* l'avant-dernière note accentuée, la dernière plus basse. Aussi, d'autres variantes plus décousues.

Aire: S du Canada, N-E des É.-U., Appalaches. Hiverne en Am. centrale. **Habitat:** Bois en regain, clairières, prés broussailleux.

PARULINE À POITRINE BAIE   *Dendroica castanea*   (13-15 cm)   <u>300</u>

Bay-breasted Warbler

Mâle au printemps: Sombre; *gorge, haut de poitrine* et *flancs marron;* noter la *grande tache chamois pâle* sur le cou. *Femelle au printemps:* Plus pâle, plus délavée. *Automne:* Dessus olive; 2 barres alaires blanches, dessous blanc-chamois terne. Elle peut avoir des traces de marron sur les flancs. Sous-caudales *chamois,* pattes foncées. Voir p. 248.

Espèce semblable: Voir la P. rayée à l'automne (p. 248).

Voix: *Fusi fusi fusi* aigu et sifflant; ressemble au chant de la P. noir et blanc; plus ténu, plus court, plus sur le même ton. **Aire:** Canada, N-E des É.-U. Hiverne du Panama au Venezuela. **Habitat:** Forêts; conifères (l'été).

PARULINE À GORGE ORANGÉE   *Dendroica fusca*   (13 cm)   <u>301</u>

Blackburnian Warbler

Mâle au printemps: Noir et blanc, avec *de l'orange éclatant* à la tête et à la gorge. *Femelle:* Plus pâle; un peu d'orange à la gorge. *Automne:* Plus pâle, noter les raies jaunes à la tête et les raies pâles au dos.

Voix: Chant: *Zip zip zip titi tsiiiiii,* se terminant en bourdonnement très aigu (inaudible pour certains). Aussi, *titsi titsi titsi titsi zizizizi* en 2 parties, ressemblant au chant de la P. à joues grises.

Aire: Canada, N-E des É.-U., Appalaches. Hiverne du Costa-Rica au Pérou. **Habitat:** Forêts; conifères (l'été)

PARULINE FLAMBOYANTE   *Setophaga ruticilla*   (13 cm)   <u>302</u>

American Redstart

Comportement papillonnant; voltige beaucoup, laisse pendre les ailes et étale la queue. *Mâle:* Noir; *taches orange vif* aux ailes et à la queue. *Femelle:* Brun olive, *taches jaunes étincelantes* aux ailes et à la queue. *Jeune mâle:* Comme la femelle, mais teinté d'orange. **Voix:** Chants (souvent alternés): *zi zi zi zi zroui* (dernière note plus aigüe), *tsi tsi tsi tsi tsi-ou* (dernière note plus grave), et *titsa titsa titsa titsa tit* (notes doubles). **Aire:** Canada, E des É.-U. Hiverne aux Antilles et du Mexique au Brésil et au N du Pérou. **Habitat:** Forêts décidues, bois en regain.

PARULINES
à taches
orange ou marron

PARULINE
TIGRÉE

♀   ♂

PARULINE À
FLANCS MARRON

♀   ♂

ver

PARULINE À
POITRINE BAIE

♀   ♂

PARULINE À
GORGE ORANGÉE

♀   ♂

PARULINE
FLAMBOYANTE

♀   ♂

PARULINE DES PINS *Dendroica pinus* (13-14 cm) 303
Pine Warbler

Aucune autre paruline n'a pour seuls traits caractéristiques une poitrine jaune et des *barres alaires blanches.* Poitrine très faiblement rayée, dos *non rayé;* points blancs aux coins de la queue. Femelle plus terne que le mâle; femelle d'automne et jeune obscurs: voir les parulines d'automne p. 248.
Voix: Chant: trille monotone comme celui du Bruant familier, mais plus lâche, plus musical, plus lent. **Aire:** E de l'Am. du N, Antilles. Hiverne dans le S de son aire. **Habitat:** Pinèdes claires surtout.

PARULINE DES PRÉS *Dendroica discolor* (13 cm) 304
Prairie Warbler

Hoche la queue (tout comme la P. à couronne rousse); dessous jaune, *flancs* rayés de noir. *Deux marques faciales noires,* une à travers l'oeil, l'autre dessous. De près, des taches marron peuvent être visibles au dos du mâle (réduites chez la femelle). *Jeune:* Voir p. 248.
Voix: Chant: *zu zu zu zi zi zi zî zî zî* ténu et ascendant. **Aire:** E de l'Am. du N. Hiverne de la Flor. au Nicaragua. **Habitat:** Clairières buissonnantes, prés broussailleux, jeunes pins.

PARULINE À COURONNE ROUSSE *Dendroica palmarum* 305
(11-14 cm) Palm Warbler

Hoche la queue continuellement. Dessus brun; dessous jaunâtre ou blanchâtre, finement rayé; sous-caudales *jaunes,* points blancs aux coins de la queue. *Calotte marron* au printemps (obscure en automne et en hiver; voir p. 248). Sexes semblables.
Voix: Chant: faibles notes répétées, *zihé-zihé-zihé-zihé-zihé-zihé.* **Aire:** Canada, N-E des É.-U. Hiverne dans le S des É.-U. et aux Antilles. **Habitat:** Lisières boisées des tourbières (été). En migration, petits arbres, buissons. Aime se tenir au sol.

PARULINE «DE BREWSTER» *Vermivora chrysoptera x pinus*
«Brewster's» Warbler

(hybride) La P. à ailes dorées et la P. à ailes bleues s'hybrident fréquemment là où leurs aires se chevauchent, ce qui donne lieu à 2 formes distinctes, la P. de «Laurence» et la P. «de Brewster» (hybride le plus fréquent). La P. «de Brewster» typique est comme une P. à ailes bleues dont le dessous serait blanchâtre. Les barres alaires sont blanchâtres ou jaunes, le dessous parfois teinté de jaune. La marque noire de l'oeil et le dessous blanc, ou en grande partie blanc (non entièrement jaune), sont caractéristiques. Peut chanter comme l'un ou l'autre des parents.

PARULINE À AILES BLEUES *Vermivora pinus* (11-13 cm) 306
Blue-winged Warbler

Face et dessous jaunes; *2 barres alaires blanches.* Noter le *trait noir en travers de l'oeil.* Sexes semblables.
Voix: Chant: *biiii-buzzz* bourdonné (comme une inspiration suivie d'une expiration). **Aire:** E des É.-U. Hiverne du Mexique au Panama. **Habitat:** Clairières et strates basses des forêts, orées, bois en regain.

PARULINE JAUNE *Dendroica petechia* (13 cm) 307
Yellow Warbler

La paruline la plus jaune. Même les *taches à la queue sont jaunes* (blanches chez beaucoup d'autres espèces). Le mâle a la *poitrine rayée de marron* (raies faibles ou absentes chez la femelle). *Automne:* Voir p. 248.
Voix: Chant: *tsi-tsi-tsi-tsi-titi-oui* ou *tire tire tire la bibitte!* vif et agréable, émis rapidement. Variable. **Aire:** De l'Alaska et du Canada au centre du Pérou. Hiverne du Mexique au Pérou. **Habitat:** Buissons, lisières de marais, cours d'eau, prés broussailleux, jardins.

PARULINES

olive ou jaunes, avec rayures ou barres alaires

jeune

PARULINE DES PINS

♂

PARULINE DES PRÉS

♀

♂

hiver

PARULINE À COURONNE ROUSSE

♂
race de l'Ouest

♂

♂
race jaunâtre

ybride (P. à ailes bleues x P. à ailes dorées)

♂

PARULINE «DE BREWSTER»

♂

PARULINE À AILES BLEUES

♀

PARULINE JAUNE

♂

239

PARULINE DE SWAINSON *Limnothlypis swainsonii* (13 cm) ⬛308⬛
Swainson's Warbler
Oiseau furtif, rarement visible. Dessus brun olive, dessous blanc chamois uni, *calotte brune* et *sourcil clair*. Sexes semblables.
Voix: Le chant évoque celui de la P. hochequeue; plus bref (5 notes: 2 liées, 2 plus graves, 1 plus aigüe).
Aire: S-E des É.-U. Hiverne aux Antilles et au Yucatan. **Habitat:** Marais, tourbières, cours d'eau, strates basses des forêts; également dans les enchevêtrements de rhododendrons et de pruches du centre des Appalaches.

PARULINE VERMIVORE *Helmitheros vermivorus* (13-14 cm) ⬛309⬛
Worm-eating Warbler
Recherche sa nourriture dans les feuilles mortes des pentes boisées. Oiseau discret, plus facile à entendre qu'à voir; olive terne, à tête chamois *rayée de noir*. Poitrine d'un chamois intense. Sexes semblables.
Voix: Chant sec, bourdonnant, ténu; ressemble au trille du Bruant familier, mais plus fin, plus rapide et stridulé, comme le bruit d'un insecte.
Aire: E des É.-U. (à l'O jusqu'au Kansas et dans le N-E du Texas). Hiverne aux Antilles, en Am. centrale. **Habitat:** Pentes forestières sèches, strates basses, ravins.

PARULINE OBSCURE *Vermivora peregrina* (12 cm) ⬛310⬛
Tennessee Warbler
Plumage assez terne. *Mâle au printemps:* Sourcil blanc et tête grise contrastant avec le dos verdâtre. *Femelle au printemps:* Semblable; tête moins grise, dessous légèrement jaunâtre. *Automne:* Verdâtre; noter la poitrine jaunâtre *sans rayures,* le sourcil jaunâtre net et les barres alaires esquissées. Voir aussi p. 250.
Espèces semblables: 1) Voir la P. verdâtre à l'automne (p. 250). 2) Voir aussi les viréos sans barres alaires (p. 226).
Voix: Chant en 2 ou 3 parties, aux notes détachées: *tika tika tika tika, suit suit, tchou-tchou-tchou-tchou-tchou* (Gunn) ou *tika..., suit...,* terminé souvent par un trille. Évoque le chant de la P. à joues grises, mais plus fort, davantage répété.
Aire: Canada, N-E des É.-U. Hiverne du Mexique au Venezuela. **Habitat:** Forêts décidues et mixtes; en migration, bosquets, fourrés.

PARULINE VERDÂTRE *Vermivora celata* (11-14 cm) ⬛311⬛
Orange-crowned Warbler
Paruline terne sans barres alaires ni autre trait distinctif; dessus vert-olive, dessous jaune verdâtre. Noter la poitrine faiblement rayée et l'absence de barres alaires. La calotte orange est rarement visible. Souvent nettement grise à l'automne et en hiver (voir p. 250).
Espèces semblables: Voir 1) la P. obscure à l'automne (ci-dessus et p. 250); 2) le Viréo de Philadelphie (p. 226).
Voix: Chant: trille terne s'affaiblissant à la fin. Change souvent de ton; monte, puis descend.
Aire: Alaska, Canada, O des É.-U. Hiverne au Guatemala. **Habitat:** Clairières buissonnantes, trembles, strates basses.

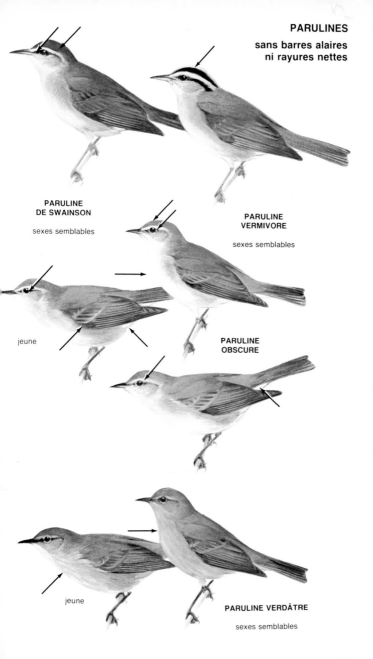

PARULINES

**sans barres alaires
ni rayures nettes**

**PARULINE
DE SWAINSON**

sexes semblables

**PARULINE
VERMIVORE**

sexes semblables

jeune

**PARULINE
OBSCURE**

jeune

PARULINE VERDÂTRE

sexes semblables

241

PARULINE À CALOTTE NOIRE   *Wilsonia pusilla*   (12 cm)   <u>312</u>
Wilson's Warbler

Mâle: Paruline jaune à *calotte noire.* La *femelle* peut avoir un semblant
de calotte, mais pas le *jeune.* L'un et l'autre sont petits et jaune doré,
et l'oeil saillant est surmonté d'une raie jaune. Voir p. 250.
Espèces semblables: La P. à calotte noire a la queue grise, sans taches.
Les taches de la queue sont 1) blanches chez la P. à capuchon femelle,
2) jaunes chez la P. jaune. **Voix:** Chant: petit ramage rapide descendant
à la fin: *tchui tchui tchui tchui tchui tché tché.* **Aire:** Alaska, Canada,
O et N-E des É.-U. Hiverne du Mexique au Panama. **Habitat:** Fourrés
le long des cours d'eau, enchevêtrements humides, buissons, saules, aulnes.

PARULINE À CAPUCHON   *Wilsonia citrina*   (14 cm)   <u>313</u>
Hooded Warbler

Le capuchon noir du *mâle* entoure complètement le jaune de la face et
du front. *Femelle* et *jeune* sans capuchon, bien que le jaune de la face
puisse être nettement délimité chez certaines femelles. À part les *taches
caudales blanches,* ils n'ont pas de traits distinctifs.
Espèce semblable: La femelle de la P. à calotte noire est plus petite,
sans taches à la queue. **Voix:** Cri: *tchink* métallique. Chant: *ouita oui-ti-
ou* sifflé et fort. Variantes; le *ti-ou* lié reste un bon indice. **Aire:** E et
centre des É.-U. Hiverne en Am. centrale. **Habitat:** Strates basses des
forêts, kalmias, forêts marécageuses.

PARULINE DE BACHMAN   *Vermivora bachmanii*   (11 cm)
Bachman's Warbler

Le passereau le plus rare d'Am. du N. *Mâle:* Face et dessous jaunes; *calotte*
et grande *bavette noires.* (On dirait une petite P. à capuchon, au capuchon incomplet). *Femelle:* Sans gorge noire; front jaune, calotte et joues
grisâtres, anneau oculaire jaune.
Espèces semblables: 1) La P. «de Lawrence» a des barres alaires,
une tache noire à l'oreille. 2) La P. à capuchon mâle a un capuchon complet. 3) La P. à capuchon femelle et 4) la P. à calotte noire femelle sont
semblables à la P. de Bachman femelle. Cette dernière a la calotte et les
joues grisâtres, un anneau oculaire jaune; elle n'a pas les taches caudales
de la P. à capuchon. **Voix:** Chant: série rapide de bourdonnements mécaniques ternes et monotones: *bzz-bzz-bzz-bzz-bzz-bzz-bzz-bzz.* **Aire:** S-E
des É.-U.; très localisée. Hiverne à Cuba. A déjà niché dans le S-E du
Missouri, le N-E de l'Ark., l'O du Ky, le N de l'Alab., la Car. du S,
et peut-être la Virg. Migre par les États du golfe et la Flor.

PARULINE «DE LAWRENCE»   *Vermivora chrysoptera x pinus*
«Lawrence's» Warbler

(hybride) Récessif, issu du croisement P. à ailes bleues x P. à ailes dorées.
Ventre jaune de la P. à ailes bleues; motif noir de la tête de la P. à ailes
dorées. Noter la tache noire à l'oreille.
Espèce semblable: Voir la P. de Bachman (très rare).
Voix: Comme celle de la P. à ailes bleues ou de la P. à ailes dorées.

PARULINE À AILES DORÉES   *Vermivora chrysoptera*   (13-14 cm)   <u>314</u>
Golden-winged Warbler

Dos gris et ventre blanc. La seule paruline ayant à la fois une *tache alaire
jaune* et la *gorge noire* (grise chez la femelle). Noter aussi le front jaune
et la joue noire. **Voix:** chant, 1 note bourdonnée suivie de 3 plus basses:
bî-biz-biz-biz. (La P. à ailes bleues émet un *biiii-buzzz* plus paresseux).
Aire: E des É.-U. Hiverne du Guatemala à la Colombie. **Habitat:** Bois
clairs, clairières buissonnantes, strates basses des forêts.

PARULINES

jaune vif et taches noires sur la tête

♀

PARULINE À
CALOTTE NOIRE

♂

♀

PARULINE
À CAPUCHON

♂

♀

PARULINE
DE BACHMAN

♂

PARULINE
«DE LAWRENCE»

hybride (P. à ailes
bleues x P.
à ailes dorées)

♂

♀

PARULINE À
AILES DORÉES

♂

243

PARULINE À JOUES GRISES *Vermivora ruficapilla* (12 cm) 315
Nashville Warbler
Noter la combinaison *anneau oculaire blanc* et gorge *jaune*. *Tête grise*, contrastant avec le dos olive. Pas de barres alaires. Le mâle peut avoir la calotte marron terne.
Espèce semblable: La P. à gorge grise a également l'anneau oculaire blanc et les ailes sans barres, mais la gorge est *grisâtre*.
Voix: Chant en deux parties: *tibit, tibit, tibit, tibit, tui tui tui tui tui tui* (se termine comme le chant du Bruant familier).
Aire: S du Canada, O et N des É.-U. Hiverne du S du Texas au Guatemala. **Habitat:** Bois mixtes clairs avec strates basses, orées des bois, tourbières.

PARULINE À GORGE GRISE *Oporornis agilis* (13-15 cm) 316
Connecticut Warbler
Semblable à la P. triste (capuchon gris, corps jaune et olive), mais a un *anneau oculaire blanc*. La femelle, à l'automne, et le jeune sont plus ternes; le capuchon gris est tout juste apparent (haut de la poitrine teinté de brunâtre). L'anneau oculaire est toujours présent.
Espèces semblables: 1) En pariade, la P. triste n'a pas d'anneau oculaire (il est souvent brisé à l'automne). Le mâle a la gorge noire. Les sous-caudales jaunes s'étendent jusqu'au milieu de la queue (presque jusqu'à son extrémité chez la P. à gorge grise). 2) La P. à joues grises a aussi l'anneau oculaire, mais elle est plus petite et plus active; elle a la *gorge jaune*.
Voix: *Tchi-pu-ti, tchi-pu-ti, tchi-pu-ti, chip* (W. Gunn).
Aire: Centre-S du Canada, centre-N des É.-U. Hiverne dans le N de l'Am. du S. **Habitat:** Massifs de peupliers, tourbières, bois mixtes près de l'eau; en migration, strates basses des forêts.

PARULINE TRISTE *Oporornis philadelphia* (13-14 cm) 317
Mourning Warbler
Dessus olive, dessous jaune; *capuchon gris* couvrant la tête et le cou; le mâle porte une *bavette noire* à contour irrégulier. *Jeune:* Voir p. 250.
Espèce semblable: Voir la P. à gorge grise; toutes deux sont furtives.
Voix: Chant: *tiri, tiri, turi, turi* (*turi* plus grave). Beaucoup de variantes.
Aire: Canada et N-E des É.-U. Hiverne en Am. centrale et du S. **Habitat:** Clairières, fourrés, bois en regain.

PARULINE DU KENTUCKY *Oporornis formosus* (14 cm) 318
Kentucky Warbler
Noter les larges favoris noirs et les «lunettes» jaunes. Sexes semblables. Retenir le chant; on l'entend dix fois plus souvent qu'on ne la voit.
Espèces semblables: 1) La P. masquée (p. 246) n'a pas de «lunettes»; 2) la P. du Canada (p. 234) a un collier sombre.
Voix: Chant, roulement rapide: *toré-toré-toré-toré* ou *tchuri-tchuri-tchuri-tchuri*, évoquant le chant du Troglodyte de Caroline, mais moins musical (2 syllabes plutôt que 3).
Aire: E des É.-U. (jusqu'au Texas). Hiverne du Mexique au N de l'Am. du S. **Habitat:** Strates basses des forêts.

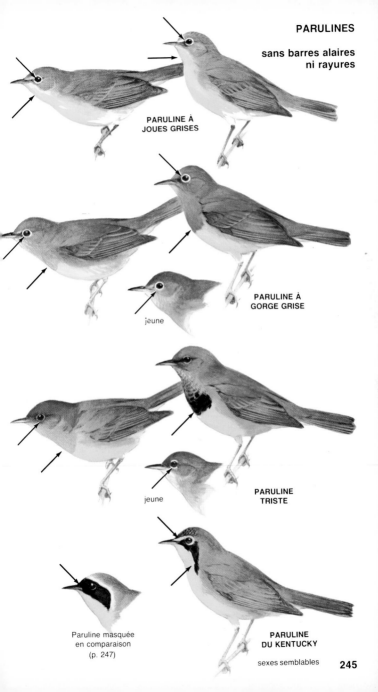

PARULINES

sans barres alaires
ni rayures

PARULINE À
JOUES GRISES

PARULINE À
GORGE GRISE

jeune

PARULINE
TRISTE

jeune

Paruline masquée
en comparaison
(p. 247)

PARULINE
DU KENTUCKY

sexes semblables

245

PARULINE MASQUÉE   *Geothlypis trichas*   (11-14 cm)   319

Common Yellowthroat

Paruline aux allures de troglodyte. Le *mâle* a un masque noir et la gorge jaune. *Femelle et jeune:* brun-olive, sans masque noir; gorge jaune intense et poitrine jaune-chamois. Se distingue des parulines semblables par le *ventre blanchâtre,* les flancs brunâtres et l'habitat.

Voix: Chant rapide: *ouistiti-ouistiti-ouistiti-ouit;* parfois *ouitchi-ouitchi-ouitchi-ouit.* Cri: *tchèp* rauque.

Aire: Du Canada au S du Mexique. Hiverne aux Antilles et du S des É.-U. au Panama. **Habitat:** Marais, fourrés humides.

PARULINE POLYGLOTTE   *Icteria virens*   (18 cm)   320

Yellow-breasted Chat

Noter les «lunettes» *blanches,* la gorge et la poitrine *jaune* vif. Pas de barres alaires. Sexes semblables. Par la taille (grande pour une paruline), le bec, la queue allongée, les mœurs et l'habitat, on dirait un moqueur.

Voix: Chant: sifflements clairs répétés, mêlés de notes rauques et de croassements doux. Évoque le chant du Moqueur polyglotte, mais le répertoire est plus restreint et les pauses plus longues. Des sons isolés, tels que *ouâït* ou *couc,* sont caractéristiques.   **Aire:** Du S du Canada au centre du Mexique. Hiverne en Am. centrale. **Habitat:** Arbustes épineux, fourrés.

PARULINE DES RUISSEAUX   *Seiurus noveboracensis* (15 cm)   321

Northern Waterthrush

Marche souvent au bord de l'eau et hoche la queue comme le Chevalier grivelé. Dos brun; sourcil *crème, jaune pâle ou chamois: dessous rayé,* souvent jaunâtre.

Voix: Cri: *tchip* net. Chant: *tuit tuit tuit tiou tiou tiou houi houi tou* (finales plus graves).   **Aire:** Alaska, Canada, bordure N des É.-U. Hiverne surtout en Am. tropicale. **Habitat:** Bois marécageux ou humides; bords des cours d'eau et des lacs; en migration, fourrés également.

PARULINE HOCHEQUEUE   *Seiurus motacilla*   (15 cm)   322

Louisiana Waterthrush

Semblable à la P. des ruisseaux, mais dessous habituellement *blanchâtre* et bec légèrement plus fort. Sourcil d'un *blanc pur.*

Espèce semblable: Quelques P. des ruisseaux à l'automne (en particulier la race *notabilis* de l'O) ont le sourcil blanchâtre. La P. des ruisseaux a des petites taches à la gorge, qui sont (habituellement) absentes chez la P. hochequeue.

Voix: Chant, musical et sonore; 3 sifflements clairs, liés, suivis d'une cascade de notes gazouillées allant vers le grave.

Aire: E des É.-U. Hiverne aux Antilles et du Mexique au N de l'Am. du S. **Habitat:** Ruisseaux, ravins, forêts marécageuses.

PARULINE COURONNÉE   *Seiurus aurocapillus*   (15 cm)   323

Ovenbird

De la taille d'un moineau; se voit généralement au sol, en forêt. On dirait une petite grive: pattes *rosées,* dessus brun-olive, mais dessous rayé plutôt que grivelé. La *tache orange de la tête* est visible de près. Oiseau plus facile à entendre qu'à voir.

Voix: Chant: *Ti-pié, TI-PIÉ, TI-PIÉ,* énergique, répété rapidement, en crescendo. Dans quelques régions, monosyllabique, sans changement d'intensité: *TCHUI, TCHUI, TCHUI,* etc.   **Aire:** S du Canada et É.-U. à l'E des Rocheuses. Hiverne du S-E des É.-U. au N de l'Am. du S.   **Habitat:** Près du sol dans les forêts décidues; en migration, fourrés.

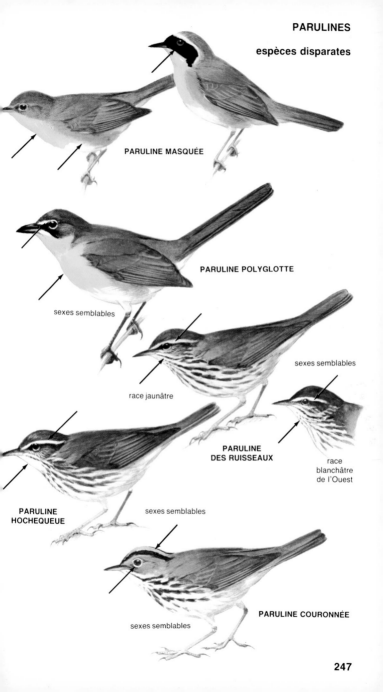

PARULINES

espèces disparates

PARULINE MASQUÉE

PARULINE POLYGLOTTE

sexes semblables

race jaunâtre

sexes semblables

PARULINE
DES RUISSEAUX

race
blanchâtre
de l'Ouest

PARULINE
HOCHEQUEUE

sexes semblables

PARULINE COURONNÉE

sexes semblables

PARULINES D'AUTOMNE DÉROUTANTES

(la plupart ont des raies ou des barres alaires)

texte

ROITELET À COURONNE RUBIS *Regulus calendula* **p. 216**
(Pas une paruline.) Anneau oculaire interrompu, large barre alaire noire.

PARULINE À FLANCS MARRON *Dendroica pensylvanica* **p. 236**
Jeune: Dessus jaune-vert, dessous blanchâtre; anneau oculaire.

PARULINE À POITRINE BAIE *Dendroica castanea* **p. 236**
Noter les pattes foncées, les sous-caudales chamois. Certains adultes ont les
flancs délavés de marron. Voir la P. rayée.

PARULINE RAYÉE *Dendroica striata* **p. 232**
Très semblable à la P. à poitrine baie, mais plus élancée. Elle a 1) le dessous
teinté de verdâtre et est rayée (la P. à poitrine baie est plus chamois, à peine
rayée ou pas du tout); 2) les sous-caudales blanches (non chamois); 3) les
pattes jaunâtres pâles (sombres chez la P. à poitrine baie, comme parfois chez
la P. rayée).

PARULINE DES PINS *Dendroica pinus* **p. 238**
Se distingue des 2 précédentes par le dos uni. Noter les sous-caudales blanches
(chamois chez la P. à poitrine baie), les pattes noires (pâles chez la P. rayée).
Quelques jeunes sont très gris ou bruns.

PARULINE À COLLIER *Parula americana* **p. 230**
Jeune: Assemblage de bleuté et de jaune; barres alaires.

PARULINE À TÊTE CENDRÉE *Dendroica magnolia* **p. 234**
Jeune: Bande blanche transversale au milieu de la queue.

PARULINE DES PRÉS *Dendroica discolor* **p. 238**
Jeune: Moustache apparente, flancs rayés. Hoche la queue.

PARULINE JAUNE *Dendroica petechia* **p. 238**
Taches caudales jaunes. Certaines femelles et jeunes sont si sombres qu'ils
peuvent ressembler à la P. verdâtre (pp. 240, 250).

PARULINE À GORGE ORANGÉE *Dendroica fusca* **p. 236**
Jeune: Gorge jaune, joues sombres; dos portant des raies pâles.

PARULINE À GORGE NOIRE *Dendroica virens* **p. 230**
Jeune: Raies sombres de la gorge bordant le contour jaune de la joue.

PARULINE À COURONNE ROUSSE *Dendroica palmarum* **p. 238**
Dos brunâtre, sous-caudales jaunâtres. Hoche la queue.

PARULINE À CROUPION JAUNE *Dendroica coronata* **p. 234**
Jeune: Croupion jaune vif.

PARULINE TIGRÉE *Dendroica tigrina* **p. 236**
Poitrine rayée, croupion jaunâtre. Noter la tache pâle du cou (parfois obscurcie
chez les jeunes).

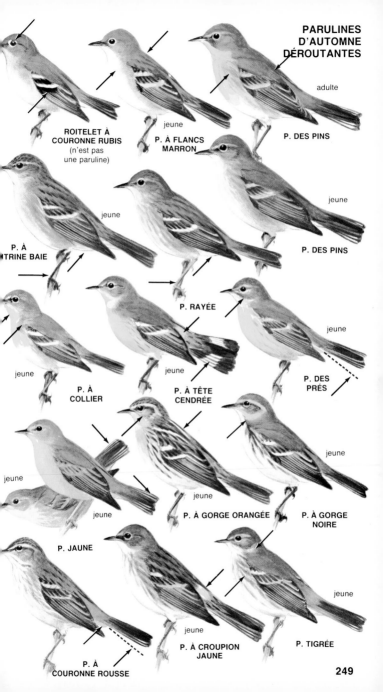

PARULINES
D'AUTOMNE
DÉROUTANTES

adulte

ROITELET À
COURONNE RUBIS
(n'est pas
une paruline)

jeune

P. À FLANCS
MARRON

P. DES PINS

jeune

P. À
POITRINE BAIE

jeune

P. DES PINS

jeune

P. À
COLLIER

P. RAYÉE

jeune

jeune

P. À TÊTE
CENDRÉE

P. DES
PRÉS

jeune

jeune

P. JAUNE

jeune

P. À GORGE ORANGÉE

P. À GORGE
NOIRE

P. À
COURONNE ROUSSE

jeune

P. À CROUPION
JAUNE

P. TIGRÉE

249

PARULINES D'AUTOMNE DÉROUTANTES

(la plupart n'ont ni raies ni barres alaires)

Texte

PARULINE VERDÂTRE *Vermivora celata* **p. 240**
Poitrine terne, sous-caudales jaunes. Le jeune à l'automne est entièrement beige verdâtre, souvent assez gris, avec le dessous à peine plus pâle.

PARULINE OBSCURE *Vermivora peregrina* **p. 240**
Soupçon de barre alaire; sous-caudales blanches. Très semblable à la P. verdâtre (ci-dessus), mais noter: 1) les sous-caudales blanches; 2) le sourcil plus voyant; 3) le plumage plus vert; 4) le dessous plus pâle, sans indice de raie; 5) le soupçon de barre alaire.

VIRÉO DE PHILADELPHIE *Vireo philadelphicus* **p. 226**
(N'est pas une paruline.) Chant et comportement d'un viréo.

PARULINE À CAPUCHON *Wilsonia citrina* **p. 242**
Jeune: Sourcil jaune, larges taches caudales blanches.

PARULINE À CALOTTE NOIRE *Wilsonia pusilla* **p. 242**
Jeune: Comme une petite P. à capuchon, sans taches caudales blanches.

PARULINE BLEUE *Dendroica caerulescens* **p. 232**
Joues sombres, carré blanc ou pâle à l'aile. Certains jeunes et certaines femelles n'ont pas le carré blanc à l'aile; on peut encore les distinguer du Viréo de Philadelphie et de la P. obscure (ci-dessus) par la *joue sombre*.

PARULINE À GORGE GRISE *Oporornis agilis* **p. 244**
Jeune: Semblant de capuchon; anneau oculaire continu.

PARULINE TRISTE *Oporornis philadelphia* **p. 244**
Femelle à l'automne et jeune: Semblant de capuchon; anneau oculaire discontinu. Ventre plus jaune que chez la P. à gorge grise.

PARULINE À JOUES GRISES *Vermivora ruficapilla* **p. 244**
Gorge jaune, anneau oculaire blanc.

PARULINE MASQUÉE *Geothlypis trichas* **p. 246**
Femelle: Gorge jaune, flancs brunâtres, ventre blanc.

PARULINE ORANGÉE *Protonotaria citrea* **p. 230**
Femelle: Tête ambrée, ailes grises.

PARULINE DU CANADA *Wilsonia canadensis* **p. 234**
Jeune: «Lunettes» jaunes, soupçon de collier.

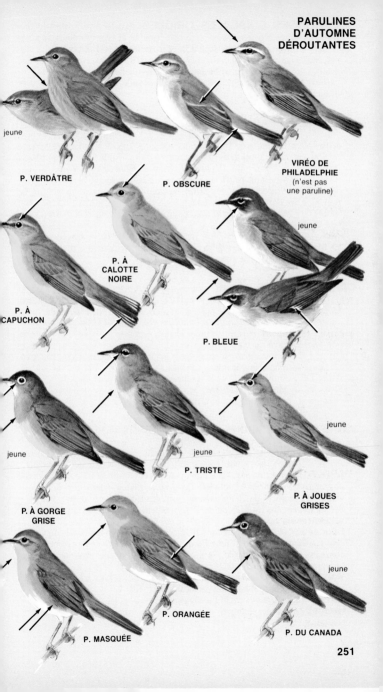

PARULINES D'AUTOMNE DÉROUTANTES

jeune

P. VERDÂTRE

P. OBSCURE

VIRÉO DE PHILADELPHIE
(n'est pas une paruline)

jeune

P. À CALOTTE NOIRE

P. À CAPUCHON

P. BLEUE

jeune

P. TRISTE

jeune

P. À JOUES GRISES

P. À GORGE GRISE

P. ORANGÉE

jeune

P. MASQUÉE

P. DU CANADA

251

■ CAROUGES, QUISCALES, ORIOLES, etc.: Famille des Ictéridés.
Groupes d'oiseaux variés au bec conique et très pointu et au front fuyant. Certains ont un plumage noir et irisé, d'autres sont vivement colorés. Sexes habituellement dissemblables. **Nourriture:** Insectes, petits fruits, graines, céréales, organismes aquatiques. **Aire:** Nouveau-Monde; la plupart des espèces sont tropicales. **Espèces:** Monde, 88; Est, 14 (+ 4 exceptionnelles).

CAROUGE À ÉPAULETTES *Agelaius phoeniceus* (18-24 cm) | 324 |
Red-winged Blackbird

Mâle: Noir, à *épaulettes* rouges, plus voyantes lors de la parade. Le rouge est souvent caché; seul le liséré jaunâtre est alors visible. *Jeune mâle:* Brun fuligineux, marbré, mais à épaulettes rouges. *Femelle et juvénile:* Brunâtres; bec très pointu, profil de carouge, dessous marqué de *rayures foncées bien nettes.* Oiseau grégaire; se déplace en grosses bandes et se regroupe en dortoirs pour la nuit.

Voix: Cri: *tchek* fort et *tî-uur* aigu et lié. Chant: *konk-la-rî* ou *o-ka-lî* coulant et gloussé.

Aire: Du Canada au Costa Rica, Antilles. **Habitat:** Niche dans les marais, les marécages broussailleux, les champs de foin; se nourrit également dans les champs cultivés, le long d'étendues d'eau, etc.

CAROUGE À TÊTE JAUNE *Xanthocephalus xanthocephalus* | 325 |
(20-28 cm)   Yellow-headed Blackbird

Mâle: Oiseau de marais de la taille d'un merle, noir, à tête et poitrine *jaune doré;* déploie une *tache alaire blanche* en vol. *Femelle:* Plus petite et plus brune; le jaune est surtout limité à la gorge et à la poitrine; le bas de la poitrine est rayé de blanc. Grégaire.

Voix: Chant: notes graves, rauques et grinçantes, émises avec beaucoup d'effort; évoque une charnière rouillée. Cri: *krok* ou *kak* grave.

Aire: Du S-O du Canada au N-O du Mexique. Hiverne dans le S-O des É.-U. et au Mexique. **Habitat:** Marais d'eau douce. Se nourrit dans les champs et les terrains découverts.

VACHER À TÊTE BRUNE *Molothrus ater* (18 cm) | 326 |
Brown-headed Cowbird

Oiseau plutôt petit, à bec court de moineau. *Mâle:* Noir, à *tête brune.* *Femelle:* Toute grise; noter le bec court. *Juvénile:* Plus pâle que la femelle, beige, la poitrine rayée de blanc; on peut souvent observer un parent adoptif plus petit en train de le nourrir. Les jeunes mâles muent tard à l'été et sont alors rapiécés de chamois et de noir. En troupe, avec d'autres Ictéridés, les vachers sont plus petits et se tiennent la queue en l'air lorsqu'ils se nourrissent au sol.

Espèces semblables: La femelle grise diffère de 1) la femelle du Quiscale rouilleux et 2) de la femelle du Quiscale de Brewer par le bec plus court et la taille plus faible. 3) Les jeunes Étourneaux sansonnets ont le bec plus long, la queue plus courte.

Voix: Cri, en vol: *ouî-titi* (sifflement aigu, 2 notes plus basses). Chant: *gloug-gloug-glîî* coulant, puis grinçant. Cri: *tchok.*

Aire: Du S du Canada au N du Mexique. Les populations du N migrent. **Habitat:** Fermes, champs, bords de route, orées des bois, bosquets riverains.

épaulettes
cachées

jeune

épaulettes
découvertes

CAROUGE À ÉPAULETTES

CAROUGE À
TÊTE JAUNE

VACHER À
TÊTE BRUNE

juvénile

jeune   en mue

QUISCALE ROUILLEUX *Euphagus carolinus* (23 cm)

Rusty Blackbird

Quiscale à queue courte, de la taille d'un merle, rouille seulement à l'automne. *Mâle au printemps:* Noir, les yeux jaune pâle. *Femelle au printemps:* Ardoisée, les *yeux clairs. Adulte en hiver et jeune:* Rouille délavé, le dessous *barré.*
Voix: Cri: *tchak* fort. Chant: note déchirante de charnière rouillée; *kosh-a lî* alternant avec *ksh-lé.*
Aire: Alaska, Canada, N-E des É.-U. Hiverne jusqu'au S-E des É.-U.
Habitat: Bosquets riverains, forêts marécageuses; tourbières.

QUISCALE DE BREWER *Euphagus cyanocephalus* (23 cm)

Brewer's Blackbird

Quiscale de l'O. *Mâle:* Tout noir, à l'œil blanchâtre; sous un bon éclairage, on voit des reflets *violacés* sur la tête et verdâtres sur le corps. *Femelle:* Gris brunâtre, à l'œil *foncé.*
Espèce semblable: Le Q. rouilleux mâle a des reflets *verdâtres* ternes sur la tête (difficiles à voir); bec plus long. Le Q. rouilleux femelle a l'œil *clair.* Le Q. de Brewer n'acquiert pas un plumage très rouille en hiver.
Voix: Chant: *kouî-î* ou *ksh-î* éraillé, plaintif et grinçant.
Aire: S-O du Canada, et centre-N des É.-U. Hiverne jusqu'au S du Mexique.
Habitat: Champs, steppes, fermes, parcs.

QUISCALE BRONZÉ *Quiscalus quiscula* (28-34 cm)

Common Grackle

Grand oiseau au plumage noir irisé, plus grand que le merle, à queue cunéiforme étalée en «V». Vol moins onduleux que celui des autres espèces apparentées. Le mâle a des reflets violets sur la tête, le dos bronzé ou pourpré terne. La forme bronzée (Nouv.-Angl. et O des Appalaches) et la forme pourprée (côtes au S de la Nouv.-Angl.) ont déjà été considérées comme des espèces distinctes.
Voix: Cri: *tchok* ou *tchak.* Chant: note grinçante et déchirante.
Aire: Canada et É.-U., à l'E des Rocheuses. **Habitat:** Champs cultivés, jardins des villes, bosquets, bords des cours d'eau.

QUISCALE DES MARAIS *Quiscalus major* (♂ 41 cm; ♀ : 33 cm)

Boat-tailed Grackle

Très gros oiseau au plumage noir irisé; beaucoup plus grand que le Q. bronzé, à queue plus longue et plus large. Femelle beaucoup plus petite que le mâle et beaucoup plus brune que celle du Q. bronzé; poitrine pâle.
Espèce semblable: En Louisiane et plus à l'O, voir le Q. à longue queue.
Voix: *Tchek tchek tchek* rauque; sifflements et gloussements rauques.
Aire: La côte E, du N.-J. au centre du Texas. **Habitat:** Réside près des eaux côtières; marais. Aussi dans l'intérieur en Floride.

QUISCALE À LONGUE QUEUE *Quiscalus mexicanus*

(Grand Quiscale)   (♂ : 45 cm; ♀ : 35 cm)   Great-tailed Grackle
Très semblable au Q. des marais, mais à queue un peu plus longue. Les deux sexes ont les yeux *jaunes.* (Le Q. des marais de la côte atlantique a aussi les yeux jaunes; ceux de la région du g. du Mexique les ont bruns, mais quelques mâles peuvent les avoir jaunâtre terne).
Voix: Plus variée que celle du Q. des marais: des *clok* forts; sifflement ascendant.
Aire: Du S-O des É.-U. au Pérou. **Habitat:** Alors que le Q. des marais est limité aux marais côtiers (sauf en Flor.), le Q. à longue queue séjourne aussi dans l'intérieur des terres, dans les parcs, les villes, etc.

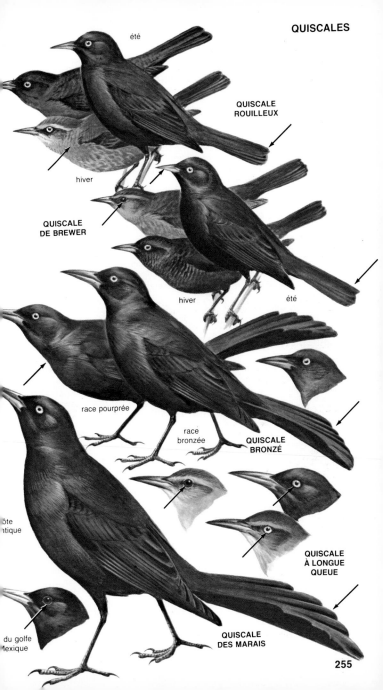

QUISCALES

été

QUISCALE
ROUILLEUX

hiver

QUISCALE
DE BREWER

hiver   été

race pourprée

race
bronzée

QUISCALE
BRONZÉ

ôte
ntique

QUISCALE
À LONGUE
QUEUE

du golfe
lexique

QUISCALE
DES MARAIS

255

GOGLU DES PRÉS *Dolichonyx oryzivorus* (15-20 cm)

Bobolink

Mâle au printemps: Notre seul passereau au *dessous tout noir et au dessus en grande partie blanc,* donnant l'effet d'un habit de gala mis à l'envers. *Mâle à l'automne et femelle:* À peine plus gros que le moineau, chamois intense, la calotte et le dos marqués de raies foncées.

Espèces semblables: 1) Bruant noir et blanc (blanc restreint aux ailes); 2) Carouge à épaulettes femelle (dessous fortement rayé).

Voix: Le chant enthousiaste et rapide, émis en vol sur place ou en descente tremblotante, est composé de notes flutées graves et de notes plus rapides montant vers l'aigu. Cri en vol, *pink* clair, entendu lors des passages migratoires.

Aire: S du Canada, N des É.-U. Hiverne dans le S de l'Am. du S. **Habitat:** Champs, prés, steppes. En migration, marais.

STURNELLE DES PRÉS *Sturnella magna* (23 cm) 332

Eastern Meadowlark

Oiseau brun et massif des zones herbeuses, qui montre en s'envolant une tache *blanche* voyante de chaque côté d'une queue courte. Fait alterner une série de battements d'ailes rapides avec des planés courts. S'il se perche, on peut voir un «V» *noir* sur la poitrine jaune vif. En marchant, il ouvre et ferme la queue.

Voix: Chant: 2 sifflements clairs, liés, musicaux et étirés; *tiu-tî, tî-u* (dernière note descendante). Cri: *dzrrt* grinçant ou bourdonnant; aussi, caquetage guttural.

Aire: S-E du Canada, E des É.-U., Cuba; du S-O des É.-U. au Brésil. Partiellement migrateur. **Habitat:** Champs, prés, steppes.

STURNELLE DE L'OUEST *Sturnella neglecta* (23 cm) 333

Western Meadowlark

Presque identique à la S. des prés, mais le dessus plus pâle; le jaune de la gorge atteint la joue. Facilement identifiable au chant.

Voix: Chant variable, différent du sifflement clair de la S. des prés: 7 à 10 notes doubles, flutées, gazouillées. Le cri, *tchopp,* est plus grave que le *dzrrt* grinçant de la S. des prés. **Aire:** Du S-O du Canada jusqu'au centre du Mexique. **Habitat:** Champs, prés, steppes.

■ **ÉTOURNEAUX: Famille des Sturnidés.** Famille hétérogène, dont certains représentants ressemblent aux Ictéridés. Queue habituellement courte et bec pointu. Grégaires. **Nourriture:** Insectes, graines, petits fruits. **Aire:** Répandus dans l'Ancien-Monde. **Espèces:** Monde, 103; Est, 1 (introduite).

ÉTOURNEAU SANSONNET *Sturnus vulgaris* (19-21 cm) 334

European Starling

Oiseau noir à queue courte et à profil de sturnelle, grégaire et bruyant. En vol, il a l'air triangulaire; vol direct et rapide, différent du vol onduleux de la plupart des Ictéridés. Au printemps: plumage irisé, bec *jaune.* En hiver: *fortement moucheté;* bec foncé, devenant jaune au printemps. Le jeune est sombre et ressemble un peu à la femelle du vacher, mais la queue est plus courte et le bec, plus long.

Voix: *Tsîr* dur; *houî* sifflé. En outre, sifflements clairs, cliquetis, claquements de bec, petits rires étouffés; imite parfois d'autres oiseaux.

Aire: Eurasie, N de l'Afrique. Partiellement migrateur. Introduit en Am. du N et ailleurs. **Habitat:** Villes, parc, fermes, bosquets clairs, champs.

GOGLU, STURNELLES,
ÉTOURNEAU

GOGLU
DES PRÉS

été

hiver

sexes
semblables

STURNELLE
DES PRÉS

STURNELLE
DE L'OUEST

sexes
semblables

hiver

juvénile

été

ÉTOURNEAU
SANSONNET

257

- **ORIOLES.** Ictéridés brillamment colorés, plus petits et plus élancés que le merle.

ORIOLE DES VERGERS *Icterus spurius* (15-18 cm) | 335 |

Orchard Oriole

Mâle: Oriole tout sombre. Croupion et dessous marron foncé, reste du corps noir. *Jeune mâle:* Dessus verdâtre terne, dessous jaunâtre, *bavette noire. Femelle et juvénile:* dessus olive, dessous jaunâtre, 2 barres alaires blanches.

Espèces semblables: 1) La femelle et le jeune de l'Oriole de Baltimore ne sont pas aussi verdâtres. Quelques femelles de l'Oriole de Baltimore ont la gorge noire (comme les jeunes mâles de l'Oriole des vergers), mais sont plus orangées. 2) Le Tangara écarlate femelle et 3) le Tangara vermillon femelle n'ont pas de barres alaires (p. 260).

Voix: Cascade de notes, certaines gutturales, entrecoupées de sifflements flûtés. Évoque le chant du Roselin pourpré. Le *ouîr!* strident et lié, en finale est caractéristique.

Aire: Du S-E du Canada au centre du Mexique. Hiverne en Am. centrale et dans le N de l'Am. du S. **Habitat:** Orées des bois, vergers, arbres d'ombrage.

ORIOLE DE BALTIMORE *Icterus galbula* (18-20 cm) | 336 |

Baltimore Oriole

(race de l'Est «de Baltimore») *Mâle:* Orange vif et noir, la tête toute noire. *Femelle et jeune:* Dessus brun olive, dessous jaune ambré, 2 barres alaires. Quelques femelles ont des traces de noir sur la tête, évoquant le capuchon du mâle.

Espèces semblables: 1) Voir l'Oriole de Bullodk (de l'Ouest). 2) L'Oriole des vergers femelle est plus verte que la femelle de l'Oriole de Baltimore. 3) Voir les tangaras femelle.

Voix: Chant: sifflements étoffés, flûtés. Cri: *iou-li* sifflé, grave. Jeune (qué-mandant sa nourriture): *tî-dîdî plaintif.*

Aire: Canada, E et centre des É.-U. Hiverne dans l'Am. tropicale. **Habitat:** Bois clairs, ormes, arbres d'ombrage.

ORIOLE DE BULLOCK *Icterus bullockii* (18-21 cm) | 337 |

Bullock's Oriole

De l'Ouest. *Mâle:* Diffère de l'Oriole de Baltimore mâle par les *joues orange, les grandes taches alaires blanches,* le motif différent de la queue. *Femelle:* Diffère de Oriole de Baltimore femelle par le dos plus gris, le *ventre plus blanc, Jeune mâle:* Semblable à la femelle, mais à gorge noire. S'hybride avec l'Oriole de Baltimore.

Voix: Série de notes doubles accentuées et 1 ou 2 notes flûtées. Cri: *skip* perçant; aussi, caquetage. **Aire:** Niche dans le S-O du Canada, l'O des É.-U. et le N du Mexique. Hiverne en Am. centrale. Niche dans l'E de la Prairie (Sud-Dakota, centre du Nebr., O du Kansas, O de l'Okl.), où il s'hybride avec l'Oriole de Baltimore. Des égarés se rencontrent en hiver le long de la côte E; plusieurs mentions, surtout à des mangeoires.

ORIOLE MACULÉ *Icterus pectoralis* (20 cm) | 338 |

Spot-breasted Oriole

En Flor. seulement. Noter la *calotte orangée,* la bavette noire et les *taches noires des côtés de la poitrine.* Beaucoup de blanc à l'aile. Aucun autre oriole de notre région n'a le dessus de la tête orangé.

Aire: Du S-O du Mexique au N-O du Costa-Rica. Récemment établi (intro-duit ou échappé) dans le S-E de la Flor.

ORIOLES

ORIOLE
DES VERGERS

jeune

ORIOLE
DU NORD
(race de l'Est)

jeune

ORIOLE
DU NORD
(races de l'Ouest)

semblable
mais
plus terne

ORIOLE
MACULÉ
(Floride seulement)

259

■ **TANGARAS: Famille des Thraupidés.** Les tangaras mâles sont brillamment colorés. Les femelles de nos espèces ont le dessus verdâtre et le dessous jaune; on dirait des parulines ou des viréos de grande taille, au bec épais; elles peuvent être prises pour des orioles femelles, mais elles ont les joues plus foncées et n'ont pas de barres alaires. Le bec plutôt fort est *encoché*. **Nourriture:** Insectes, fruits. **Aire:** Nouveau-Monde, la plupart des espèces étant tropicales. **Espèces:** Monde, 191; Est, 3 (+ 1 exceptionnelle, 1 introduite).

TANGARA VERMILLON *Piranga rubra* (18-19 cm) 339
Summer Tanager

Mâle: Entièrement rouge tomate; bec jaunâtre; sans huppe. *Femelle:* Dessus olive, dessous jaune foncé. Les jeunes mâles qui acquièrent le plumage adulte peuvent être tachetés de rouge et de vert.
Espèces semblables: 1) Le Cardinal rouge mâle est huppé et a la face noire. 2) Le T. écarlate mâle a les ailes et la queue noires; la femelle a les ailes plus foncées. 3) Les orioles femelle ont des barres alaires.
Voix: Cri: *pi-toc* ou *pic-i-toc-i-toc,* en notes détachées. Chant: phrases ressemblant à celles du merle, moins nasales et moins sonores que celles du T. écarlate.
Aire: Du centre et du S des É.-U. au N du Mexique. Hiverne du Mexique au Brésil. **Habitat:** Forêts, bosquets (surtout de chênes).

TANGARA ÉCARLATE *Piranga olivacea* (18 cm) 340
Scarlet Tanager

Mâle: Écarlate, à ailes et queue noires. *Mâle en hiver, femelle et jeune:* Dessus verdâtre, dessous jaunâtre, ailes brunâtre foncé ou noirâtres.
Espèces semblables: 1) le T. vermillon mâle et 2) le Cardinal rouge mâle (huppé) sont tout rouges, n'ont pas les ailes et la queue noires. 3) Le T. vermillon femelle a le dessous d'un jaune plus chamois (moins vert) et n'a pas les ailes aussi sombres.
Voix: Cri: *tchip-beûrr.* Chant: 4 à 5 phrases courtes ressemblant à celles du merle, mais rauques (on dirait un merle enroué).
Aire: S-E du Canada, E des É.-U. Hiverne de la Colombie à l'O de l'Amazonie. **Habitat:** Forêts et arbres d'ombrage (en particulier les chênes).

TANGARA À TÊTE ROUGE *Piranga ludoviciana* (18 cm)
Western Tanager

Le seul tangara d'Am. du N à *barres alaires* marquées. *Mâle:* Jaune, à dos, ailes et queue noirs; 2 barres alaires, *face rouge.* Le rouge disparaît à l'automne et en hiver. *Femelle:* Dessous jaunâtre, dessus olive terne, barres alaires blanches et jaunes.
Espèces semblables: La femelle ressemble aux orioles femelles (p. 258), mais la queue et les joues sont plus foncées, le bec moins pointu. *Attention:* Il arrive que des jeunes T. écarlates aient 2 barres alaires jaunâtres à l'automne, mais ils n'ont pas le manteau caractéristique du T. à tête rouge jeune ou en plumage d'automne (dos olive grisâtre contrastant avec la tête et le croupion plus pâles).
Aire: O de l'Am. du N. Hiverne en Am. centrale. Inusité dans l'Est, mais il y a de nombreuses mentions du S du Canada à la Louisiane et à la Flor., où il est rare, mais probablement régulier en hiver.

TANGARA ÉVÊQUE *Thraupis episcopus* (15 cm)
(Tangara gris-bleu) Blue-gray Tanager

Bleuté; épaules pâles, ailes et queue plus foncées. Sexes semblables. Cette espèce originaire de l'Am. centrale et du N de l'Am. du S a été introduite à Miami. Sa survie y est incertaine.

TANGARAS

**TANGARA
VERMILLON**

toutes saisons

une muant
en adulte

**TANGARA
ÉCARLATE**

en mue

été

variante
orangée

hiver

**TANGARA À
TÊTE ROUGE**

été

hiver

**TANGARA
ÉVÊQUE**

sexes semblables

261

■ **MOINEAUX: Famille des Plocéidés.** Famille diversifiée de l'Ancien-Monde, dont le Moineau domestique, introduit en Amérique, est le représentant le mieux connu. **Nourriture:** Surtout des insectes et des graines. **Aire:** Répandus dans l'Ancien-Monde. **Espèces:** Monde, 263; Est, 2 (introduites).

MOINEAU DOMESTIQUE *Passer domesticus* (15 cm) $\boxed{341}$

House Sparrow

Bien connu de tous. Les moineaux des villes sont souvent si ternes que les mâles n'ont pas grand-chose en commun avec ceux de la campagne, à gorge noire, joues blanches et nuque marron. La femelle et le jeune n'ont pas la gorge noire; ils ont la poitrine unie, sans éclat, et un sourcil terne.
Aire: Eurasie, Afrique du N. Introduit en Am. du N et du S, en Afrique du S, en Australie, etc. **Habitat:** Villes, fermes.

MOINEAU FRIQUET *Passer montanus* (14 cm) $\boxed{342}$

Eurasian Tree Sparrow

Les deux sexes ressemblent au M. domestique mâle, mais la tache noire de la gorge est plus petite. Noter la *tache noire sur la joue.* Calotte brune.
Voix: Plus aiguë que celle du M. domestique. *Tchik* ou *tchop* métallique, *tchit-tchup* répété. En vol, *tek, tek* sec. **Aire:** Eurasie. Introduit; réside dans les environs immédiats de Saint-Louis (Missouri et Illinois). **Habitat:** Fermes.

■ **GROS-BECS, CARDINALS, BRUANTS: Famille des Fringillidés.**
On rencontre trois types de bec de granivore chez ces oiseaux; 1) très gros et épais (gros-becs, cardinals); 2) semblable à celui du canari (bruants, juncos, chardonnerets); 3) à mandibules croisées (becs-croisés). **Nourriture:** Graines, insectes, petits fruits. **Aire:** Mondiale. **Espèces:** Monde, 245; Est, 50 (+ 10 exceptionnelles).

DICKCISSEL D'AMÉRIQUE *Spiza americana* (15-18 cm) $\boxed{343}$

Dickcissel

Oiseau de steppe, de la taille du moineau. *Mâle:* Avec sa bavette et sa poitrine jaune, on dirait une petite sturnelle. (À l'automne, la bavette est terne ou absente). *Femelle:* Très semblable au moineau femelle; plus pâle, le sourcil beaucoup plus pâle, la poitrine teintée de jaune et le bec bleuâtre. L'épaule marron aide également à l'identification. Se déplace souvent en grandes bandes.
Voix: Chant: *dik-ciss-ciss-ciss* ou *tchop-tchop-klip-klip-klip,* en notes détachées. En migration, on entend souvent un cri bourdonné bref. **Aire:** S de l'Ontario et intérieur des É.-U. entre les Rocheuses et les Appalaches. Hiverne surtout du Mexique au N de l'Am. du S. **Habitat:** Champs (luzerne en particulier), prés, steppes. Hiverne rarement dans l'E des É.-U. (aux mangeoires).

BRUANT NOIR ET BLANC *Calamospiza melanocorys* (18 cm) $\boxed{344}$

Lark Bunting

Oiseau de steppe. *Mâle au printemps: Noir,* à *grande tache alaire blanche. Mâle en hiver, femelle et jeune:* Bruns, rayés; habituellement, dans une bande, certains présentent une *tache blanchâtre à l'aile.* Grégaire.
Espèces semblables: 1) Le Goglu des prés mâle a des taches blanches, mais pas sur l'aile. 2) La femelle rappelle celle du Roselin pourpré. **Voix:** Chant: notes liées ressemblant à celles du Cardinal rouge, et des *tchog* non musicaux, comme ceux de la Paruline polyglotte; sifflements et trilles aigus; chaque note est répétée de 3 à 11 fois. **Aire:** La Prairie, du S du Canada au N du Texas. Hiverne du S-O des É.-U. au centre du Mexique. **Habitat:** Steppes.

MOINEAUX ET OISEAUX SEMBLABLES

♂

MOINEAU DOMESTIQUE

♀

MOINEAU FRIQUET

sexes semblables

♂

DICKCISSEL D'AMÉRIQUE

♀

automne

Goglu des prés en comparaison (p. 256)

♂ été

BRUANT NOIR ET BLANC ♀

en hiver ♂ semblable à la ♀

263

BRUANT LAPON *Calcarius lapponicus* (16 cm) 345
Lapland Longspur

Le B. lapon, tout comme l'Alouette hausse-col et les pipits, est un oiseau de terrains découverts; au vol, il paraît avoir la queue plus courte. *Mâle en hiver:* Les raies noires clairsemées sur les flancs, la nuque marron et la tache sur la poitrine facilitent l'identification. *Mâle en été: Face noire entourée de blanc, col marron. Femelle en hiver:* Quelconque; noter le motif de la queue (ci-contre). *Femelle en été:* Ressemble au mâle en hiver.

Espèces semblables: Les autres bruants du genre *Calcarius* ont plus de blanc sur la queue (voir ci-contre). Les pipits et l'Alouette hausse-col ont le bec fin.

Voix: *Tiou* musical; également, cliquetis et sifflement: *tiki-tik-tiou.* Chant (en vol nuptial): vigoureux et musical.

Aire: Arctique; circumpolaire. Hiverne dans le S de l'Eurasie et du S du Canada au S des É.-U. **Habitat:** Toundra; en hiver, champs, steppes.

BRUANT À VENTRE NOIR *Calcarius ornatus* (14-16 cm) 346
Chestnut-collared Longspur

Mâle en été: Dessous tout *noir* sauf la gorge; nuque *marron. Mâle en hiver et femelle:* Ressemblent à un moineau; le caractère le plus sûr est le motif de la queue (triangle sombre bordé de blanc).

Voix: Chant: court, faible, mais musical, un peu comme celui de la Sturnelle de l'Ouest. Cri: *dji-djiv,* rappelant un bec-croisé.

Aire: La Prairie du Canada et du N des É.-U. Hiverne dans le S-O des É.-U. et le N du Mexique. **Habitat:** Steppes.

BRUANT DE McCOWN *Calcarius mccownii* (15 cm) 347
(Bruant à collier gris) McCown's Longspur

Mâle au printemps: Calotte et plastron noirs; queue largement blanche. Nuque *grise* (brune ou marron chez les autres bruants du genre *Calcarius). Mâle en hiver et femelle:* Ressemblent au moineau; noter le motif de la queue (le noir se présente comme un T inversé sur fond blanc).

Espèces semblables: 1) Le B. à ventre noir mâle, en été, a un col marron et le ventre noir. 2) L'Alouette hausse-col (tache semblable sur la poitrine) a le bec fin et des taches faciales noires.

Voix: Chant (en vol nuptial): gazouillis doux et clair, évoquant celui du B. noir et blanc (Niedrach). Cri: trille terne.

Aire: La Prairie du centre-S du Canada et du centre-N des É.-U. Hiverne du S-O des É.-U. au N du Mexique. **Habitat:** Steppes.

BRUANT DE SMITH *Calcarius pictus* (15 cm) 348
Smith's Longspur

Bruant *chamois;* tout le dessous d'un riche ocre. Queue bordée de blanc comme chez le B. vespéral (sans bande sombre à l'extrémité). *Mâle en été: Ocre;* joue *blanche,* bien cernée par un *triangle noir. Mâle en hiver et femelle:* Quelconques; poitrine légèrement rayée; quelques mâles peuvent présenter du blanc à l'épaule.

Espèces semblables: Voir 1) le B. vespéral, 2) le Pipit de Sprague et 3) les autres bruants du genre *Calcarius* (étudier les motifs de la queue, ci-contre).

Voix: Cliquetis mécaniques émis en vol (comme si on remontait une montre bon marché). Chant, doux comme celui d'une paruline, se terminant en *oui'tchou* comme le chant de la Paruline à flancs marron.

Aire: Du N de l'Alaska à la baie d'Hudson. Hiverne dans le centre-S des É.-U. **Habitat:** Steppes, champs, aérodromes; toundra (l'été).

BRUANTS DE STEPPE

BRUANT LAPON

hiver

hiver

été

BRUANT À VENTRE NOIR

hiver

été

BRUAN DE McCOWN

hiver

été

BRUANT DE SMITH

hiver

été

oir Alouette hausse-col et pipits, p. 201

JUNCO ARDOISÉ *Junco hyemalis* (en partie) (14-17 cm) 349

Dark-eyed Junco

(forme de l'Est) Bruant gris ardoise, au bec et au ventre blanchâtres, caractérisé par les plumes latérales blanches de la queue, bien voyantes à l'envol. Le mâle peut avoir la tête noirâtre; les femelles et les jeunes sont plus ternes. Le juvénile, en été, a la poitrine finement rayée; il peut ressembler alors à un Bruant vespéral en raison des plumes latérales blanches de la queue.

Espèces semblables: Le Junco «à dos roux» (ci-dessous) est maintenant considéré de la même espèce. Il s'égare rarement dans l'E. Une autre race, le Junco «à ailes blanches» *(J. h. aikeni)* des Black Hills du Sud-Dakota, reconnaissable à ses fortes barres alaires blanches, a été mentionné dans l'E, mais sans confirmation par spécimen.

Voix: Chant: trille lâche, évoquant celui du Bruant familier, mais plus musical. Cri: *Smac* léger: notes mécaniques brèves.

Aire: Forêt de l'Alaska et du Canada; montagnes de l'E jusqu'au N de la Georgie. Hiverne dans les États du g. du Mexique et dans le N du Mexique.

Habitat: Conifères et forêts mixtes. En hiver, bois clairs, strates basses des forêts, bords de route, buissons; fréquente aussi les mangeoires.

JUNCO ARDOISÉ *Junco hyemalis* (en partie) (14-17 cm)

Dark-eyed Junco

(forme de l'Ouest «à dos roux») *Mâle:* Se distingue de la forme de l'Est par le dos *brun-roux* qui constraste nettement avec le noir de la tête; flancs *chamois* ou *rouille. Femelle:* Tête plus grise: le rouille du dos n'est pas aussi bien délimité, mais les flancs rosés ou fauve tranchent sur le capuchon gris. Des individus intermédiaires entre les formes de l'Est et de l'Ouest sont fréquents, surtout dans la Prairie.

Voix: Très semblable à celle de la forme de l'Est.

Aire: S-E de l'Alaska, S-O du Canada, O des É.-U. Hiverne dans le N du Mexique. **Est:** Des individus se présentent chaque hiver à des mangeoires de l'E.

BRUANT DES NEIGES *Plectrophenax nivalis* (15-18 cm) 350

Snow Bunting

Aucun autre passereau n'a autant de blanc. En hiver, certains individus peuvent avoir l'air assez bruns, mais en vol, leurs *taches alaires blanches* voyantes les caractérisent. Vus d'en dessous, ils ont l'air presque complètement blancs, contrairement au Pipit d'Amérique et à l'Alouette hausse-col, qui ont la queue noire. Ils tournoient souvent en grandes bandes au dessus des champs enneigés. En plumage d'été, dans l'Arctique, le mâle a le dos noir, qui contraste avec la tête et le dessous blancs.

Voix: Cri: *tîr* ou *tiou* sifflé, net; aussi *brrt* rude, ronronné. Chant: *ti-ti-chou-rî* musical, répété.

Aire: Arctique, circumpolaire. Hiverne jusqu'au centre de l'Eurasie et au centre des É.-U. **Habitat:** Toundra (en été); steppes, champs, dunes, littoral.

JUNCOS, BRUANT DES NEIGES

JUNCO ARDOISÉ
(forme de l'Est)

juvénile

♂

♀

JUNCO ARDOISÉ
(forme de l'Ouest)

♂

♀

♀ hiver

♂ hiver

♂ été

BRUANT DES NEIGES

267

CARDINAL ROUGE *Cardinalis cardinalis* (19-23 cm) 351

Mâle: Oiseau tout rouge, à huppe pointue; face noire et gros bec triangulaire rouge. *Femelle:* Brun-chamois, un peu de rouge sur les ailes et la queue. La huppe, la face sombre et le gros bec rouge sont caractéristiques. *Jeune:* Semblable à la femelle, mais le bec noirâtre.

Espèce semblable: Le Tangara vermillon mâle, le seul autre oiseau tout rouge de l'Est, n'a pas de huppe. **Voix:** Chant: sifflements clairs et roulés, diminuanf d'intensité. Plusieurs variantes: *ouat-tiou tiou tiou,* etc.; *ouâit ouâit ouâit* ou *tiouit tiouit tiouit,* etc. Cri: *tchip* bref et ténu.

Aire: Du S du Canada au g. du Mexique; du S-O des É.-U. au Belize. **Habitat:** Orées des bois, fourrés, jardins, parcs.

BEC-CROISÉ DES SAPINS *Loxia curvirostra* (13-16 cm) 352

(Bec-croisé rouge) Red Crossbill

Noter les *mandibules croisées.* Oiseau presque de la taille du moineau; tête massive, queue courte. Le bruit qu'il fait en ouvrant les cônes de conifères révèle souvent sa présence. Se suspend comme un perroquet lorsqu'il se nourrit. *Mâle: Rouge sombre,* le croupion plus vif; ailes et queue noirâtres. Le jeune mâle est plus orangé. *Femelle:* Gris-olive terne; croupion et dessous jaunâtres. *Jeune:* Dessus et dessous rayés; on dirait un gros Tarin des pins.

Espèce semblable: Le Bec-croisé bifascié a des barres alaires blanches en tout plumage.

Voix: Cri: *djip-djip* ou *djip-djip-djip* dur. Chant: strophes gazouillées, *djip-djip-djip-djiiaa-djiiaa,* ou gazouillis, trilles et cris brefs.

Aire: Forêt boréale de l'hémisphère N. En Am. du N, dans les montagnes au S jusqu'au Nicaragua; dans l'E, par endroits jusque dans le S des Appalaches. Déplacements erratiques en hiver. **Habitat:** Conifères (épinettes, sapins, pruches, etc.).

BEC-CROISÉ BIFASCIÉ *Loxia leucoptera* (15-17 cm) 353

(Bec-croisé à ailes blanches) White-winged Crossbill

Noter les barres alaires et les mandibules croisées. *Mâle: Rose* terne; ailes noires traversées par *2 larges barres blanches;* queue noire. *Femelle:* Gris-olive, à croupion jaunâtre comme celui du Bec-croisé des sapins, mais avec *2 larges barres alaires blanches.* Les barres alaires sont souvent voyantes en vol et aident à identifier les individus de cette espèce dans des bandes comprenant les deux espèces.

Espèces semblables: 1) Voir le Durbec des sapins (p. 270) et 2) le Bec croisé des sapins (ci-dessus).

Voix: Cri: *pît* doux et *tchif-tchif* sec. Chant: succession de trilles forts sur des tons différents.

Aire: Forêt boréale de l'hémisphère N. **Habitat:** Forêts d'épinettes, de sapins et de pruches.

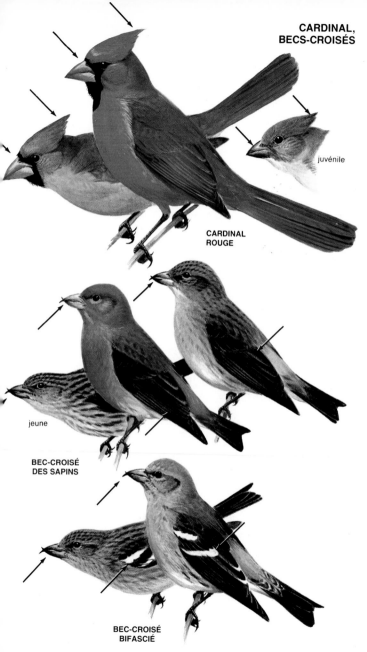

CARDINAL,
BECS-CROISÉS

juvénile

CARDINAL
ROUGE

jeune

BEC-CROISÉ
DES SAPINS

BEC-CROISÉ
BIFASCIÉ

SIZERIN FLAMMÉ *Carduelis flammea* (13 cm)

Common Redpoll

Noter le front *rouge vif*. Oiseau gris-brun et rayé, à *menton noir* et à raies foncées sur les flancs. Le mâle a la poitrine rosée. Par la taille, la forme et le comportement, il ressemble aux chardonnerets.

Espèces semblables: 1) Le Roselin familier mâle et 2) le Roselin pourpré mâle sont plus gros, plus rouges, et ont le croupion rouge; ils n'ont pas le menton noir. **Voix:** En vol, *tchit-tchit-tchit-tchit* crépitant. Chant: trilles, suivi du *tchit-tchit-tchit-tchit* crépitant. **Aire:** Circumboréal. Hiverne irrégulièrement jusqu'au N et au centre des É.-U. **Habitat:** Bouleaux, arbrisseaux de la toundra. En hiver, herbes, broussailles.

SIZERIN BLANCHÂTRE *Carduelis hornemanni* (13 cm)

Hoary Redpoll

Dans les bandes de sizerins, chercher un oiseau «givré», au *croupion blanchâtre sans rayures*. Chez les mâles, le croupion peut être teinté de rose; le bec est plus conique que celui du S. flammé; les sous-caudales ne sont pas rayées.
Aire: Arctique, circumpolaire. Hiverne irrégulièrement jusqu'au N des É.-U.
Habitat: Comme celui du S. flammé.

ROSELIN FAMILIER *Carpodacus mexicanus* (13-14 cm)

House Finch

Cet oiseau est une addition récente à l'avifaune de l'Est. On le méprend souvent pour le R. pourpré, en compagnie duquel on le rencontre parfois aux mangeoires. Il est plus petit et le mâle est d'un rouge plus orangé. Noter les *raies* foncées sur les flancs et la poitrine. La femelle, rayée de brun, diffère de la femelle du R. pourpré par le bec plus petit et la face sans motif contrasté (sans forte moustache ni joue foncée).

Voix: Chant gai, mais lâche et discontinu; se termine souvent par un *houîr* ou *tchi-eurr* nasal et aigre. Cris évoquant ceux du moineau, en plus musical.
Aire: De l'O des É.-U. au Mexique. Introduit dans l'E des É.-U. vers 1940; en expansion. **Habitat:** Jardins, parcs, fermes.

ROSELIN POURPRÉ *Carpodacus purpureus* (14-15 cm)

Purple Finch

On dirait un bruant saucé dans du jus de framboise. *Mâle:* Rouge-rose terne, plus intense sur la tête et le croupion. *Femelle et jeune:* Fortement rayés de brun comme les bruants. Noter la *large raie sombre au menton,* la joue foncée, la raie claire derrière l'œil et le bec assez gros.

Espèce semblable: Voir le R. familier (ci-dessus). **Voix:** Chant: gazouillis rapide et animé. Cri: *tic* terne et métallique. **Aire:** Canada, O et N-E des É.-U. Hiverne jusque dans le S des É.-U. **Habitat:** Bois, bosquets; en hiver, aussi les jardins.

DURBEC DES SAPINS *Pinicola enucleator* (20-25 cm)
(Dur-bec des pins)

Pine Grosbeak

Oiseau presque de la taille d'un merle, peu farouche et à queue assez longue. Vol très onduleux. *Mâle adulte:* Rouge-rose terne, ailes sombres marquées de 2 barres blanches. *Jeune mâle:* Semblable à la femelle mais la tête et le croupion teintés de rougeâtre. *Femelle:* Grise; deux barres alaires blanches, tête et croupion teintés d'olive terne.

Voix: Cri: *tî-tiou-tiou* sifflé, rappelant le cri du Grand Chevalier, mais d'intensité plus faible: aussi, *tchî-vli* musical. **Aire:** Forêt boréale de l'hémisphère N, hivernant irrégulièrement plus au S. **Habitat:** Forêts de conifères; en hiver, forêts mixtes et arbres fruitiers également.

FRINGILLIDÉS ROUGES

variante orangée

SIZERIN FLAMMÉ

SIZERIN BLANCHÂTRE

ROSELIN FAMILIER

ROSELIN POURPRÉ

jeune

DURBEC DES SAPINS

271

GUIRACA BLEU *Guiraca caerulea* (15-19 cm) 362
(Passerin bleu) Blue Grosbeak

Mâle: Bleu foncé terne; bec épais et 2 larges barres alaires marron. Agite souvent la queue. Le jeune mâle présente un mélange de brun et de bleu. *Femelle:* De la taille du vacher; brun chaud, le dessous plus pâle; *2 barres alaires chamois,* croupion teinté de bleu.

Espèce semblable: Le Passerin indigo est plus petit, dépourvu de barres alaires.

Voix: Chant: gazouillis rapide fait de courtes phrases montantes et descendantes; ressemble aux chants du Roselin pourpré, du Roselin familier ou de l'Oriole des vergers, en plus lent et plus guttural. Cri: *tchīnc* perçant.

Aire: Du centre des É.-U. au Costa-Rica. Hiverne du Mexique au Panama.

Habitat: Sites broussailleux, bords de route, fourrés le long des cours d'eau.

PASSERIN INDIGO *Passerina cyanea* (14 cm) 363
Indigo Bunting

Mâle: Petit oiseau *tout* bleu indigo À l'automne, le mâle ressemble à la femelle, mais conserve un peu de bleu aux ailes et à la queue. *Femelle:* Brun uni; poitrine plus pâle, à raies indistinctes; petit oiseau sans véritables raies, ni barres alaires, ni autre trait apparent.

Espèce semblable: Le Guiraca bleu (plus gros) a des barres alaires marron.

Voix: Chant: gai, aigu et strident, aux phrases bien mesurées sur des tons différents; notes habituellement doublées: *suît-suît, tchou-tchou,* etc. Cri: *spit* aigu et ténu.

Aire: S-E du Canada, E des É.-U. (à l'O jusqu'aux Black Hills et à la Prairie).

Habitat: Prés broussailleux, orées buissonnantes.

PASSERIN AZURÉ *Passerina amoena* (13-14 cm)
Lazuli Bunting

Mâle: Petit oiseau bleu turquoise, coloré un peu comme le Merlebleu de l'Est (dessus bleu, poitrine et flancs cannelle pâle), mais à *2 barres alaires blanches.* *Femelle:* Oiseau plutôt quelconque, au dos brun non rayé, avec des traces de bleu aux ailes et à la queue, et 2 barres alaires pâles (plus fortes que chez le P. indigo). Les hybrides sont fréquents là où l'aire du P. indigo et celle du P. azuré se chevauchent.

Espèce semblable: La femelle du P. indigo n'a pas de barres alaires aussi prononcées et peut présenter des raies indistinctes à la poitrine.

Voix: Chant: semblable à celui du P. indigo; plus rapide.

Aire: S-O du Canada, O des É.-U. Hiverne au Mexique. Niche à la limite O de notre région (centre du Nord-Dakota, O du Nebr., centre de l'Okl.). **Habitat:** Taillis clairs, buissons le long des cours d'eau.

PASSERIN NONPAREIL *Passerina ciris* (13 cm) 364
Painted Bunting

Petit oiseau de la taille du Bruant familier. *Mâle:* Le passereau le plus coloré d'Am. du N: Tête *bleu violacé,* dos *vert,* croupion et dessous rouges. *Femelle:* Très unie; dessus verdâtre, dessous pâlissant au vert lime; *aucun autre petit granivore n'est complètement vert.*

Voix: Chant gai; gazouillis agréable qui ressemble à celui du Viréo mélodieux, en plus nerveux. Cri: *tchip* aigu.

Aire: S des É.-U., N-E du Mexique. Hiverne au Panama. **Habitat:** Orées des bois, bords de route, broussailles, parcs, jardins.

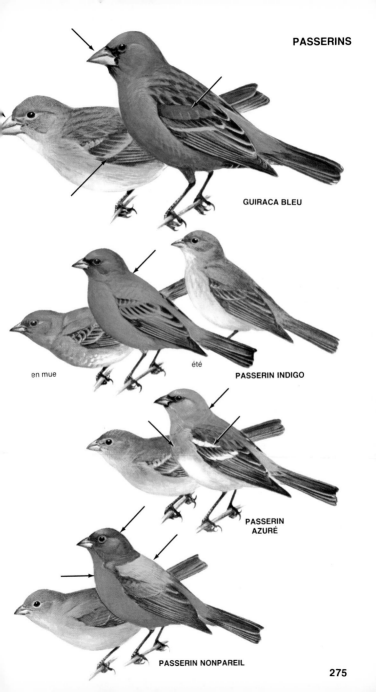

PASSERINS

GUIRACA BLEU

en mue   été   PASSERIN INDIGO

PASSERIN AZURÉ

PASSERIN NONPAREIL

275

CARDINAL À POITRINE ROSE *Pheucticus ludovicianus* (18-21 cm) 365
Rose-breasted Grosbeak

Mâle: Noir et blanc; grand triangle rouge-rose à la poitrine et bec pâle et fort. En vol, le blanc du dessus «clignote» sur fond noir. *Femelle:* Rayée; elle a l'air d'un gros bruant ou d'un Roselin pourpré femelle (p. 270); on l'identifie par le gros bec, les larges barres alaires blanches, la calotte rayée et l'épais sourcil blanc. Couvertures sous-alaires jaunes.

Espèce semblable: Voir le Cardinal à tête noire (ci-dessous).

Voix: Chant fait de strophes montantes et descendantes; ressemble au chant du merle, en plus mélodieux et avec plus d'entrain (on dirait un merle ayant suivi des cours de chant). Cri: *kik* ou *tik* métallique.

Aire: S du Canada, E et centre des É.-U. Hiverne aux Antilles et du Mexique au N-O de l'Am. du S. **Habitat:** Bois décidus, vergers, bosquets, fourrés.

CARDINAL À TÊTE NOIRE *Pheucticus melanocephalus* (16-19 cm)
Black-headed Grosbeak

Mâle: De la taille et de la forme du Cardinal à poitrine rose, mais à poitrine, collier et croupion *brun-orangé terne.* La tête noire, les ailes vivement marquées de noir et de blanc et le bec pâle sont semblables à ceux du C. à poitrine rose. *Femelle:* Comme la femelle du C. à poitrine rose, mais à poitrine fortement teintée de brun ocre; raies plus fines ou presque absentes en travers de la poitrine.

Aire: Du S-O du Canada au S du Mexique. Hiverne au Mexique. Niche dans les parties centrales du Nord- et du Sud-Dakota et au Nebr. S'hybride à l'occasion avec le C. à poitrine rose, là où leurs aires se chevauchent. S'égare parfois jusqu'à la côte E, où il a déjà hiverné à des mangeoires.

TOHI À QUEUE VERTE *Pipilo chlorurus* (16 cm)
Green-tailed Towhee

Granivore élancé de l'O, caractérisé par une *calotte rouge,* une *gorge* bien *blanche,* une moustache blanche, une poitrine grise et un *dos vert-olive* uni. S'est déjà rencontré, à l'occasion, dans une vingtaine d'États et de provinces de l'E (en hiver, habituellement aux mangeoires).

TOHI À FLANCS ROUX *Pipilo erythrophthalmus* (18-21 cm) 366
Eastern Towhee

Se reconnaît, du premier coup d'oeil, à ses *flancs roux.* Plus petit et plus élancé que le merle: fouille bruyamment dans les feuilles mortes. *Mâle:* Tête et dessus noirs, flancs roux, poitrine blanche. Les grandes taches blanches au coins de la queue attirent l'attention. Oeil habituellement rouge (mais blanc chez les oiseaux du S de la côte E et de la Flor.). *Femelle:* Même livrée, sauf que le noir est remplacé par du brun. *Juvénile en été:* Dessous rayé comme chez un gros bruant, mais ailes et queue marquées comme chez l'adulte.

Espèces semblables: Le Tohi tacheté (*Pipilo maculatus,* Spotted Towhee), de l'O, est inusité dans l'E. Il a des barres alaires blanches et des points blancs au dos.

Voix: Chant: *drî-kou-tiiiii,* dernière syllabe plus aiguë, chevrotante. Cri: *tchéouink!* sonore. La race aux yeux blancs du S émet un *chrink* ou *zri* plus coulant; chant: *tchît tchît tchiiiii.*

Aire: Du S du Canada à la Flor. et au Guatemala. Les populations du N migrent. **Habitat:** Bois clairs, broussailles, orées buissonnantes.

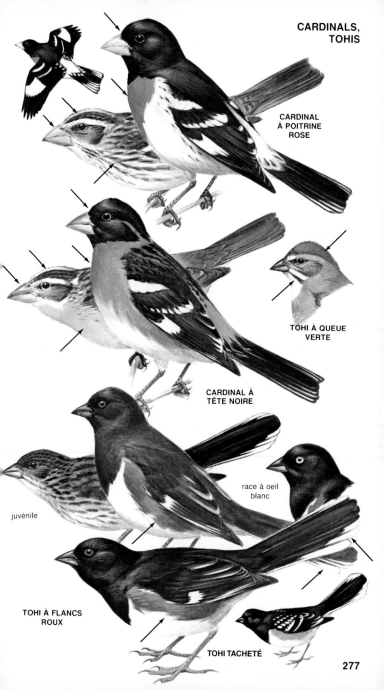

CARDINALS,
TOHIS

CARDINAL
À POITRINE
ROSE

TOHI À QUEUE
VERTE

CARDINAL À
TÊTE NOIRE

race à oeil
blanc

juvénile

TOHI À FLANCS
ROUX

TOHI TACHETÉ

277

BRUANT À GORGE BLANCHE *Zonotrichia albicollis* (16-18 cm) ☑367
White-throated Sparrow
Bruant à poitrine grise, *gorge blanche* et *tache jaune* entre le bec et l'oeil.
Bec noirâtre. Espèce polymorphe: les adultes à *tête rayée de noir et de
blanc* s'accouplent à ceux ayant des raies *brunes et chamois. Hiver:* Plus
terne; raies de la tête en tons variés de noir, de brun, de chamois et de
blanchâtre.
Espèce semblable: Voir le B. à couronne blanche (bec rosé).
Voix: Chant bien connu: plusieurs sifflements clairs et rêveurs, faciles à
imiter; 1 ou 2 notes détachées, 3 en trémolo sur un ton différent: *Où es-tu,
Frédéric, Frédéric, Frédéric?* Cri: *tsît* lié; aussi, *tchinc* sec.
Aire: Canada, N-E des É.-U. Hiverne jusqu'au S des É.-U. et (rarement)
au N-E du Mexique. **Habitat:** Fourrés, strates inférieures des forêts de
conifères et des bois mixtes. Fréquente les mangeoires.

BRUANT À COURONNE BLANCHE *Zonotrichia leucophrys* ☐368
(16-19 cm)   White-crowned Sparrow
Adulte: La poitrine gris clair et la calotte bouffante, *rayée de noir et de
blanc*, en font un des bruants les plus élégants. Bec *rosé. Jeune:* Plus brun;
tête rayée de brun-roux terne et de chamois clair, *bec rose vif.* La race
gambelii, qui migre par la Prairie, peut être différenciée de la race type
par la raie blanche qui se prolonge de l'oeil *à la base du bec.*
Espèce semblable: Le B. à gorge blanche, plus brun, a une gorge blanche
bien nette, une tache jaune devant l'oeil et le bec *noir.*
Voix: Chant: 1 ou plusieurs sifflements clairs et plaintifs (évoquant le B.
à gorge blanche), suivis d'un trille sifflé et enroué. Variable.
Aire: Canada, Alaska, O des É.-U. Hiverne dans l'O et le S des É.-U.,
au Mexique et à Cuba. **Habitat:** Broussailles, orées des bois, bords de
route; en été, buissons de la forêt boréale.

BRUANT À FACE NOIRE *Zonotrichia querula* (19 cm) ☐369
Harris' Sparrow
Gros bruant, de la taille du B. fauve. En plumage nuptial, *calotte, face
et bavette noires* entourent *un bec rose.* Chez les adultes en hiver, la calotte
noire est voilée de gris. Le jeune de premier hiver a du *blanc à la gorge,*
moins de noir à la calotte, le reste de la tête brun chamois, la poitrine marbrée et rayée. Au deuxième hiver, le menton est noir.
Voix: Le chant a les trémolos de celui du B. à gorge blanche; des sifflements clairs sur le même ton, ou 1 ou 2 sur le même ton, les autres légèrement plus aigus et plus graves; effet général en *mode mineur.* Cri d'alarme:
ouînc ou *ouinc* (G. Sutton).
Aire: Centre-N du Canada. Hiverne dans le centre-S des É.-U. **Habitat:**
Forêts-boréales rabougries; en hiver, broussailles, bois clairs.

BRUANT À COURONNE DORÉE *Zonotrichia atricapilla* (15-18 cm)
Golden-crowned Sparrow
Semblable au B. à couronne blanche, mais à couronne jaune terne, bordée
d'une large bande noire. En hiver certains individus peuvent ressembler
à de gros moineaux femelles, mais ils ont la queue plus longue et sont plus
foncés; traces de jaune terne habituellement présentes sur le front.
Aire: N-O de l'Am. du N, hiverne dans les États de la côte O. Inusité
ou exceptionnel en hiver dans l'E jusqu'en N.-É.

BRUANTS

BRUANT À GORGE BLANCHE

forme à bandeaux chamois

été
semblable en hiver

forme à bandeaux blancs

été
plus terne en hiver

BRUANT À COURONNE BLANCHE

jeune

adulte

jeune

adulte

BRUANT À COURONNE DORÉE

adulte
en été

BRUANT À FACE NOIRE

jeune
en hiver

BRUANT FAMILIER *Spizella passerina* (13 cm) $\boxed{370}$

Chipping Sparrow

En pariade: Petit bruant à poitrine grise et *calotte roux vif; ligne noire* en travers de l'œil et *sourcil blanc. En hiver:* Plus brun; poitrine moins grise, calotte et sourcil plus ternes. *Jeune:* Plus brun; raie légère à la calotte, croupion gris.
Voix: Chant: trille sec et monotone. Cri: *tchip* sec.
Aire: Du Canada au Nicaragua. Hiverne à partir du S des É.-U. **Habitat:** Bois clairs, conifères, vergers, parcs, jardins.

BRUANT DES CHAMPS *Spizella pusilla* (13 cm) $\boxed{371}$

Field Sparrow

Noter le *bec rosé* de ce bruant à calotte rousse. Dessus plutôt roussâtre, poitrine assez claire, rayures faciales moins marquées que chez les autres bruants à calotte rousse. Le *cercle oculaire,* étroit et clair, agrandit l'œil. Le juvénile a la poitrine finement rayée. Noter le cercle oculaire.
Voix: Le chant débute par des notes sifflées, douces, coulantes et accélère en un trille (qui monte, descend ou demeure sur le même ton). Cri: *tsî* contrarié.
Aire: S-E du Canada, É.-U. (à l'E des Rocheuses). Hiverne jusque dans le N-E du Mexique. **Habitat:** Pâturages buissonnants, broussailles, arbustes.

BRUANT DES MARAIS *Melospiza georgiana* (13-14 cm) $\boxed{372}$

Swamp Sparrow

Bruant brun-roux plutôt robuste et foncé, à poitrine gris terne, *gorge blanche* bien délimitée et *calotte roussâtre.* Le *jeune* est faiblement rayé; peu ou pas de roux sur la tête traversée de raies.
Espèces semblables: 1) Le B. familier est moins robuste et présente un sourcil blanc ou chamois. 2) Le B. des champs et 3) le B. hudsonien ont des barres alaires nettes. 4) Le jeune est parfois confondu avec le B. de Lincoln (p. 284).
Voix: Chant: trille lâche, semblable à celui du B. familier, mais plus lent, plus doux et plus fort (parfois sur 2 tons en même temps). Cri: *tchink* sec, semblable à celui du B. à gorge blanche.
Aire: Canada (à l'E des Rocheuses), N-E des É.-U. Hiverne jusqu'aux États du g. du Mexique. **Habitat:** Marais d'eau douce avec touffes d'herbes, buissons ou quenouilles; marais de carex.

BRUANT HUDSONIEN *Spizella arborea* (15-16 cm) $\boxed{373}$

American Tree Sparrow

Pour identifier ce «Bruant familier d'hiver», remarquer le *point noir* à la poitrine et la *calotte brun-rouge* unie. La mandibule supérieure est foncée, l'autre est jaune; il a deux barres alaires blanches.
Voix: Chant: doux, variable; débute par 1 ou 2 notes claires. Cri: *tsît;* lorsqu'il se nourrit, *tîlouit* musical.
Aire: Alaska, N du Canada. Hiverne du S du Canada au centre des É.-U.
Habitat: Buissons de l'Arctique, fourrés de saules; en hiver, haies, bords de route, terrains vagues, marais; fréquente les mangeoires.

BRUANT À CALOTTE FAUVE *Aimophila ruficeps* (13-15 cm)

(Bruant à couronne fauve)   Rufous-crowned Sparrow

Noter les *moustaches noires* sur les côtés de la gorge. Bruant foncé à poitrine sombre et unie et à calotte rousse; habitat particulier.
Voix: Chant: bégayant, gloussé. Cri: *dîr, dîr, dîr* nasal.
Aire: S-O des É.-U. Niche localement dans l'E de l'Okl., l'O de l'Ark.
Habitat: Pentes broussailleuses claires et sèches.

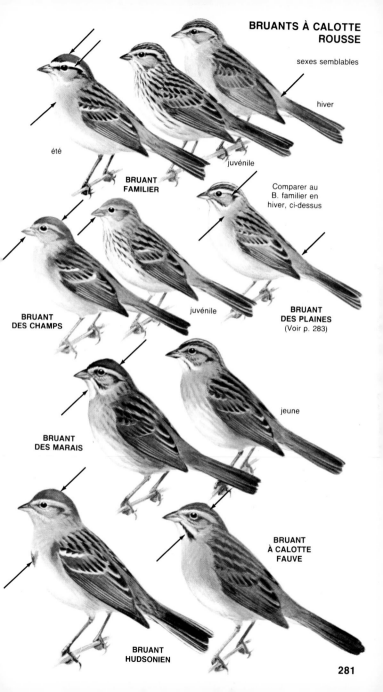

BRUANTS À CALOTTE ROUSSE

sexes semblables

hiver

été

BRUANT FAMILIER

juvénile

Comparer au B. familier en hiver, ci-dessus

BRUANT DES CHAMPS

juvénile

BRUANT DES PLAINES
(Voir p. 283)

BRUANT DES MARAIS

jeune

BRUANT À CALOTTE FAUVE

BRUANT HUDSONIEN

BRUANT À JOUES MARRON *Chondestes grammacus* 374
(14-16 cm)   Lark Sparrow
Noter la *queue noire à coins bien blancs* (comme chez le tohi, pas comme
chez le B. vespéral), la *tache au centre de la poitrine*, ainsi que la tête
bigarrée: tache marron à la joue, calotte rayée. Les jeunes sont finement
rayés, sans tache à la poitrine.
Espèce semblable: Voir le B. vespéral (p. 284).
Voix: Chant: notes claires et trilles séparés par des pauses; caractérisé par
des strophes bourdonnées et vibrées.
Aire: Du S du Canada au N du Mexique; absent à l'E des Appalaches.
Hiverne du S des É.-U. au Salvador. **Habitat:** Champs avec des buissons
et des arbres; fermes, bords de route.

BRUANT DES PLAINES *Spizella pallida* (13 cm) 375
Clay-colored Sparrow
Petit bruant pâle du centre du continent, à poitrine unie; ressemble au B.
familier, en plus chamois. Noter la *raie claire de la calotte et la joue bien
délimitée*. À l'automne, livrée moins nette (voir ci-dessous).
Espèce semblable: Le B. familier et le B. des plaines ont tous deux
la joue brune en automne et en hiver. Le B. des plaines a des marques
plus nettes à la tête et la poitrine plus chamois, contrastant avec le col ou
la nuque grise. Le croupion est *brun* chez le B. des plaines, *gris* chez le
B. familier.
Voix: Bruit d'insecte; 3 ou 4 bourdonnements graves et monotones: *bzzz
bzzz bzzz*. **Aire:** O et centre du Canada, centre-N des É.-U. Hiverne au
Mexique. **Habitat:** Buissons, prairies broussailleuses. Pins gris.

BRUANT SAUTERELLE *Ammodramus savannarum* (11-13 cm) 376
Grasshopper Sparrow
Petit bruant de champ, à queue courte et pointue, tête plate et épaulettes
jaunes. Raie médiane claire à la calotte, dos rayé de marron et de noir.
Diffère des autres bruants habitant les champs par la poitrine chamois à
peu près sans rayures. Vole peu.
Espèce semblable: Avec la poitrine rayée, le juvénile (en fin d'été) res-
semble au B. de Henslow adulte, mais n'a pas les ailes aussi rougeâtres.
Voix: Deux chants: 1) 2 notes faibles, puis un bourdonnement ténu et sec,
pi-top ziiiiiiiiiii: 2) cascade de notes bourdonnées et ténues.
Aire: Du S du Canada au S des É.-U.; Antilles; du S du Mexique à l'Équateur. **Habitat:** Prés, champs de foin, steppes.

BRUANT DES PINÈDES *Aimophila aestivalis* (14 cm) 377
Bachman's Sparrow
Dans les bois secs et clairs du Sud, ce bruant farouche s'envole avec hési-
tation, puis plonge dans les broussailles où il joue à cache-cache. On peut
entrevoir alors ses rayures, son dessus brun rougeâtre et sa poitrine teintée de chamois terne.
Espèces semblables: 1) Le B. des champs, plus petit, a un bec *rose*
plus petit. 2) Le B. sauterelle vit dans les prés; il a la calotte légèrement
rayée et la queue deux fois plus courte. 3) En été, le jeune B. des pinèdes
a un cercle oculaire et la poitrine rayée de chamois; il ressemble au B.
de Lincoln, qui ne se rencontre pas dans le Sud en été. **Voix:** Chant variable; habituellement un sifflement clair et coulant, suivi d'un trille lâche
ou d'un gazouillis sur un ton différent; par exemple: *siiiii, slip slip slip
slip slip* (évoque vaguement la Grive solitaire). **Aire:** S-E des É.-U. **Habitat:** Pinèdes et chênaies claires, palmiers arbustifs, pâturages broussailleux.

BRUANTS
la plupart à poitrine unie

sexes semblables

juvénile

adulte

**BRUANT À
JOUES MARRON**

**BRUANT
FAMILIER**

hiver

Voir l'adulte
en été, p. 281

été

hiver

**BRUANT
DES
PLAINES**

**BRUANT
SAUTERELLE**

Voir le juvénile,
p. 287

adulte

**BRUANT
DES PINÈDES**

**BRUANT
DE HENSLOW**

juvénile

Voir l'adulte, p. 287

283

BRUANT FAUVE *Passerella iliaca* (17-19 cm) |378|
Fox Sparrow

Bruant plus gros que le moineau, à *queue rousse* voyante en vol. L'agencement du roux et du gris de la région du cou lui donne un petit air malin. Poitrine fortement rayée de roux. Fouille dans les feuilles mortes comme le tohi.

Espèce semblable: La Grive solitaire (p. 222) a la queue rousse, mais a le bec fin; elle n'a pas le dos rayé et elle est plutôt grivelée que rayée. **Voix:** Chant remarquablement mélodieux: arrangement varié de courtes notes claires et de sifflements coulants. **Aire:** Alaska, Canada; des montagnes de l'O jusqu'au centre-O des É.-U. Hiverne jusque dans le S des É.-U. **Habitat:** Strates basses des forêts, broussailles.

BRUANT CHANTEUR *Melospiza melodia* (13-16 cm) |379|
Song Sparrow

Noter les raies fortes de la poitrine qui se concentrent en une *tache sombre au centre.* En vol, agite la queue de haut en bas. Les jeunes sont plus finement rayés, souvent sans tache pectorale.

Espèces semblables: 1) Le B. des prés (p. 286) se tient davantage dans les champs; il présente souvent du jaunâtre au-dessus de l'oeil; il a la queue courte et *encochée* et les pattes plus roses. 2) Voir le B. de Lincoln (ci-dessous).

Voix: Chant: suite variable de notes, certaines musicales, d'autres bourdonnées; débute habituellement par 3 ou 4 notes répétées, *tioui, tioui, tioui,* etc. Cri: *tchep* nasal et grave. **Aire:** Alaska, du Canada au centre du Mexique. **Habitat:** Fourrés, broussailles, marais, bords de route, jardins.

BRUANT VESPÉRAL *Pooecetes gramineus* (15 cm) |380|
Vesper Sparrow

Noter les *plumes latérales blanches de la queue,* voyantes en vol. Autrement, on dirait un B. chanteur grisâtre, mais à *cercle oculaire blanchâtre.* L'épaulette *marron* est moins visible.

Espèces semblables: D'autres oiseaux de pré ont les rectrices latérales blanches: 1) les sturnelles, p. 256; 2) les pipits, p. 200; 3) les bruants du genre *Calcarius,* p. 264; 4) le junco, p. 266; 5) le Bruant à joues marron, p. 282. **Voix:** Le chant, plus guttural que celui du B. chanteur, débute habituellement par 2 notes claires en mineur, suivies de 2 plus aigües. **Aire:** Du Canada au centre des É.-U. Hiverne jusqu'au Mexique. **Habitat:** Prés, champs, steppes, bords de route.

BRUANT DE LINCOLN *Melospiza lincolnii* (14 cm) |381|
Lincoln's Sparrow

Oiseau furtif, «qui aurait peur de son ombre». Semblable au B. chanteur, mais plus «soigné»; côtés de la face plus gris, rayures beaucoup *plus fines* à la poitrine, tache pectorale souvent absente. Noter le *chamois crème* de la poitrine et l'étroit cercle oculaire.

Espèce semblable: Le jeune B. des marais, quelquefois pris pour le B. de Lincoln, a la poitrine plus sombre et des rayures moins nettes. Le B. de Lincoln, est plus gris et a la calotte rayée de façon plus contrastée (roux sur fond gris pâle).

Voix: Chant: doux et gloussé; évoque à la fois le Troglodyte familier et le Roselin pourpré; débute par des strophes basses, monte brusquement, puis redescend. **Aire:** Alaska, Canada, O et N-E des É.-U. Hiverne du S des É.-U. au Guatemala. **Habitat:** Fourrés de saules et d'aulnes, tourbières. En hiver, fourrés, terrains vagues, buissons.

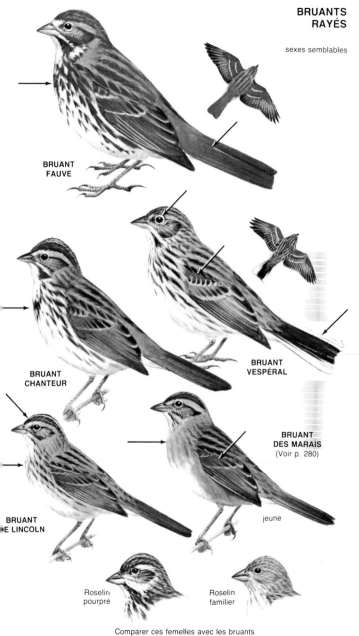

BRUANT
FAUVE

BRUANT
CHANTEUR

BRUANT
VESPÉRAL

BRUANT
DES MARAIS
(Voir p. 280)

BRUANT
E LINCOLN

jeune

Roselin
pourpré

Roselin
familier

Comparer ces femelles avec les bruants
(mâles illustrés en p. 271)

285

BRUANT DES PRÉS *Passerculus sandwichensis* (en partie) 382

(11-14 cm) Savannah Sparrow

Ce bruant de champ rayé rappelle le B. chanteur, mais il a habituellement un sourcil *jaunâtre*, une raie blanchâtre au milieu de la calotte, la queue courte et encochée et les pattes plus roses. Le jaunâtre au-dessus de l'oeil peut être absent. La queue encochée aide à l'identifier lorsqu'on fait lever des bruants.

Espèce semblable: Le B. chanteur a la queue plus longue et *arrondie*.

Voix: Chant: zézaiement ténu, *tsit-tsit-tsit, tsriiii-tsraaaé* (dernière note plus basse). Cri: *tsip* léger.

Aire: Alaska, du Canada au Guatemala. Hiverne en Am. centrale et aux Antilles. **Habitat:** Champs, prés, marais côtiers, steppes, dunes, rivages.

BRUANT DES PRÉS *Passerculus sandwichensis princeps* 383

(15-16 cm) Savannah Sparrow

(race de l'île de Sable) Race pâle du B. des prés; plus grande, gris sable, à répartition restreinte. Porte un sourcil jaune pâle au printemps.

Espèce semblable: Peut ressembler au B. vespéral, mais il a une raie blanchâtre au centre de la calotte et n'a pas de rectrices latérales blanches.

Voix: Semblable à celle du B. des prés typique.

Aire: Niche dans l'île de Sable, en Nouv.-Écosse. Hiverne le long de la côte américaine jusqu'en Georgie. **Habitat:** Dunes de sable, graminées, lisières des marais adjacents aux plages.

BRUANT DE BAIRD *Ammodramus bairdii* (13 cm) 384

Baird's Sparrow

Bruant de steppe furtif. La poitrine pâle est traversée par une *bande étroite* de fines raies noires. Tête ocre, rayée de noir. La caractéristique clé est la large raie *ocre* au centre de la calotte.

Espèce semblable: Le B. des prés a le dessous davantage rayé; la rayure du milieu de la tête est plus étroite (blanchâtre, non ocre).

Voix: Chant plus musical que celui du B. des prés; débute par 2 ou 3 *zip* aigus et musicaux et se termine sur un trille plus grave.

Aire: N de la Prairie. Hiverne dans le S-O des É.-U. et le N du Mexique.

Habitat: Steppes à hautes herbes indigènes; localisé.

BRUANT DE HENSLOW *Ammodramus henslowii* (12-13 cm) 385

Henslow's Sparrow

Bruant de champ très discret: passerait facilement inaperçu sans son chant singulier. Queue courte, tête plate, bec pâle et fort, poitrine finement rayée. La tête olive et rayée, alliée aux ailes roussâtres, le caractérisent. Vole bas et par soubresauts, avec un mouvement de torsion de la queue.

Espèce semblable: Voir le B. sauterelle (p. 282). Le jeune B. de Henslow (en été) n'a pratiquement aucune raie à la poitrine et ressemble alors au B. sauterelle. Inversement, le jeune B. sauterelle a la poitrine rayée, mais n'a pas les tons olive et roux du B. de Henslow adulte.

Voix: Chant pauvre: *tsi-lick* hoqueté. Peut chanter durant les nuits calmes.

Aire: Centre et N-E des É.-U. **Habitat:** Champs abandonnés.

BRUANTS DE CHAMP À POITRINE RAYÉE

sexes semblables

BRUANT DES PRÉS

typique

BRUANT DES PRÉS

forme foncée du Nord

BRUANT DES PRÉS

(race de l'île de Sable)

BRUANT DE BAIRD

BRUANT DE HENSLOW

adulte

(juvénile, p. 283)

BRUANT SAUTERELLE

(adulte, p. 283)

juvénile

287

BRUANT À QUEUE AIGUË *Ammodramus caudacutus* (13-15 cm) 386
Sharp-tailed Sparrow

Bruant de marais. Noter le *motif jaune-ocre* foncé qui entoure complètement la joue grise. Sur la côte, le B. à queue aiguë a la poitrine rayée; celui des steppes continentales est plus chamois et à peine rayé. Les oiseaux côtiers du Nord (Maine et plus au N) ont le dos plus gris et des rayures moins nettes que ceux du S.
Espèces semblables: 1) Le B. maritime juvénile, tard à l'été, est très semblable au B. à queue aiguë. 2) Dans la Prairie, voir le B. de Le Conte. 3) Le B. des Prés (p. 286) a la queue encochée.
Voix: Chant: bourdonnement haleté, *toptop-chiiiiiiiii*.
Aire: Prairie canadienne, côte atlantique, estuaire du St-Laurent. Hiverne sur la côte. **Habitat:** Marais, tourbières; marais côtiers.

BRUANT DE LE CONTE *Ammodramus leconteii* (11-13 cm) 387
Le Conte's Sparrow

Bruant à queue pointue des marais herbeux de la Prairie. Noter la poitrine et le sourcil *jaune-ocre vif* et les raies *limitées aux flancs.* Les autres caractères sont la *nuque brun rosé,* la raie blanchâtre de la calotte et les rayures fortes du dos.
Espèces semblables: 1) Le B. à queue aiguë a la calotte unie. 2) Le B. sauterelle (p. 282) n'a pas de raie sur les flancs.
Voix: Chant: 2 grésillements de criquet, *tibizz-tip* très ténu.
Aire: Centre-S du Canada et N de la Prairie américaine. Migre jusqu'au g. du Mexique. **Habitat:** Herbes hautes, champs de foin abandonnés, marais.

BRUANT MARITIME *Ammodramus maritimus* (15 cm) 388
Seaside Sparrow

Bruant très terne des marais côtiers. Gris-olive foncé; queue pointue, *petite tache jaune devant l'oeil,* raie blanchâtre sous la joue. Partage les marais avec le B. à queue aiguë.
Espèces semblables: La race à dos foncé et la race de Cape Sable étaient autrefois considérées comme des espèces distinctes.
Voix: Chant: *cotcot zhi'-iiiiiiii;* très semblable au chant du B. à queue aiguë,mais d'habitude plus fortement accentué au milieu *(zhi').* Cri: *tchac* (comme un Carouge à épaulettes).
Aire: Marais côtiers, du S de la Nouv.-Angl. à la Flor. et le long de la côte du g. du Mexique jusqu'au Texas. **Habitat:** Marais salés.

BRUANT À QUEUE AIGUË *Ammodramus caudacutus* (13-15 cm) 389
Salt marsh Sharp-tailed Sparrow

Bruant de marais. Noter le motif *jaune-ocre* foncé qui entoure complètement la joue grise.
Espèces semblables: 1) Le B. maritime juvénile, tard à l'été, est très semblable au B. à queue aiguë. 2) Le B. des prés a la queue encochée.
Voix: Chant: Bourdonnement haleté, *tsi-lik tsssss-s-s-s-s*
Aire: Côte atlantique, du sud du Maine à la Caroline du Nord. Hiverne sur la côte. **Habitat:** Marais côtiers.

BRUANT DE NELSON *Ammodramus nelsoni* (13-15 cm) 389
Nelson's Sharp-tailed Sparrow

Bruant de marais. Noter le motif *jaune-ocre* foncé qui entoure complètement la joue grise. Les oiseaux côtiers, du Maine jusque dans l'estuaire du Saint-Laurent, ont le dos grisâtre et des rayures estompées à la poitrine. Ceux des steppes continentales sont plus chamois et à peine rayés.
Espèces semblables: 1)Voir le B. de Le Conte. 2) Le B. des prés a la queue encochée.
Voix: Chant: Bourdonnement haleté, *top-top-chiiiiii*, comme un poêlon brûlant trempé dans l'eau froide.
Aire: Côtes de la baie James, estuaire du Saint-Laurent, côtes des prov. Maritimes et du Maine. Hiverne sur la côte. **Habitat:** Marais

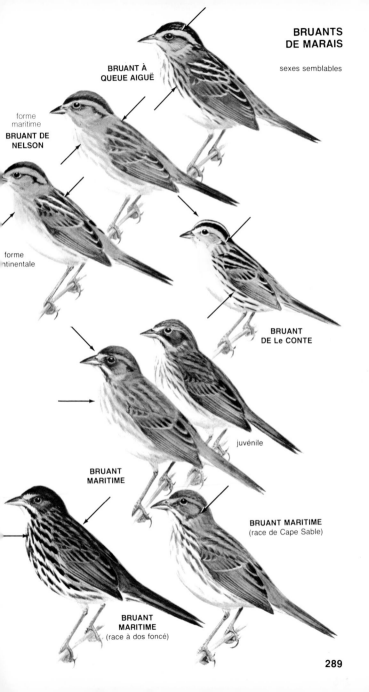

**BRUANTS
DE MARAIS**

sexes semblables

BRUANT À
QUEUE AIGUË

forme
maritime
**BRUANT DE
NELSON**

forme
ntinentale

BRUANT
DE Le CONTE

juvénile

BRUANT
MARITIME

BRUANT MARITIME
(race de Cape Sable)

BRUANT
MARITIME
(race à dos foncé)

ESPÈCES EXCEPTIONNELLES:
OISEAUX DE MER

1- ALBATROS À SOURCILS NOIRS *Thalassarche melanophris* (80-85 cm)
Black-browed Albatross

Envergure, 2,30 m. Comme un gigantesque Goéland à manteau noir, mais la *queue noirâtre* et courte, le bec jaune, très gros et crochu à l'extrémité. La *ligne sombre à l'œil* lui donne un air renfrogné. En plané, les ailes blanches, largement lisérées de noir dessous, sont tenues raidies. (Mers froides de l'hémisphère S). S'égare au large, dans l'Atlantique N, jusqu'en Nouv.-Écosse.

2- ALBATROS À NEZ JAUNE *Thalassarche chlororhynchos* (73-85 cm)
Yellow-nosed Albatross

Envergure, 2,10-2,30 m. Comme l'Albatros à sourcils noirs, mais le bec *noir*, à *arête jaune* à la mandibule supérieure. En vol, le dessous de l'aile est plus blanc, le liséré noir plus étroit. (Mers froides de l'hémisphère S). Inusité au large, dans l'Atlantique N, jusqu'en Nouv.-Écosse.

3- FOU À PIEDS ROUGES *Sula sula* (65-75 cm)
(Fou à pattes rouges)
Red-footed Booby

Les adultes ont les *pieds rouge vif*. Bec bleu pâle. *Forme blanche:* Ressemble au Fou de Bassan; rémiges secondaires noires comme chez le Fou masqué (p. 80) mais la queue est *blanche. Forme brune:* Ailes et dos bruns, tête plus pâle; queue et ventre blancs. (Mers tropicales). Signalé en Louis., Flor. (au moins une douzaine d'observations récentes, surtout au large des Dry Tortugas).

4- FRÉGATE ARIEL *Fregata ariel* (78 cm)
(Petite Frégate)
Lesser Frigatebird

Plus petite que la Frégate superbe; avec les *flancs marqués d'un rond blanc*, le mâle est bien caractérisé. La femelle a un collier marron (et non gris) à l'arrière du cou. (Mers tropicales). Photographié au Maine (1960).

5- PHAÉTON À BEC ROUGE *Phaethon aethereus* (60-100 cm)
(Grand Paille-en-queue)
Red-billed Tropicbird

Diffère du Phaéton à bec jaune (p. 80) par le *dos très barré* et le bec *rouge vif* (et non orange ou jaune). (Mers tropicales). Exceptionnel en Flor., au N.-Y., au R.-I., et sur les bancs de T.-N.

6- GOÉLAND SIMÉON *Larus belcheri* (50 cm)
Band-tailed Gull

Goéland à dos noir, portant une *bande noire* bien nette au bout de la queue. Bec à extrémité *rouge*; pattes jaunes. Plumage d'hiver: *tête noirâtre.* (Am. du S). Comté de Collier, Flor., (3 années).

7- GOÉLAND CENDRÉ *Larus canus* (40-45 cm)
Mew Gull

Plus petit que le Goéland à bec cerclé; petit bec jaune verdâtre, court et *sans* marque; dos plus foncé. Pieds *verdâtres.* Le jeune ressemble à un jeune Goéland argenté en miniature, avec un bec de pluvier. (N de l'Eurasie, N-O de l'Am. du N). Signalé dans une douzaine d'États et de provinces, de la côte de T.-N. à celle de Flor.

OISEAUX DE MER
EXCEPTIONNELS

dessous

ALBATROS À SOURCILS NOIRS

ALBATROS À SOURCILS NOIRS

forme brune

ALBATROS À NEZ JAUNE

FOU À PIEDS ROUGES

FRÉGATE ARIEL ♂

forme blanche

PHAÉTON À BEC ROUGE

été

hiver

GOÉLAND SIMÉON

GOÉLAND CENDRÉ

291

ESPÈCES EXCEPTIONNELLES:
OISEAUX DE MER

1- OCÉANITE DE CASTRO *Oceanodroma castro* (18-20 cm)
(Pétrel de Castro)   Band-rumped Storm-Petrel
Très semblable à l'O. cul-blanc, mais les ailes sont plus courtes et le vol moins bondissant; queue plus carrée. Le blanc du croupion est large, forme une *bande droite* (non interrompue comme chez l'O. cul-blanc) et se prolonge sur les flancs et les sous-caudales (E de l'Atlantique, Pacifique). Flor., Car. du N., Mo., Ind., Dist. de C., Del., Penn., Ont.

2- OCÉANITE TEMPÊTE *Hydrobates pelagicus* (15 cm)
(Pétrel tempête)   British Storm-Petrel
Plus petit que l'O. de Wilson. Pattes plus courtes; pieds (sans palmure jaune) ne dépassant pas la queue carrée. *Tache blanchâtre* sous l'aile. (E de l'Atlantique N). Île de Sable, N.-É.

3- OCÉANITE FRÉGATE *Pelagodroma marina* (20 cm)
(Pétrel Frégate)   White-faced Storm-Petrel
Océanite à tête et dessous blancs; calotte sombre et tache sombre à l'œil. (S-E de l'Atlantique, S-O du Pacifique, Océan Indien). Plusieurs observations en haute mer, de la Car. du N au Mass.

4- PETIT PUFFIN *Puffinus assimilis* (26-30 cm)
(Puffin obscur)   Little Shearwater
Plus petit que le P. d'Audubon (p. 74): queue plus courte. Pattes bleutées contrastant avec les sous-caudales blanches (le P. d'Audubon a les pattes couleur chair, les sous-caudales noirâtres). Le P. des Anglais (p. 74) est plus grand, a les ailes plus longues, le noir de la face étendu sous l'œil. (E de l'Atlantique, mers de l'hémisphère S). Car. du S, Car. du N, Maine, N.-É.

5- PÉTREL HÉRAULT *Pterodroma arminjoniana* (40 cm)
(Diablotin hérault)   Herald Petrel
Formes pâle, intermédiaire ou foncée. Les 2 spécimens nord-amér. étaient foncés; diffère du Puffin fuligineux par l'absence de couvertures argentées sous l'aile. Les zones claires sous les primaires rappellent les labbes. Pattes et pieds sombres. (Atlantique S, Océan Indien). N.-Y., au large de la Car. du N.

6- PÉTREL MACULÉ *Pterodroma inexpectata* (35 cm)
(Diablotin maculé)   Mottled Petrel
S'identifie par la poitrine blanche, le ventre sombre et la barre noire sur fond blanc du dessous de l'aile. (N.-Z., Pacifique). N.-Y. (1880).

7- DAMIER DU CAP *Daption capense* (35 cm)
                                                                Cape Petrel
Taille de la Mouette de Bonaparte: livrée très caractéristique: *Grandes plaques blanches à l'aile.* (Mers froides de l'hémisphère S). Maine (1873).

Remarque: On aurait photographié un **PÉTREL DES KERMADEC**, *Pterodroma neglecta,* (Kermadec Petrel) en Penn., et récolté il y a longtemps des spécimens aujourd'hui perdus de l'**OCÉANITE À VENTRE BLANC**, *Fregetta grallaria,* (White-bellied Storm-Petrel) au large de la Flor.

8- GUIFETTE LEUCOPTÈRE *Chlidonias leucopterus* (23 cm)
                                                              White-winged Tern
En été, sous-alaires *noires,* dessus de l'aile en grande partie *blanc.* En hiver, plus pâle que la Guifette noire; pas de tache sombre à l'épaule. (Eurasie). Wisc., N.-B., Mass., Del., Georgie.

9- STERNE À GROS BEC *Phaetusa simplex* (36 cm)
(Sterne à miroir)   Large-billed Tern
Bec *jaune et très gros.* L'aile rappelle celle de la Mouette de Sabine (primaires noirâtres, secondaires blanches). Queue courte, grise, presque carrée. (Am. du S). Signalée en Ill., Ohio.

OISEAUX DE MER
EXCEPTIONNELS

OCÉANITE
TEMPÊTE

OCÉANITE DE CASTRO

OCÉANITE
FRÉGATE

PETIT PUFFIN

DAMIER DU CAP

PÉTREL
MACULÉ

PÉTREL
HÉRAULT

GUIFETTE LEUCOPTÈRE

STERNE À GROS BEC

293

ESPÈCES EXCEPTIONNELLES D'EURASIE

L'Amérique du Nord et l'Europe se partagent de nombreuses espèces d'échassiers. Plusieurs autres traversent l'Atlantique plus ou moins rarement, dans un sens ou l'autre. Deux espèces eurasiennes, le Bécasseau varié et le B. cocorli, d'occurence rare mais régulière, sont signalées chaque année dans l'E de l'Amérique du N. Voir le Guide *des oiseaux d'Europe* (PETERSON et coll., Delachaux & Niestlé) pour les caractéristiques de la plupart des espèces ci-dessous.

1- PLUVIER DORÉ *Pluvialis apricaria* (Greater Golden-Plover)
Régulier dans le S du Groenland. Signalé à T.-N.

2- VANNEAU HUPPÉ *Vanellus vanellus* (Northern Lapwing)
T. de Baffin, Labr., Qc, N.-B., N.-É., Maine, R.-I., N.-Y., Car. du N, Car. du S, Flor.

3- PLUVIER DE MONGOLIE *Charadrius mongolus* (Mongolian Plover)
Lousiane. Taille et bec fort du P. de Wilson. Bande pectorale rousse et masque noir l'été, mais non l'hiver.

4- BÉCASSE DES BOIS *Scolopax rusticola* (Eurasian Woodcock)
Qc, T.-N., Ohio, Penn., N.-J., Virg., Alab. (toutes de vieilles mentions).

5- BÉCASSINE DOUBLE *Gallinago media* (Great Snipe)
N.-J., Virginie.

6- BÉCASSINE SOURDE *Limnocryptes minimus* (Jack Snipe)
Labrador.

7- CHEVALIER ABOYEUR *Tringa nebularia* (Common Greenshank)
Observation, N.-Y.

8- CHEVALIER GAMBETTE *Tringa totanus* (Common Redshank)
Observations, N.-É., R.-I.

9- CHEVALIER ARLEQUIN *Tringa eryrhropus* (Spotted Redshank)
Ont., T.-N., Conn., R.-I., Penn.

10- BARGE À QUEUE NOIRE *Limosa limosa* (Black-tailed Godwit)
T.-N., Maine, N.-J.

11- BARGE ROUSSE *Limosa lapponica* (Bar-tailed Godwit)
T.-N., Miquelon, N.-Y., N.-J., Car. du N, Flor.

12- COURLIS CENDRÉ *Numenius arquata* (Eurasian Curlew)
T.-N., N.-É., Mass., N.-Y. Croupion blanc.

13- COURLIS CORLIEU *Numenius phaeopus* (Whimbrel)
(en partie; races européennes) N.-É., Mass., N.-Y., N.-J. Croupion blanc.

14- AIGRETTE GARZETTE *Egretta garzetta* (Little Egret)
(non illustrée) T.-N. En plumage nuptial, diffère de l'Aigrette neigeuse par 2 longues plumes effilées à la tête.

15- GRUE CENDRÉE *Grus grus* (Common Crane)
(non illustrée) Photographiée au Nebr.

16- RÂLE DES GENÊTS *Crex crex* (Corn Crake)
Voir p. 115.

1   hiver   2

2

hiver

3   été

4

5

6

7

8   été

9   hiver

10

11   hiver

12   hiver

13

ESPÈCES EXCEPTIONNELLES D'EURASIE

Le *Guide des oiseaux d'Europe* (PETERSON et coll., Delachaux & Niestlé) présente les caractéristiques des espèces énumérées ici. Certaines mentions sont attestées par des spécimens ou des photos, d'autres par des observations convaincantes. Certains Anatidés sont soupçonnés de s'être échappés de zoos ou de volières. Les trois passereaux illustrés ci-contre peuvent avoir été déportés par le vent, en migration, de la Scandinavie à l'Am. du N et sont sans doute d'authentiques visiteurs, mais les espèces suivantes (non illustrées) sont plus suspectes: Pinson des arbres (N.-Y., Penn., Louis.), Gros-bec casse-noyaux (Mass.), Tarin des aulnes (Wisc., N.-Y.), Verdier d'Europe (N.-B., N.-Y.), Linotte mélodieuse (Ont., N.-Y.), Bouvreuil pivoine (N.-Y.), Rougegorge familier (N.-Y.), Mésange charbonnière (Qc, N.-B., à une mangeoire) et Mésange bleue (Ont., à une mangeoire). Ces oiseaux peuvent, selon le cas, être ou non échappés de captivité. Une traversée aidée par un navire est également possible.

1- **GRIVE LITORNE**   *Turdus pilaris*   (Fieldfare)   Niche dans le S-O du Groenland. T.-N., N.-É., Qc, Ont., Conn., N.-Y., Del.

2- **PINSON DU NORD**   *Fringilla montifringilla*   (Brambling)   Penn., N.-J. (2).

3- **GRIVE MAUVIS**   *Turdus iliacus*   (Redwing)   N.-Y.

4- **SARCELLE D'ÉTE**   *Anas querquedula*   (Garganey)   Man., Î.-P.-É., N.-B., Mass., N.-Y., Del., Tenn., Car. du N, Alab.

5- **SARCELLE ÉLÉGANTE**   *Anas formosa*   (Baikal Teal)   Ohio, Penn., Car. du N (échappées?).

6- **FULIGULE MORILLON**   *Aythya fuligula*   (Tufted Duck)   Ont., Ill., Ind., Mass., Conn., N.-Y., N.-J. De plus en plus fréquent.

7- **NETTE ROUSSE**   *Netta rufina*   (Red-crested Pochard)   N.-Y. (?); spécimen d'origine douteuse.

8- **HARLE PIETTE**   *Mergellus albellus*   (Smew)   Ont., Qc, R.-I.

9- **TADORNE DE BELON**   *Tadorna tadorna*   (Common Shelduck)   Mass., Del.

10- **TADORNE CASARCA**   *Tadorna ferruginea*   (Ruddy Shelduck)   Qc, Vt, Mass., R.-I., N.-J., Ky.

11- **OIE CENDRÉE**   *Anser anser*   (Graylag Goose)   Mass.

12- **OIE DES MOISSONS**   *Anser fabalis*   (Bean Goose)   Qc.

13- **OIE À BEC COURT**   *Anser brachyrhynchus*   (Pink-footed Goose)   Mass., N.-Y.

14- **OIE NAINE**   *Anser erythropus*   (Lesser White-fronted Goose)   Penn., N.-J., Md, Del.

15- **BERNACHE NONNETTE**   *Branta leucopsis*   (Barnacle Goose)   Labr., Qc, N.-B., Ont., Vt, Mass., Conn., N.-Y., Penn., Md, Okl., Car. du N, Alab.

16- **BERNACHE À COU ROUX**   *Branta ruficollis*   (Red-breasted Goose) Mass., N.-Y., Penn. (échappées?).

17- **CYGNE CHANTEUR**   *Cygnus cygnus*   (Whooper Swan)   Nichait jadis dans le S-O du Groenland. Exceptionnel au Maine (1903).

18- **FOULQUE MACROULE**   *Fulica atra*   (Eurasian Coot)   (non illustrée) T.-N. N'a pas les sous-caudales blanches de la Foulque d'Amérique.

19- **PYGARGUE À QUEUE BLANCHE**   *Haliaeetus albicilla*   (White-tailed Eagle) (non illustré) Mass., Conn.

20- **ÉPERVIER D'EUROPE**   *Accipiter nisus*   (European Sparrowhawk)   (non illustré) N.-J. (photo non convaincante).

21- **FAUCON CRÉCERELLE**   *Falco tinnunculus*   (Eurasian Kestrel)   (non illustré) Mass., N.J.

ESPÈCES TROPICALES EXCEPTIONNELLES

C'est généralement en Floride qu'on trouve des oiseaux antillais égarés. Pour leurs caractéristiques, voir *Birds of the West Indies* (J. BOND, Collins), abrégé W.I. ci-dessous. Les espèces américaines sont decrites dans *A Field Guide to Mexican Birds* (PETERSON et coll., No 20, Houghton Mifflin), abrégé Mex., ou *A field Guide to the Birds of* Texas (No 13), abrégé Tex. Les présences en Floride sont détaillées dans un ouvrage de W. Biggs. Certaines mentions restent douteuses.

1. **JACANA DU MEXIQUE** *Jacana spinosa* (Northern Jacana)
   (Tex.) Flor.

2- **RÂLE À BEC PEINT** *Neocrex erythrops* (Paint-billed Crake)
   (Pérou, Galapagos) Virg. Plus petit que la Marouette de Caroline; ardoisé, les pattes et la base du bec rouge-corail.

3- **RÂLE TACHETÉ** *Pardirallus maculatus* (Spotted Rail)
   (Mex.) Penn.

4- **ÉRISMATURE ROUTOUTOU** *Oxyura dominica* (Masked Duck)
   (Tex.) S de la Flor. (plus de 20 mentions; a probablement niché à Loxahatchee); également Louis., Alab., Georgie, Md, Mass., Wisc., Vt.

5- **DENDROCYGNE À VENTRE NOIR** *Dendrocygna autumnalis* (Black-bellied Whistling-Duck)
   (Tex.) Louis., Ill., Flor. (a niché); échappés?

6- **CANARD DES BAHAMAS** *Anas bahamensis* (White-cheeked Pintail)
   (W.I.) Flor. (plusieurs), Virg., Ill., Wisc.

7- **GRÈBE MINIME** *Tachybaptus dominicus* (Least Grebe)
   (Tex.) Louis., Flor.

8- **FOULQUE À CACHET BLANC** *Fulica caribea* (Caribbean Coot)
   (W.I.) S de la Flor. (plusieurs observations récentes; peut nicher). Se distingue de la Foulque d'Amérique par sa plaque frontale plus large, entièrement blanche (ou teintée de jaune).

9- **TOURTERELLE À QUEUE CARRÉE** *Zenaida aurita* (Zenaida Dove)
   (W.I., Mex.) Nichait autrefois dans les Keys de Flor.; exceptionnelle aujourd'hui dans le S de la Flor.

10- **COLOMBE À JOUES BLANCHES** *Geotrygon chrysia* (Key West Quail-Dove)
   (W.I.) Key West, (avant 1900); récemment dans le S de la Flor.

11- **COLOMBE ROUVIOLETTE** *Geotrygon montana* (Ruddy Quail-Dove)
   (W.I., Mex.) Dry Tortugas et Keys de Flor.

12- **PIGEON À COU ROUGE** *Columba squamosa* (Scaly-naped Pigeon)
   (W.I.) Key West, Georgie.

13- **COLOMBE À TÊTE BLEUE** *Starnoenas cyanocephala* (Blue-headed Quail-Dove)
   (non illustrée; voir W.I.) Présence douteuse. L'observation d'Audubon à Key West peut être mise en doute, tout comme la provenance d'un spécimen de Miami (peut-être échappé de zoo).

14- **BUSE NOIRE** *Buteogallus anthracinus* (Common Black-Hawk)
   (non illustrée; voir Tex. ou Mex.) Minn., Flor. (au moins 4 oiseaux différents vus dans la région de Miami).

1

jeune

adulte

2

3

♂

4

5

hiver

5

6

été

7

5

8

9

10

11

12

ESPÈCES TROPICALES EXCEPTIONNELLES

1- **HIRONDELLE À FRONT BRUN** *Petrochelidon fulva* (Cave Swallow) (Mex., Tex.) I. de Sable en N.-É. (plusieurs); Keys de Flor., Dry Tortugas (peut-être régulière).

2- **HIRONDELLE DES BAHAMAS** *Tachycineta cyaneoviridis* (Bahama Swallow) (W.I.) Keys de Flor. (plusieurs mentions; peut avoir niché).

3- **MARTINET PETIT-ROLLÉ** *Tachornis phoenicobia* (Antillean Palm Swift) (W.I.) Key West.

4- **ÉMERAUDE DE RICORD** *Chlorostilbon ricordii* (Cuban Emerald) (W.I.) Flor.: plusieurs observations sur la côte E et dans les Keys.

5- **COLIBRI DES BAHAMAS** *Calliphlox evelynae* (Bahama Woodstar) (W.I.) S de la Flor.

6- **MOQUEUR DES BAHAMAS** *Mimus gundlachii* (Bahama Mockingbird) (W.I.) Keys de Flor., Dry Tortugas. Flancs rayés, pas de tache blanche à l'aile.

7- **TYRAN DES SAVANES** *Tyrannus savana* (Fork-tailed Flycatcher) (Mex.) Flor., Miss., Car. du S, N.-J., Penn., Wisc., N.-Y., Mass., N.-H., Maine, Ont., N.-B., N.-É.

8- **TYRAN QUIQUIVI** *Pitangus sulphuratus* (Great Kiskadee) (Tex.) Louis., Flor., N.-J.

9- **MERLE VANTARD** *Turdus plumbeus* (Red-legged Thrush) (W.I.) Miami.

10- **ORIOLE À CAPUCHON** *Icterus dominicensis* (Black-cowled Oriole) (W.I.) vu à l'île Seal en N.-É.

11- **PETIT CAROUGE** *Agelaius humeralis* (Tawny-shouldered Blackbird) (W.I.) Keys de Flor. (3 mentions).

12- **TANGARA À TÊTE RAYÉE** *Spindalis zena* (Stripe-headed Tanager) (W.I.) S de la Flor. (20 mentions au moins).

13- **VIRÉO JAUNE-VERDÂTRE** *Vireo flavoviridis* (Yellow-green Vireo) (Mex.) Flor., Qc.

14- **SUCRIER À VENTRE JAUNE** *Coereba flaveola* (Bananaquit) (W.I.) S de la Flor. (plus de 20 mentions).

15- **SPOROPHILE PETIT-CHANTEUR** *Tiaris canora* (Cuban Grassquit) (W.I.) Miami, Keys de Flor. (plusieurs observations).

16- **SPOROPHILE CICI** *Tiaris bicolor* (Black-faced Grassquit) (W.I.) S de la Flor. (plusieurs mentions).

17- **SPOROPHILE NÉGRITO** *Melopyrrha nigra* (Cuban Bullfinch) (W.I.) Miami.

18- **SPOROPHILE PETIT-COQ** *Loxigilla violacea* (Greater Antillean Bullfinch) (W.I.) S de la Flor.

19- **MARTINET À CROUPION GRIS** *Chaetura cinereiventris* (Gray-rumped Swift) (non illustré; voir W.I.) Dry Tortugas.

20- **HIRONDELLE DE CUBA** *Progne cryptoleuca* (Cuban Martin) (non illustrée; voir W.I.) Peut n'être qu'une race de l'Hirondelle noire. Keys et S de la Flor.

21- **HIRONDELLE CHALYBÉE** *Progne chalybea* (Gray-breasted Martin) (non illustrée; Voir Mex.) Keys de Flor.

22- **HIRONDELLE GRACIEUSE** *Progne elegans* (Southern Martin) (non illustrée) Key West.

23- **TYRAN MÉLANCOLIQUE / DE COUCH** *Tyrannus melancholicus / couchii* (Tropical / Couch's Kingbird) (non illustré, voir Tex., Mex.) Louis., Flor. (plusieurs), Mass., Maine, N.-É.

24- **TYRAN TÊTE-POLICE** *Tyrannus caudifasciatus* (Loggerhead Kingbird) (non illustré; voir W.I.) S de la Flor.

25- **TYRAN DE LA SAGRA** *Myiarchus sagrae* (La Sagra's Flycatcher) (non illustré) Alab.

26- **TYRAN TACHETÉ** *Empidonomus varius* (Variegated Flycatcher) (non illustré) Maine.

27- **VIRÉO À BEC FORT** *Vireo crassirostris* (Thick-billed Vireo) (non illustré; voir W.I.) S-E de la Flor. (3 observations possibles).

28- **PARULINE DES BAHAMAS** *Geothlypis rostrata* (Bahama Yellowthroat) (non illustrée; voir W.I.) Flor.

301

ESPÈCES EXOTIQUES

introduites ou échappées

La plupart des oiseaux introduits avec succès (Cygne tuberculé, Faisan de Colchide, Perdrix grise, Pigeon biset, Étourneau sansonnet, Moineau domestique, Moineau friquet), des oiseaux échappés et implantés (Tourterelle rieuse, Perruche ondulée, Bulbul orphée, Oriole maculé, Roselin familier) et des nouveaux arrivants (Héron garde-boeufs, etc.) ont déjà été traités dans le présent ouvrage. Il en est de même des nombreux perroquets pouvant se rencontrer (p. 178). Nombre d'autres espèces, oiseaux-gibier surtout, ont été introduites sans succès par des organismes de chasse et pêche. Une foule d'oiseaux les plus divers (du calao à l'autruche en passant par le manchot!) se sont échappés de captivité; quelques-unes des espèces exotiques les plus fréquemment signalées, parmi la myriade possible, sont illustrées ci-contre.

1- **CHARDONNERET ÉLÉGANT** *Carduelis carduelis* (European Goldfinch) Jadis établi à N.-Y. Voir aussi p. 272.

2- **PADDA DE JAVA** *Padda oryzivora* (Java Sparrow) Établi à Miami, Flor.; nicheur.

3- **PAROARE HUPPÉ** *Paroaria coronata* (Red-crested Cardinal) A niché en Flor., en Penn., au Conn.

4- **ASTRILD ONDULÉ** *Estrilda astrild* (Common Waxbill).

5- **CAPUCIN DAMIER** *Lonchura punctulata* (Nutmeg Mannikin).

6- **CAPUCIN À DOS MARRON** *Lonchura malacca* (Chesnut Mannikin).

7- **MAINATE RELIGIEUX** *Gracula religiosa* (Hill Mynah) Flor. (de Homestead à Palm Beach).

8- **ORIOLE TROUPIALE** *Icterus icterus* (Troupial).

9- **OIE CYGNOÏDE** *Anser cygnoides* (Chinese Goose).

10- **OIE À TÊTE BARRÉE** *Anser indicus* (Bar-headed Goose).

11- **OUETTE D'ÉGYPTE** *Alopochen aegyptiacus* (Egyptian Goose).

12- **CYGNE À COU NOIR** *Cygnus melanocoryphus* (Black-necked Swan).

13- **CYGNE NOIR** *Cygnus atratus* (Black Swan).

14- **CANARD À BEC TACHETÉ** *Anas poecilorhyncha* (Spot-billed Duck).

15- **CANARD MANDARIN** *Aix galericulata* (Mandarin Duck).

16- **CANARD MUSQUÉ** *Cairina moschata* (Muscovy) Voir aussi p. 52.

17- **PERDRIX CHOUKAR** *Alectoris chukar* (Chukar) Les introductions dans l'E ont eu peu de succès.

18- **FAISAN DORÉ** *Chrysolophus pictus* (Golden Pheasant).

19- **CAILLE DES BLÉS** *Coturnix coturnix* (Common Quail) Plusieurs relachées sans succès.

20- **ORTALIDE CHACAMEL** *Ortalis vetula* (Plain Chachalaca) Implanté dans les îles Sapelo et Blackbeard, en Georgie.

21- **FRANCOLIN NOIR** *Francolinus francolinus* (Black Francolin) Implanté localement dans le S de la Louis. et en Flor.

22- **VANNEAU TÉRO** *Vanellus chilensis* (Southern Lapwing).

23- **RÂLE DE CAYENNE** *Aramides cajanea* (Gray-necked Wood-Rail) Près de Miami et Vero Beach, en Flor. (relâché?).

303

ESPÈCES EXCEPTIONNELLES DE L'OUEST

Les espèces égarées venant de l'O. de l'Am. du N, et signalées moins d'une douzaine de fois à l'E. du Mississppi, sont énumérées ici. Elles sont illustrées et décrites dans *A Field Guide to Western Birds* (PETERSON, Houghton Mifflin).

EIDER DE STELLER (Steller's Eider)
Qc., Maine, Mass.
BUSE DE HARRIS (Harris' Hawk)
Louis., Flor., Iowa, Mo., Ohio, N.-Y.
BUSE GRISE (Gray Hawk) Ill.
BUSE À QUEUE BARRÉE
(Zone-tailed Hawk) Car. du N.
PLUVIER MONTAGNARD
(Mountain Plover) Minn., Mich., Mo.,
Mass., Virg., Alab., Flor.
CHEVALIER ERRANT
(Wandering Tattler) Ont.
TOURNEPIERRE NOIR
(Black Turnstone) Wisc.
BÉCASSEAU DU RESSAC
(Surfbird) O. de la Flor. (3 mentions).
BÉCASSEAU À COL ROUX (Rufous-
necked Stint) Ont., Maine, Conn.
BÉCASSEAU À QUEUE POINTUE
(Sharp-tailed Sandpiper) Ont., Ill., Iowa,
Mass., Conn., N.-Y., Md, Flor.
GOÉLAND D'AUDUBON
(Western Gull) Ill.
GUILLEMOT À COU BLANC
(Ancient Murrelet) Man., Ont., Qc,
Nebr., Minn., Wisc., Ill., Ohio.
MACAREUX HUPPÉ (Tufted Puffin)
Maine (mention d'Audubon).
PIGEON À QUEUE BARRÉE
(Band-tailed Pigeon) Ont., N.-H., Ohio,
Tenn., Alab., Flor.
PETIT-DUC NAIN (Flammulated Owl)
Louis., Flor.
ENGOULEVENT MINIME (Lesser Night-
hawk) Louis., Flor., Ont. (voir p. 184).
MARTINET SOMBRE (Black Swift) Ill.
MARTINET À GORGE BLANCHE
(White-throated Swift) Mich., Ark.
ARIANE DU YUCATAN (Buff-bellied
Hummingbird) Louis. (régulier?), Flor. Ill.
COLIBRI À QUEUE LARGE (Broad-tai-
led Hummingbird) Louis., Ark., Flor.
COLIBRI D'ALLEN
(Allen's Hummingbird) Louis., Miss.
PIC DE LEWIS (Lewis' Woodpecker)
Man., Ont., Minn., Ill., Mich., Mo., R.-I.
PIC À FRONT DORÉ (Golden-fronted
Woodpecker) Flor., Mich. (?).
PIOUI DE L'OUEST
(Western Wood-Pewee) Minn. (a niché),
Ont., Mass., Md, Miss.
MOUCHEROLLE NOIR
(Black Phoebe) Flor. (plusieurs).
TYRAN DE WIED (Brown-crested
Flycatcher) Louis., Flor. (plusieurs).

TYRAN DE CASSIN (Cassin's Kingbird)
Louis., Virg., Wisc., Mass., Ont.
HIRONDELLE À FACE BLANCHE (Vio-
let-green Swallow) Man., Mo., Ill., Flor.
GEAI DE STELLER
(Steller's Jay) S du Qc, Ill.
CASSENOIX D'AMÉRIQUE
(Clark's Nutcracker) Man., Ont., Minn.,
Wisc., Ill., Mich., Mo., Ark.
CINCLE D'AMÉRIQUE
(American Dipper) Minn.
MOQUEUR DES ARMOISES
(Sage Thrasher) Ont., Wisc., Ill., N.-Y.,
Car. du N, Louis., Flor.
MOQUEUR À BEC COURBE
(Curve-billed Thrasher) Man., Minn.,
Wisc., Louis., Flor.
BERGERONNETTE GRISE
(White Wagtail) N du Qc.
PHÉNOPÈPLE LUISANT
(Phainopepla) Ont., Mass., R.-I.
PARULINE DE VIRGINIA
(Virginia's Warbler) Ill., Ont., N.-J.
PARULINE DE LUCY
(Lucy's Warbler) Louis., Mass.
PARULINE DE TOWNSEND
(Townsend's Warbler) Minn., Wisc.,
Ohio, Penn., N.-Y., N.-J., Mass., N.-É.
PARULINE À TÊTE JAUNE (Hermit
Warbler) Minn., N.-Y., Conn., Louis.
PARULINE À DOS NOIR
(Golden-cheeked Warbler) Flor.
PARULINE DES BUISSONS
(MacGillivray's Warbler) Ont., Ind.,
Mass., Conn., Louis.
PARULINE À AILES BLANCHES
(Painted Redstart) Louis., Ark., Ohio,
N.-Y., Mass., Ont.
BRUANT DE CASSIN
(Cassin's Sparrow) Ont., N.-É., N.-J.
Niche E jusqu'au 100e méridien en Okl.
BRUANT DE BREWER
(Brewer's Sparrow) Minn., Mass.
BRUANT À GORGE NOIRE
(Black-throated Sparrow) Wisc., Ill., N.-
J., Virg., Louis., Flor.
BRUANT À COURONNE DORÉE
(Golden-crowned Sparrow) Occasionnel
dans l'E. Voir. p. 278.
VACHER BRONZÉ
(Bronzed Cowbird) Louis., Flor.
ORIOLE JAUNE-VERDÂTRE (Scott's
Oriole) Louis., Minn., Man., Ont.
ROSELIN BRUN
(Rosy Finch) Ont., Minn., Mo., Maine.

Cartes de répartition

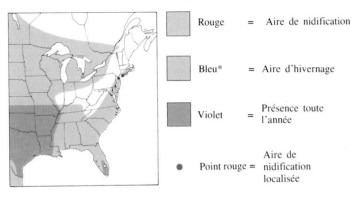

Rouge   =   Aire de nidification

Bleu*   =   Aire d'hivernage

Violet   =   Présence toute l'année

●   Point rouge =   Aire de nidification localisée

Les cartes des pages qui suivent esquissent de manière approximative l'aire de chaque espèce. À l'intérieur des plages de couleur se rencontrent de nombreux vides, là où l'habitat de l'espèce en question n'existe pas: le Troglodyte des marais a besoin d'un marais, la Sturnelle des prés, d'un pré et la Gélinotte huppée, d'une forêt. Certaines espèces peuvent être extrêmement localisées ou sporadiques pour des raisons qui ne sont pas claires. Certains oiseaux sont en expansion, parfois rapide. Enfin, d'autres espèces sont en déclin ou même en voie de disparition dans de grandes zones où elles se rencontraient autrefois. Certaines augmentations, certains déclins, de même que des occurences hors de zones colorées, sont notés. Les cartes sont fondées sur des données provenant de nombreuses publications régionales ou d'États, et sont modifiées en tenant compte des observations faites par une myriade d'amateurs et signalées dans des revues comme *American Birds* et *Birding*.

Les aires d'hivernage ne sont pas aussi bien délimitées que les aires de nidification. Une espèce peut être très rare près de la limite nord de son aire d'hivernage, survivre en décembre et au cours des hivers doux, mais souvent succomber aux rigueurs de janvier et de février.

Les cartes ne couvrent que le territoire de ce guide. Le Canard colvert, par exemple, se rencontre dans une grande partie du globe. Son aire de répartition mondiale est signalée dans le texte sous la rubrique de l'espèce. La carte ne montre que sa répartition dans l'Est de l'Amérique du Nord.

Les cartes ne sont pas données dans l'ordre phylétique (voir la liste systématique en page 17), mais suivent plutôt l'ordre dans lequel les espèces apparaissent dans le livre.

*Remarque: Dans le cas de plusieurs oiseaux pélagiques de l'hémisphère sud, le bleu indique *leur* aire d'hivernage (*durant notre été*).

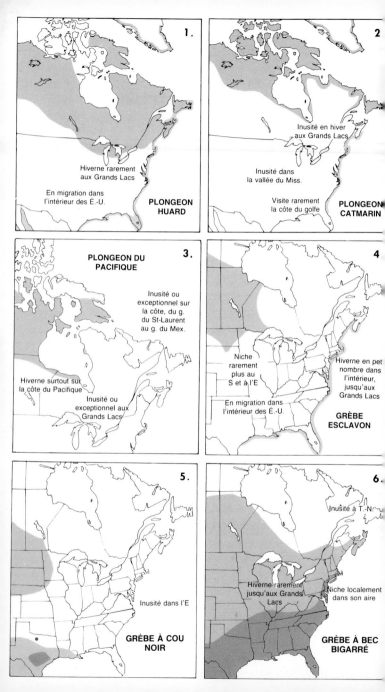

1. PLONGEON HUARD

Hiverne rarement aux Grands Lacs

En migration dans l'intérieur des É.-U.

2 PLONGEON CATMARIN

Inusité en hiver aux Grands Lacs

Inusité dans la vallée du Miss.

Visite rarement la côte du golfe

3. PLONGEON DU PACIFIQUE

Inusité ou exceptionnel sur la côte, du g. du St-Laurent au g. du Mex.

Hiverne surtout sur la côte du Pacifique

Inusité ou exceptionnel aux Grands Lacs

4 GRÈBE ESCLAVON

Niche rarement plus au S et à l'E

En migration dans l'intérieur des É.-U.

Hiverne en pet nombre dans l'intérieur, jusqu'aux Grands Lacs

5. GRÈBE À COU NOIR

Inusité dans l'E

6. GRÈBE À BEC BIGARRÉ

Inusité à T.-N.

Hiverne rarement jusqu'aux Grands Lacs

Niche localement dans son aire

7.

De passage aux Grands Lacs et dans le haut -Miss.

Inusité jusqu'aux États du golfe

GRÈBE JOUGRIS

8.

?

Très rare aux Grands Lacs et sur les côtes E et du g. du Mex.

GRÈBE ÉLÉGANT

GRÈBE À FACE BLANCHE

9.

PETIT PINGOUIN

Hiverne en mer jusqu'au N.-J.; inusité plus au S

Exceptionnel jusqu'au lac Ontario

10.

GUILLEMOT DE BRÜNNICH

Hiverne en mer de la banquise au N.-J.; inusité plus au S

11.

GUILLEMOT DE TROÏL

Hiverne en mer jusqu'au Mass.; rare au N.-J. et au Md

12.

GUILLEMOT À MIROIR

Hiverne en mer jusqu'au Mass.; inusité jusqu'au N.-J.

Inusité dans les terres, Qc, Ont.

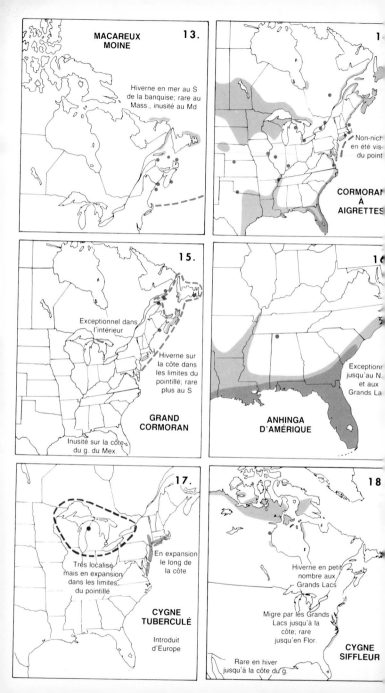

MACAREUX MOINE 13.

Hiverne en mer au S de la banquise; rare au Mass., inusité au Md

14.

Non-nicheur en été visible du point

CORMORAN À AIGRETTES

GRAND CORMORAN 15.

Exceptionnel dans l'intérieur

Hiverne sur la côte dans les limites du pointillé; rare plus au S

Inusité sur la côte du g. du Mex.

16.

ANHINGA D'AMÉRIQUE

Exceptionnel jusqu'au N. et aux Grands Lacs

CYGNE TUBERCULÉ 17.

Très localisé mais en expansion dans les limites du pointillé

En expansion le long de la côte

Introduit d'Europe

18.

Hiverne en petit nombre aux Grands Lacs

Migre par les Grands Lacs jusqu'à la côte; rare jusqu'en Flor.

Rare en hiver jusqu'à la côte du g.

CYGNE SIFFLEUR

19.

OIE DES NEIGES
(formes blanche et bleue)

En migration dans l'intérieur

Forme blanche surtout

Les deux formes

Rare jusqu'en Floride

20.

OIE RIEUSE

Migre surtout à l'O du Miss.

Inusité sur la côte E (race du Groenland?)

21.

BERNACHE DU CANADA

Nidification ancienne ou localisée

Oiseaux relâchés nichant par endroits sur la côte E

22.

Passe de l'E de la Baie d'Hudson au Bas St-Laurent

Rare dans les terres en migration; un petit nombre aux I. Érié et Ontario

Inusité jusqu'en Flor. et sur la côte du golfe

BERNACHE CRAVANT

23.

En déclin, en partie à cause de la concurrence intragénérique du colvert en expansion

CANARD NOIR

24.

A niché au Kansas

CANARD BRUN

25 Niche çà et là des Grands Lacs à la côte E

Hiverne en petit nombre dans le S des Grands Lacs

Niche localement depuis peu sur la côte E

CANARD CHIPEAU

En expan... vers le ... dans l'... du C. r...

Des oise... d'origi... domesti... niche... mainten... jusqu'à... côte ...

CANAR... COLVE...

27.

?   ?

?

Hiverne en petit nombre dans le S des Grands Lacs

CANARD PILET

2...

CANARD D'AMÉRIQU...

29.

Parfois en hiver jusqu'aux Grands Lacs et dans le S de la Nouv.-Angl.

CANARD BRANCHU

3...

En expans... ... vers le N...

Niche rarement jusqu'au Texas

CANARD SOUCHET

31. Niche à l'occasion jusqu'en Alab. et en Flor.

Inusité en hiver jusqu'au N.-Y.

SARCELLE À AILES BLEUES

32. Occasionnel en hiver aux Grands Lacs

SARCELLE D'HIVER (population américaine)

33. ?

déjà hé I.-D.

En migration aux Grands Lacs; quelques-uns hivernent

Visite rarement les États du golfe

MACREUSE BRUNE

34. ?

En migration aux Grands Lacs; quelques-uns hivernent

Visite rarement les États du golfe

MACREUSE À FRONT BLANC

35. ?

Niche en Alaska et dans le N-E du Canada

En migration aux Grands Lacs; quelques-uns hivernent

Surtout sur la côte

Rare dans les États du golfe

MACREUSE NOIRE

36. Hiverne aux Grands Lacs, rarement sur de plus petits lacs.

Rare sur la côte du golfe

HARELDE KAKAWI

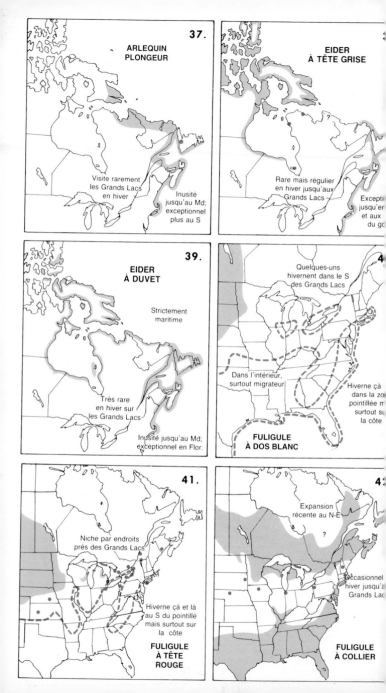

37. ARLEQUIN PLONGEUR

Visite rarement les Grands Lacs en hiver

Inusité jusqu'au Md; exceptionnel plus au S

EIDER À TÊTE GRISE

Rare mais régulier en hiver jusqu'aux Grands Lacs

Excepti... jusqu'er... et aux go... du go...

39. EIDER À DUVET

Strictement maritime

Très rare en hiver sur les Grands Lacs

Inusité jusqu'au Md; exceptionnel en Flor.

Quelques-uns hivernent dans le S des Grands Lacs

Dans l'intérieur, surtout migrateur

Hiverne çà... dans la zo... pointillée m... surtout su... la côte

FULIGULE À DOS BLANC

41. FULIGULE À TÊTE ROUGE

Niche par endroits près des Grands Lacs

Hiverne çà et là au S du pointillé mais surtout sur la côte

42. FULIGULE À COLLIER

Expansion récente au N-E

Occasionnel... hiver jusqu'a... Grands Lac...

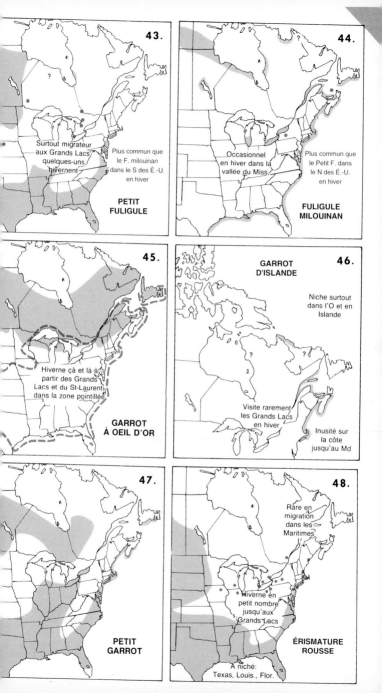

43.

Surtout migrateur aux Grands Lacs, quelques-uns hivernent

Plus commun que le F. milouinan dans le S des É.-U. en hiver

PETIT FULIGULE

44.

Occasionnel en hiver dans la vallée du Miss.

Plus commun que le Petit F. dans le N des É.-U. en hiver

FULIGULE MILOUINAN

45.

Hiverne çà et là à partir des Grands Lacs et du St-Laurent dans la zone pointillée

GARROT À OEIL D'OR

46.

GARROT D'ISLANDE

Niche surtout dans l'O et en Islande

Visite rarement les Grands Lacs en hiver

Inusité sur la côte jusqu'au Md

47.

PETIT GARROT

48.

Rare en migration dans les Maritimes

Hiverne en petit nombre jusqu'aux Grands Lacs

A niché: Texas, Louis., Flor.

ÉRISMATURE ROUSSE

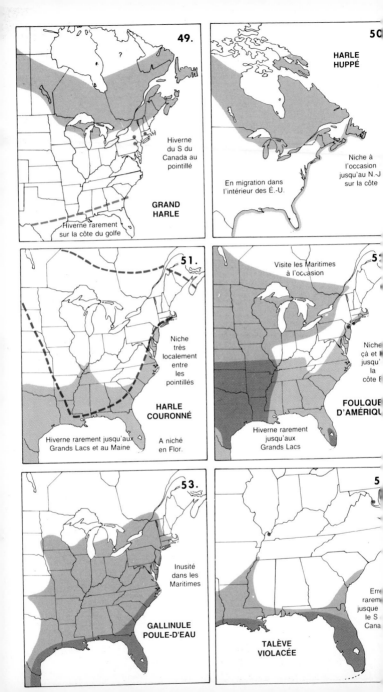

49.

?

Hiverne
du S du
Canada au
pointillé

En migration dans
l'intérieur des É.-U.

GRAND HARLE

Hiverne rarement
sur la côte du golfe

50

HARLE HUPPÉ

Niche à
l'occasion
jusqu'au N.-J
sur la côte

51.

Niche
très
localement
entre
les
pointillés

HARLE COURONNÉ

Hiverne rarement jusqu'aux
Grands Lacs et au Maine

A niché
en Flor.

5

Visite les Maritimes
à l'occasion

Niche
çà et
jusqu'
la
côte E

**FOULQUE
D'AMÉRIQU**

Hiverne rarement
jusqu'aux
Grands Lacs

53.

Inusité
dans les
Maritimes

**GALLINULE
POULE-D'EAU**

5

Erre
rare
jusque
le S
Cana

**TALÈVE
VIOLACÉE**

PUFFIN CENDRÉ 55.

Visiteur d'été en mer (non nicheur)

Niche aux Açores, aux Canaries, etc.

PUFFIN MAJEUR 56.

Visiteur d'été en mer (non nicheur)

Niche dans l'Atlantique-Sud (Tristan da Cunha)

PUFFIN FULIGINEUX 57.

Visiteur d'été en mer (non nicheur)

Niche dans l'hémisphère S

Inusité dans le golfe

FULMAR BORÉAL 58.

En été, répandu en mer jusqu'à T.-N. au S

Exceptionnel dans l'intérieur

En augmentation rapide

Inusité jusqu'en Car. du S

OCÉANITE DE WILSON 59.

Exceptionnel dans l'intérieur après les tempêtes

Visiteur d'été en mer (non nicheur)

Niche dans l'Antarctique

OCÉANITE CUL-BLANC 60.

Exceptionnel dans l'intérieur après les tempêtes

Migre au large du plateau continental. Peut hiverner loin au large, au N jusqu'à la latitude du N-E des É.-U.

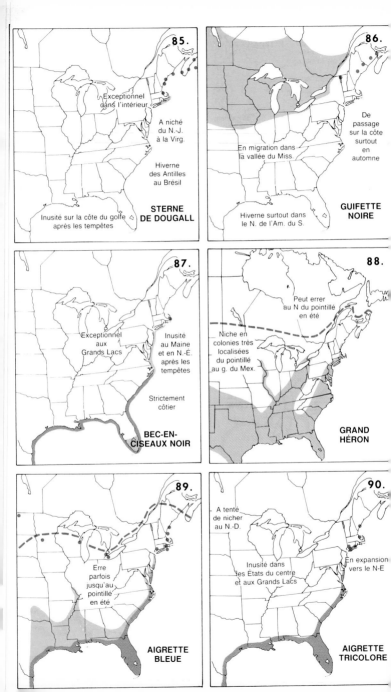

85. STERNE DE DOUGALL

Exceptionnel dans l'intérieur

A niché du N.-J. à la Virg.

Hiverne des Antilles au Brésil

Inusité sur la côte du golfe après les tempêtes

86. GUIFETTE NOIRE

De passage sur la côte surtout en automne

En migration dans la vallée du Miss.

Hiverne surtout dans le N. de l'Am. du S.

87. BEC-EN-CISEAUX NOIR

Exceptionnel aux Grands Lacs

Inusité au Maine et en N.-É. après les tempêtes

Strictement côtier

88. GRAND HÉRON

Peut errer au N du pointillé en été

Niche en colonies très localisées du pointillé au g. du Mex.

89. AIGRETTE BLEUE

Erre parfois jusqu'au pointillé en été

90. AIGRETTE TRICOLORE

A tenté de nicher au N.-D.

Inusité dans les États du centre et aux Grands Lacs

En expansion vers le N-E

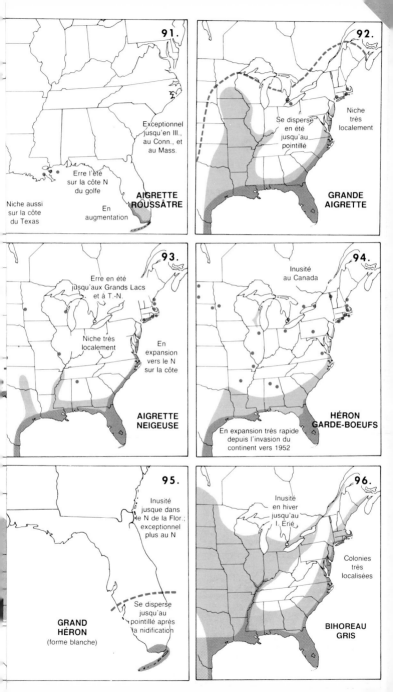

91.

Exceptionnel jusqu'en Ill., au Conn., et au Mass.

Erre l'été sur la côte N du golfe

Niche aussi sur la côte du Texas

En augmentation

AIGRETTE ROUSSÂTRE

92.

Se disperse en été jusqu'au pointillé

Niche très localement

GRANDE AIGRETTE

93.

Erre en été jusqu'aux Grands Lacs et à T.-N.

Niche très localement

En expansion vers le N sur la côte

AIGRETTE NEIGEUSE

94.

Inusité au Canada

En expansion très rapide depuis l'invasion du continent vers 1952

HÉRON GARDE-BOEUFS

95.

Inusité jusque dans le N de la Flor.; exceptionnel plus au N

Se disperse jusqu'au pointillé après la nidification

GRAND HÉRON
(forme blanche)

96.

Inusité en hiver jusqu'au l. Érié

Colonies très localisées

BIHOREAU GRIS

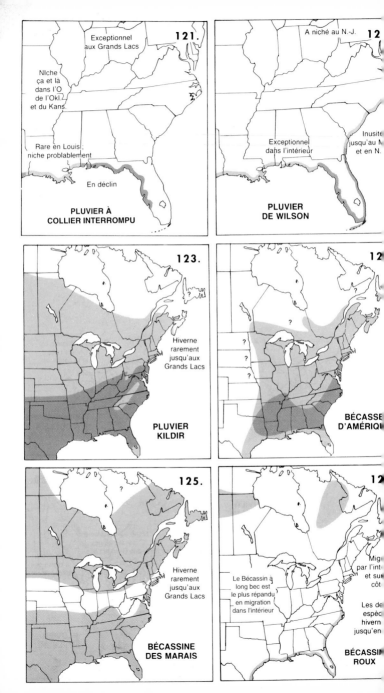

121.

Exceptionnel aux Grands Lacs

Niche çà et là dans l'O de l'Okl. et du Kans.

Rare en Louis.; niche problablement

En déclin

PLUVIER À COLLIER INTERROMPU

12

A niché au N.-J.

Exceptionnel dans l'intérieur

Inusite jusqu'au M et en N.

PLUVIER DE WILSON

123.

Hiverne rarement jusqu'aux Grands Lacs

PLUVIER KILDIR

12

BÉCASSE D'AMÉRIQU

125.

Hiverne rarement jusqu'aux Grands Lacs

Le Bécassin à long bec est le plus répandu en migration dans l'intérieur

BÉCASSINE DES MARAIS

12

Mig par l'int et sur côt

Les de espèc hivern jusqu'en

BÉCASSIN ROUX

127. BÉCASSEAU MAUBÈCHE

Migre par la baie d'Hudson, les Grands Lacs et la côte

Irrégulier sur la côte en hiver; hiverne surtout en Am. du S

128. BARGE HUDSONIENNE

Migre surtout par la Prairie au printemps

En automne, migre surtout au large de la côte, de l'E du Canada à l'Am. du S

Hiverne en Am. du S

129. BARGE MARBRÉE

Présence rare en migration aux Grands Lacs et sur la côte N-E

Migre par l'intérieur

Hiverne rarement sur la côte N du golfe

130. COURLIS À LONG BEC

Passait autrefois sur la côte N-E

A déjà niché plus à l'E

Migrateur rare dans les États du golfe

Rare en hiver sur la côte S-E

131. COURLIS CORLIEU

Migre par l'intérieur et sur la côte

De passage sur la côte N du golfe

Hiverne jusque dans le S de l'Am. du S.

132. CHEVALIER SEMIPALMÉ

Migrateur rare aux Grands Lacs

En expansion en Nouv.-Angl.

Migre par la Prairie et la vallée du Miss.

133.

En migration dans tout l'intérieur

Hiverne rarement jusqu'au Conn. et au Mass.

GRAND CHEVALIER

13

Rare migr d'aut a T

En migration dans tout l'intérieur

PETIT CHEVALIE

135.

En migration dans tout l'intérieur

CHEVALIER SOLITAIRE

Hiverne à l'occasion sur la côte N du golfe

Hiverne surtout aux Antilles et en Am. du S

13

Migrate d'automne a et en N- inusité en

Migre dans presque toute l'Am. du N.

BÉCASS SANDER

137.

Très localisé, disparu de la majeure partie de son aire

En migration dans le S des É.-U.

MAUBÈCHE DES CHAMPS

Hiverne dans le S de l'Am. du S

13

Migre surtout par l'intérieur au printemps; atteint la côte en automne

Inusité en hiver dans le S de la Flor. et au Texas

BÉCASS À POIT CEND

Hiverne s en Am.

139.

Migre surtout par la Prairie

Migre en petit nombre par les Grands Lacs et sur la côte E en automne

Hiverne surtout en Am. du S

BÉCASSEAU À ÉCHASSES

140.

Exceptionnel à T.-N.

Répandu en migration dans l'intérieur

BÉCASSEAU VARIABLE

141.

Visite rarement les Grands Lacs

Sur les rochers et les jetées le long de la côte

Exceptionnel au Texas

BÉCASSEAU VIOLET

142.

CHEVALIER GRIVELÉ

143.

En migration dans tous les É.-U. et le S du Can.

BÉCASSEAU MINUSCULE

144.

BÉCASSEAU SEMIPALMÉ

Les oiseaux vus l'hiver au N de la Flor. seraient plutôt des B. d'Alaska

Passe en grand nombre dans l'intérieur et sur la côte

Hiverne surtout en Am. du S

145.
Niche sur les côtes S et N de l'Alaska

Commun en migration d'automne aux Grands Lacs et sur la côte N-E

Le jeune est souvent confondu en hiver avec le B. semipalmé

BÉCASSEAU D'ALASKA

146.
Migre surtout par la Prairie

Régulier jusqu'à côte E en automne

Hiverne dans le S de l'Am. du S

BÉCASSEAU DE BAIRD

147.
Migre surtout par l'intérieur au printemps

Migre surtout sur la côte E ou au large en automne

Hiverne dans le S de l'Am. du S

BÉCASSEAU À CROUPION BLANC

148.
Migre surtout par la Prairie

Migrateur rare mais régulier sur la côte E en automne

Hiverne en Am. du S

PHALAROPE DE WILSON

149.
Migrateur rare mais régulier aux Grands Lacs, localisé ailleurs dans l'intérieur

Migre en mer, au large

Hiverne en mer, présumément au large de l'Am. du S

PHALAROPE À BEC ÉTROIT

150.
Migre en mer loin au large

Hiverne en mer; aire connue: parfois au début de l'hiver au jusqu'à la latitude de la Nouv.-Angl

Rare en migration aux Grands Lacs

PHALAROPE À BEC LARGE

151. Oiseaux relâchés récemment en de nombreux endroits jusqu'au pointillé

Autrefois menacé; aujourd'hui en grande partie rétabli

DINDON SAUVAGE

152. Introduit depuis peu à T.-N.

En déclin dans le S de l'aire

GÉLINOTTE HUPPÉE

153. Souvent introduit en périphérie sans succès

FAISAN DE COLCHIDE

Introduit; d'origine eurasienne

154. **TÉTRAS DU CANADA**

En déclin?

155. Anciennement Kans., Iowa, Ill.

TÉTRAS À QUEUE FINE

156. Localisé, autrefois plus répandu

Race de la côte E disparue

Race «d'Attwater»

Le Tétras pâle remplace le Tétras des prairies dans le S-O du Kans., l'O de l'Okl. et le N du Texas

TÉTRAS DES PRAIRIES

157.
LAGOPÈDE DES SAULES
Jusqu'au pointillé en hiver

Exceptionnel jusque dans les États frontaliers

158
LAGOPÈDE ALPIN
Jusqu'au pointillé en hiver

Exceptionne au N.-B.

159.
Introduit sans succès dans plusieurs États du N-E
PERDRIX GRISE
Introduit; d'origine européenne

160
Oiseaux relâchés dans le N de l'air
COLIN DE VIRGINIE

161.
Inusité ou exceptionnel jusqu'aux Grands Lacs et en Nouv.-Angl.
A déjà niché jusqu'au Minn. et en Car. du N
MILAN À QUEUE FOURCHUE
Hiverne surtout au S des É.-U.; à l'occasion dans le S de la Flor.

162
En expansion rapide
Inusité o exceptionn jusqu'au Grands Lac en Nouv.-A
MILAN D MISSISSIP
MILAN DES MARA
Se rend aux tropiques par le Texas
Menacé aux É.-U.

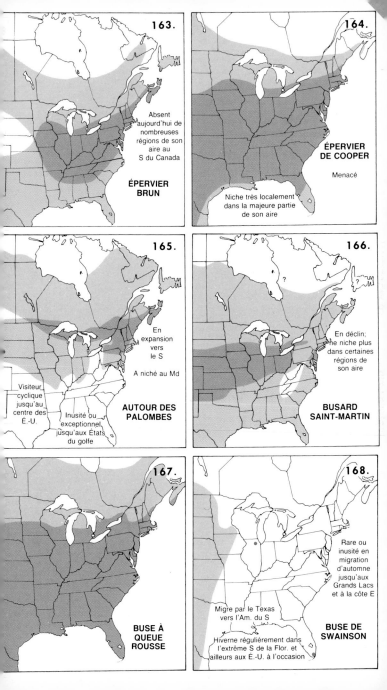

163.

Absent aujourd'hui de nombreuses régions de son aire au S du Canada

ÉPERVIER BRUN

164.

ÉPERVIER DE COOPER

Menacé

Niche très localement dans la majeure partie de son aire

165.

En expansion vers le S

A niché au Md

Visiteur cyclique jusqu'au centre des É.-U.

Inusité ou exceptionnel jusqu'aux États du golfe

AUTOUR DES PALOMBES

166.

En déclin; ne niche plus dans certaines régions de son aire

BUSARD SAINT-MARTIN

167.

BUSE À QUEUE ROUSSE

168.

Rare ou inusité en migration d'automne jusqu'aux Grands Lacs et à la côte E

Migre par le Texas vers l'Am. du S

Hiverne régulièrement dans l'extrême S de la Flor. et ailleurs aux É.-U. à l'occasion

BUSE DE SWAINSON

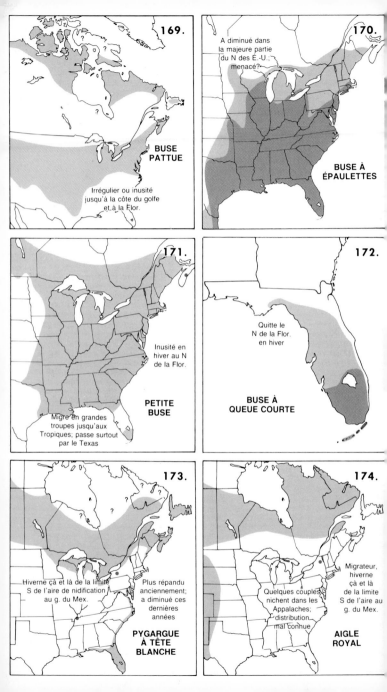

169.
BUSE PATTUE
Irrégulier ou inusité jusqu'à la côte du golfe et à la Flor.

170.
A diminué dans la majeure partie du N des É.-U.; menacé?
BUSE À ÉPAULETTES

171.
Inusité en hiver au N de la Flor.
Migre en grandes troupes jusqu'aux Tropiques; passe surtout par le Texas
PETITE BUSE

172.
Quitte le N de la Flor. en hiver
BUSE À QUEUE COURTE

173.
Hiverne çà et là de la limite S de l'aire de nidification au g. du Mex.
Plus répandu anciennement; a diminué ces dernières années
PYGARGUE À TÊTE BLANCHE

174.
Migrateur, hiverne çà et là de la limite S de l'aire au g. du Mex.
Quelques couples nichent dans les Appalaches; distribution mal connue
AIGLE ROYAL

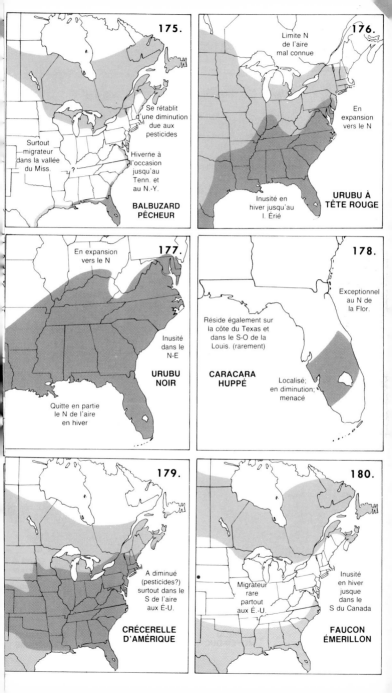

175.

Se rétablit d'une diminution due aux pesticides

Surtout migrateur dans la vallée du Miss.

?

Hiverne à l'occasion jusqu'au Tenn. et au N.-Y.

BALBUZARD PÊCHEUR

176.

Limite N de l'aire mal connue

En expansion vers le N

Inusité en hiver jusqu'au l. Érié

URUBU À TÊTE ROUGE

177.

En expansion vers le N

Inusité dans le N-E

URUBU NOIR

Quitte en partie le N de l'aire en hiver

178.

Exceptionnel au N de la Flor.

Réside également sur la côte du Texas et dans le S-O de la Louis. (rarement)

Localisé; en diminution; menacé

CARACARA HUPPÉ

179.

A diminué (pesticides?) surtout dans le S de l'aire aux É-U.

CRÉCERELLE D'AMÉRIQUE

180.

Migrateur rare partout aux É.-U.

Inusité en hiver jusque dans le S du Canada

FAUCON ÉMERILLON

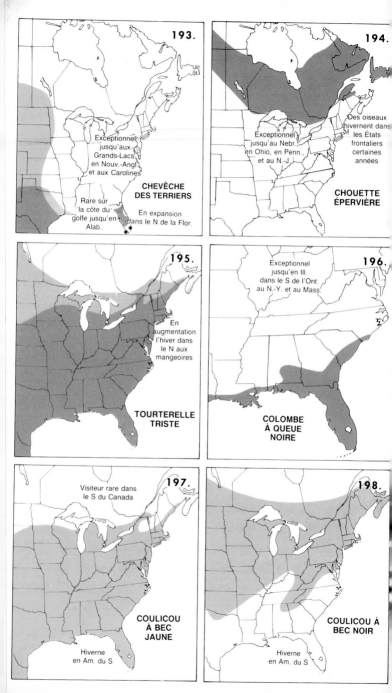

193.

Exceptionnel jusqu'aux Grands-Lacs, en Nouv.-Angl. et aux Carolines

CHEVÊCHE DES TERRIERS

Rare sur la côte du golfe jusqu'en Alab.

En expansion dans le N de la Flor.

194.

Exceptionnel jusqu'au Nebr. en Ohio, en Penn., et au N.-J.

Des oiseaux hivernent dans les États frontaliers certaines années

CHOUETTE ÉPERVIÈRE

195.

En augmentation l'hiver dans le N aux mangeoires

TOURTERELLE TRISTE

196.

Exceptionnel jusqu'en Ill. dans le S de l'Ont. au N.-Y. et au Mass.

COLOMBE À QUEUE NOIRE

197.

Visiteur rare dans le S du Canada

COULICOU À BEC JAUNE

Hiverne en Am. du S

198.

COULICOU À BEC NOIR

Hiverne en Am. du S

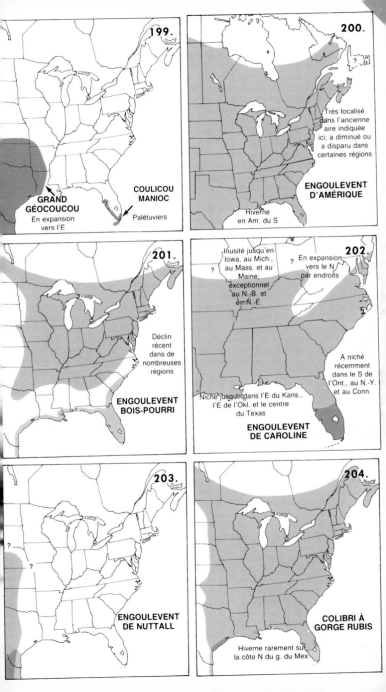

199.

GRAND GÉOCOUCOU
En expansion vers l'E

COULICOU MANIOC

Palétuviers

200.

Très localisé dans l'ancienne aire indiquée ici; a diminué ou a disparu dans certaines régions

ENGOULEVENT D'AMÉRIQUE

Hiverne en Am. du S

201.

Déclin récent dans de nombreuses régions

ENGOULEVENT BOIS-POURRI

202.

Inusité jusqu'en Iowa, au Mich., au Mass. et au Maine; exceptionnel au N.-B. et en N.-É.

En expansion vers le N par endroits

A niché récemment dans le S de l'Ont., au N.-Y. et au Conn.

Niche jusque dans l'E du Kans., l'E de l'Okl. et le centre du Texas

ENGOULEVENT DE CAROLINE

203.

ENGOULEVENT DE NUTTALL

204.

COLIBRI À GORGE RUBIS

Hiverne rarement sur la côte N du g. du Mex.

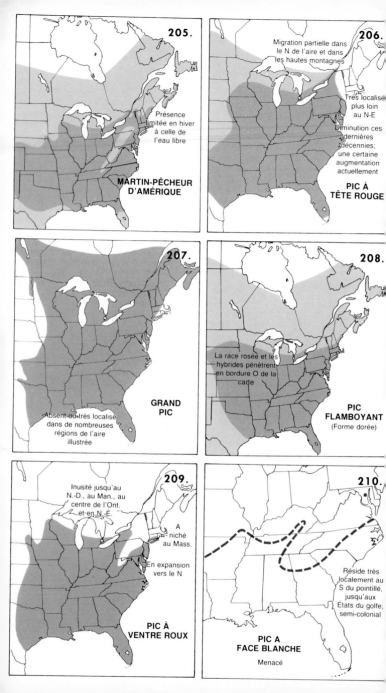

205.

Présence limitée en hiver à celle de l'eau libre

MARTIN-PÊCHEUR D'AMÉRIQUE

206.

Migration partielle dans le N de l'aire et dans les hautes montagnes

Très localisé plus loin au N-E

Diminution ces dernières décennies; une certaine augmentation actuellement

PIC À TÊTE ROUGE

207.

Absent ou très localisé dans de nombreuses régions de l'aire illustrée

GRAND PIC

208.

La race rosée et les hybrides pénètrent en bordure O de la carte

PIC FLAMBOYANT
(Forme dorée)

209.

Inusité jusqu'au N.-D., au Man., au centre de l'Ont. et en N.-É.

A niché au Mass.

En expansion vers le N

PIC À VENTRE ROUX

210.

Réside très localement au S du pointillé, jusqu'aux États du golfe; semi-colonial

PIC A FACE BLANCHE

Menacé

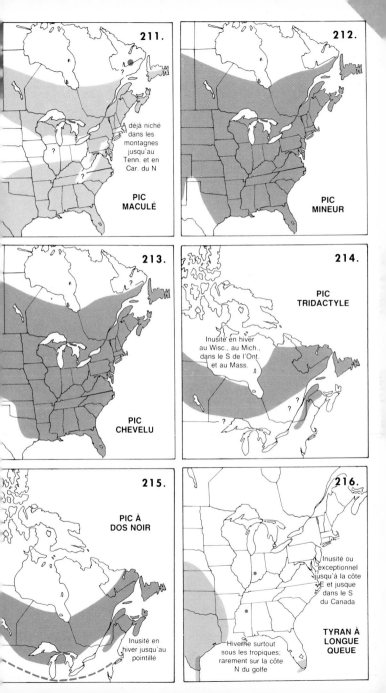

211.

A déjà niché dans les montagnes jusqu'au Tenn. et en Car. du N

PIC MACULÉ

212.

PIC MINEUR

213.

PIC CHEVELU

214.

PIC TRIDACTYLE

Inusité en hiver au Wisc., au Mich., dans le S de l'Ont. et au Mass.

215.

PIC À DOS NOIR

Inusité en hiver jusqu'au pointillé

216.

Inusité ou exceptionnel jusqu'à la côte E et jusque dans le S du Canada

Hiverne surtout sous les tropiques; rarement sur la côte N du golfe

TYRAN À LONGUE QUEUE

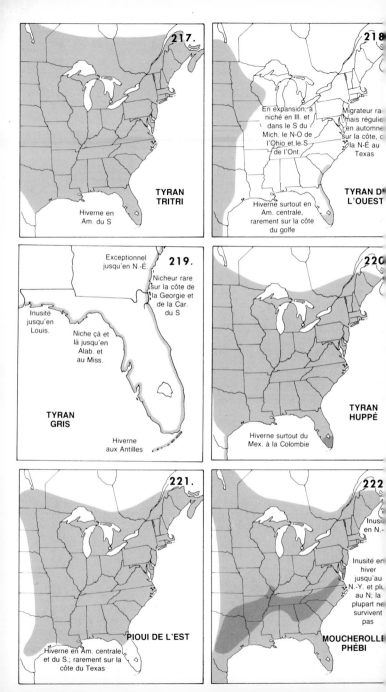

217. TYRAN TRITRI
Hiverne en Am. du S

218. TYRAN D' L'OUEST
En expansion, a niché en Ill. et dans le S du Mich. le N-O de l'Ohio et le S de l'Ont.
Migrateur ra mais régulie en automne sur la côte, c la N-É au Texas
Hiverne surtout en Am. centrale, rarement sur la côte du golfe

219. TYRAN GRIS
Exceptionnel jusqu'en N.-É.
Nicheur rare sur la côte de la Georgie et de la Car. du S
Inusité jusqu'en Louis.
Niche çà et là jusqu'en Alab. et au Miss.
Hiverne aux Antilles

220. TYRAN HUPPÉ
Hiverne surtout du Mex. à la Colombie

221. PIOUI DE L'EST
Hiverne en Am. centrale et du S.; rarement sur la côte du Texas

222. MOUCHEROLLE PHÉBI
Inusi en N.-
Inusité en hiver jusqu'au N.-Y. et plu au N; la plupart ne survivent pas

223.

Migre surtout à l'O des Appalaches

Très rare en migration dans les États du S-E

MOUCHEROLLE À CÔTÉS OLIVE

Hiverne en Am. du S

224.

En expansion vers le N

MOUCHEROLLE VERT

Hiverne du Costa-Rica à l'Équateur

225.

Migre surtout à l'O des Appalaches

Très rare en migration dans les États du S-E

MOUCHEROLLE À VENTRE JAUNE

Hiverne du Mex. au Panama

226.

MOUCHEROLLE TCHÉBEC

Se rend aux tropiques surtout par le Texas

Hiverne du Mex. au Panama

227.

En expansion dans toutes les directions aux dépens du M. des aulnes

MOUCHEROLLE DES SAULES

Hiverne en Am. centrale et du S; limites de l'aire mal connues

Chant: *fitz-biou*

228.

Aire envahie actuellement par le M. des saules

MOUCHEROLLE DES AULNES

Hiverne en Am. cen. et du S

Chant: *roui-bî-yu*

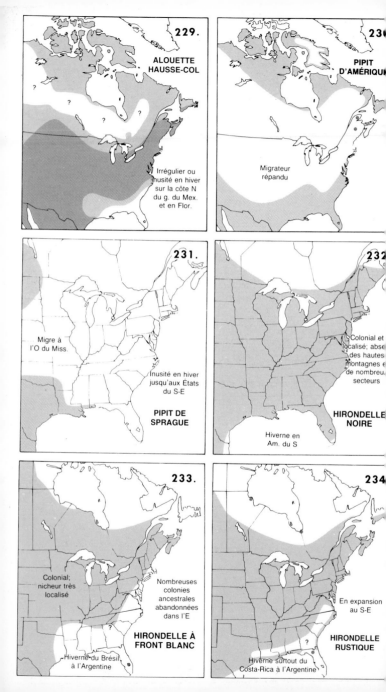

229.

ALOUETTE HAUSSE-COL

Irrégulier ou inusité en hiver sur la côte N du g. du Mex. et en Flor.

230.

PIPIT D'AMÉRIQUE

Migrateur répandu

231.

Migre à l'O du Miss.

Inusité en hiver jusqu'aux États du S-E

PIPIT DE SPRAGUE

232.

Colonial et localisé; absent des hautes montagnes et de nombreux secteurs

HIRONDELLE NOIRE

Hiverne en Am. du S

233.

Colonial; nicheur très localisé

Nombreuses colonies ancestrales abandonnées dans l'E

HIRONDELLE À FRONT BLANC

Hiverne du Brésil à l'Argentine

234.

En expansion au S-E

HIRONDELLE RUSTIQUE

Hiverne surtout du Costa-Rica à l'Argentine

235. HIRONDELLE BICOLORE

236. HIRONDELLE À AILES HÉRISSÉES

237. HIRONDELLE DE RIVAGE
Colonies très localisées et très dispersées
Hiverne en Am. du S

238. MARTINET RAMONEUR
Nicheur localisé; surtout dans les villages et les villes
Hiverne dans l'O de l'Am. du S

239. CORNEILLE DE RIVAGE
En expansion vers l'amont des fleuves

240. CORNEILLE D'AMÉRIQUE

241. GRAND CORBEAU
En augmentation; en expansion dans les Appalaches
Inusité sur la côte E au S du Maine

242. GEAI BLEU
Migration importante dans le N de l'aire

243. GEAI À GORGE BLANCHE
Localisé; en diminution ces dernières années

244. MÉSANGEAI DU CANADA
Irrégulier en hiver au S de l'aire

245. PIE BAVARDE
Fait irruption jusqu'au pointillé certains hivers
Nicheur inusité au Minn.
Inusité ou exceptionnel à l'E du Miss. (certains sont d'origine captive)

246. MÉSANGE À TÊTE NOIRE
Fait irruption au S de l'aire certains hivers
Niche à haute altitude dans le centre des Appalaches
Limite S de l'aire mal définie

247.

Chevauche un peu
l'aire de la M. à tête
noire; se tiennent
ensemble parfois et
peuvent s'hybrider

MÉSANGE
DE
CAROLINE

248.

Lors des
invasions
hivernales,
inusité jusque
dans le N de
l'Ill., en Ohio,
en Penn., au
N.-J. et au Md

MÉSANGE À
TÊTE BRUNE

249.

En expansion
vers le N
(en partie
grâce aux
mangeoires)

MÉSANGE
BICOLORE

250.

SITTELLE À
POITRINE
BLANCHE

Inusité dans
le S de la Flor.

251.

?

Fait parfois
irruption au S
de l'aire de
nidification

SITTELLE
À POITRINE
ROUSSE

Irrégulier en hiver
jusqu'aux États
du golfe

252.

Exceptionnel
jusqu'en Iowa,
au Wisc., en Ill.
et au N.-Y.

SITTELLE
À TÊTE
BRUNE

Réside
jusqu'à l'E
du Texas

253. GRIMPEREAU BRUN

La plupart des oiseaux quittent le N de l'aire en hiver

?

Exceptionnel dans le S de la Flor.

254. TROGLODYTE FAMILIER

Inusité au début de l'hiver jusque dans le S de la Nouv.-Angl.

255. TROGLODYTE MIGNON

Exceptionnel dans le S de la Flor.

256. TROGLODYTE DE BEWICK

Inusité jusqu'en Nouv.-Angl.

A niché dans le S-E du N.-

Diminution généralisée

257. TROGLODYTE DE CAROLINE

A niché dans le S du Qc

?   ?

Fluctuations au N; diminution lors des hivers rigoureux

258. TROGLODYTE DES MARAIS

Très local dans les marais

Inusité en hiver jusqu'au l. Érié

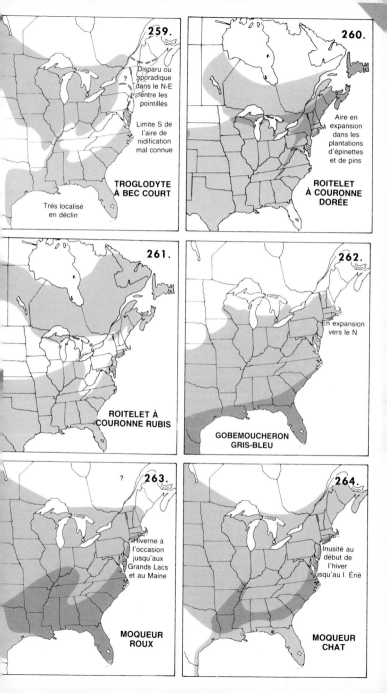

259. TROGLODYTE À BEC COURT

Disparu ou sporadique dans le N-E entre les pointillés

?

Limite S de l'aire de nidification mal connue

Très localisé en déclin

260. ROITELET À COURONNE DORÉE

Aire en expansion dans les plantations d'épinettes et de pins

261. ROITELET À COURONNE RUBIS

262. GOBEMOUCHERON GRIS-BLEU

En expansion vers le N

263. MOQUEUR ROUX

?

Hiverne à l'occasion jusqu'aux Grands Lacs et au Maine

264. MOQUEUR CHAT

Inusité au début de l'hiver jusqu'au l. Érié

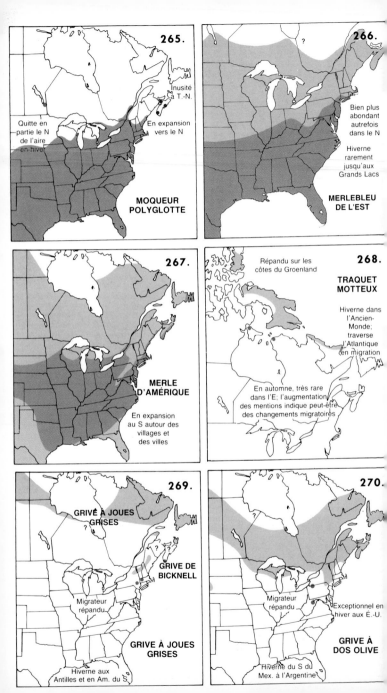

265.

Inusité à T.-N.

Quitte en partie le N de l'aire en hiver

En expansion vers le N

MOQUEUR POLYGLOTTE

266.

?

Bien plus abondant autrefois dans le N

Hiverne rarement jusqu'aux Grands Lacs

MERLEBLEU DE L'EST

267.

MERLE D'AMÉRIQUE

En expansion au S autour des villages et des villes

268.

Répandu sur les côtes du Groenland

TRAQUET MOTTEUX

Hiverne dans l'Ancien-Monde; traverse l'Atlantique en migration

En automne, très rare dans l'E; l'augmentation des mentions indique peut-être des changements migratoires

269.

GRIVE À JOUES GRISES

?

GRIVE DE BICKNELL

Migrateur répandu

?

GRIVE À JOUES GRISES

Hiverne aux Antilles et en Am. du S.

270.

?

Migrateur répandu

Exceptionnel en hiver aux É.-U.

GRIVE À DOS OLIVE

Hiverne du S du Mex. à l'Argentine

271.

Rare ou irrégulier en hiver jusqu'au I. Érié et en N.-É.

GRIVE SOLITAIRE

272.

Répandu en migration

Hiverne en Am. centrale et dans le N de l'Am. du S

GRIVE FAUVE

273.

Hiverne du Mex. au Panama; inusité sur la côte du Texas

GRIVE DES BOIS

274.

Irrégulier en hiver jusqu'au pointillé

PIE-GRIÈCHE GRISE

275.

Inusité en hiver jusque dans le N des É.-U.

En diminution; disparu de la majeure partie du N de l'aire à l'E du Miss.

Nichait autrefois en Nouv. Angl. et dans les Maritimes; pourrait nicher encore

PIE-GRIÈCHE MIGRATRICE

276.

JASEUR BORÉAL

Irrégulier en hiver jusqu'en N de la Nouv.-Angl. et aux Maritimes, entre les pointillés

Inusité jusqu'en Penn. et au N.-J.

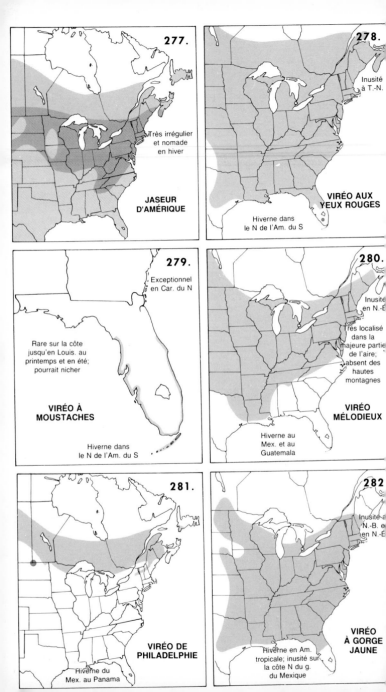

277.
Très irrégulier
et nomade
en hiver

JASEUR
D'AMÉRIQUE

278.
Inusité
à T.-N.

VIRÉO AUX
YEUX ROUGES

Hiverne dans
le N de l'Am. du S

279.
Exceptionnel
en Car. du N

Rare sur la côte
jusqu'en Louis. au
printemps et en été;
pourrait nicher

VIRÉO À
MOUSTACHES

Hiverne dans
le N de l'Am. du S

280.
Inusité
en N.-E

Très localisé
dans la
majeure partie
de l'aire;
absent des
hautes
montagnes

VIRÉO
MÉLODIEUX

Hiverne au
Mex. et au
Guatemala

281.

VIRÉO DE
PHILADELPHIE

Hiverne du
Mex. au Panama

282.
Inusité à
N.-B. et
en N.-E

VIRÉO
À GORGE
JAUNE

Hiverne en Am.
tropicale; inusité sur
la côte N du g.
du Mexique

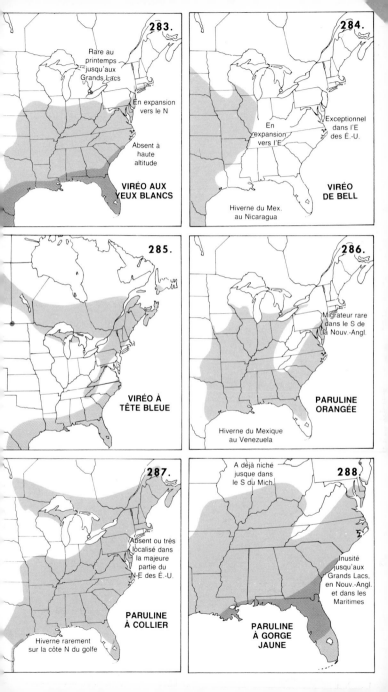

283.

Rare au printemps jusqu'aux Grands Lacs

En expansion vers le N

Absent à haute altitude

VIRÉO AUX YEUX BLANCS

284.

En expansion vers l'E

Exceptionnel dans l'E des É.-U.

Hiverne du Mex. au Nicaragua

VIRÉO DE BELL

285.

VIRÉO À TÊTE BLEUE

286.

Migrateur rare dans le S de la Nouv.-Angl.

Hiverne du Mexique au Venezuela

PARULINE ORANGÉE

287.

Absent ou très localisé dans la majeure partie du N-E des É.-U.

Hiverne rarement sur la côte N du golfe

PARULINE À COLLIER

288.

A déjà niché jusque dans le S du Mich.

Inusité jusqu'aux Grands Lacs, en Nouv.-Angl. et dans les Maritimes

PARULINE À GORGE JAUNE

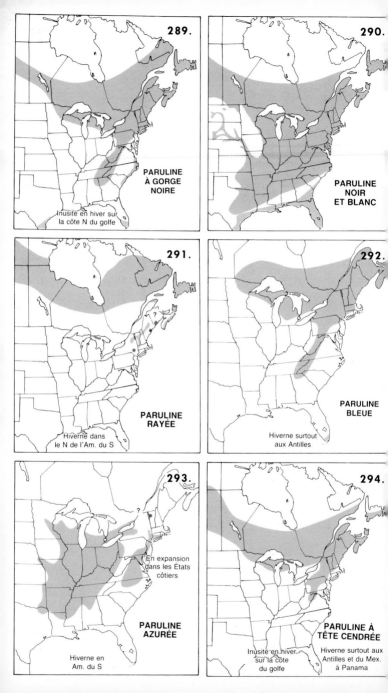

289. PARULINE À GORGE NOIRE
Inusité en hiver sur la côte N du golfe

290. PARULINE NOIR ET BLANC

291. PARULINE RAYÉE
Hiverne dans le N de l'Am. du S

292. PARULINE BLEUE
Hiverne surtout aux Antilles

293. PARULINE AZURÉE
En expansion dans les États côtiers
Hiverne en Am. du S

294. PARULINE À TÊTE CENDRÉE
Inusité en hiver sur la côte du golfe
Hiverne surtout aux Antilles et du Mex. à Panama

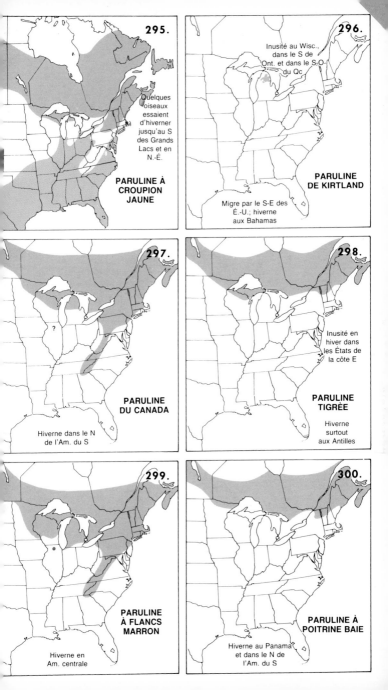

295. PARULINE À CROUPION JAUNE

Quelques oiseaux essaient d'hiverner jusqu'au S des Grands Lacs et en N.-É.

296. PARULINE DE KIRTLAND

Inusité au Wisc., dans le S de Ont. et dans le S-O du Qc

Migre par le S-E des É.-U.; hiverne aux Bahamas

297. PARULINE DU CANADA

?

Hiverne dans le N de l'Am. du S

298. PARULINE TIGRÉE

Inusité en hiver dans les États de la côte E

Hiverne surtout aux Antilles

299. PARULINE À FLANCS MARRON

Hiverne en Am. centrale

300. PARULINE À POITRINE BAIE

Hiverne au Panama et dans le N de l'Am. du S

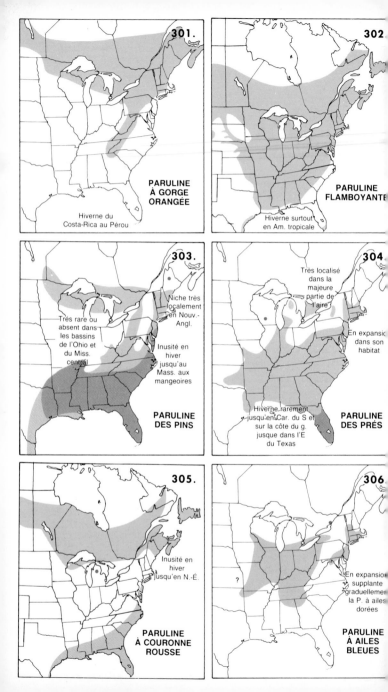

301.

PARULINE
À GORGE
ORANGÉE

Hiverne du
Costa-Rica au Pérou

302

PARULINE
FLAMBOYANTE

Hiverne surtout
en Am. tropicale

303.

Niche très
localement
en Nouv.-
Angl.

Très rare ou
absent dans
les bassins
de l'Ohio et
du Miss.
central

Inusité en
hiver
jusqu'au
Mass. aux
mangeoires

PARULINE
DES PINS

304

Très localisé
dans la
majeure
partie de
l'aire

En expansion
dans son
habitat

Hiverne rarement
jusqu'en Car. du S et
sur la côte du g.
jusque dans l'E
du Texas

PARULINE
DES PRÉS

305.

Inusité en
hiver
jusqu'en N.-É.

PARULINE
À COURONNE
ROUSSE

306.

?

En expansion
supplante
graduellement
la P. à ailes
dorées

PARULINE
À AILES
BLEUES

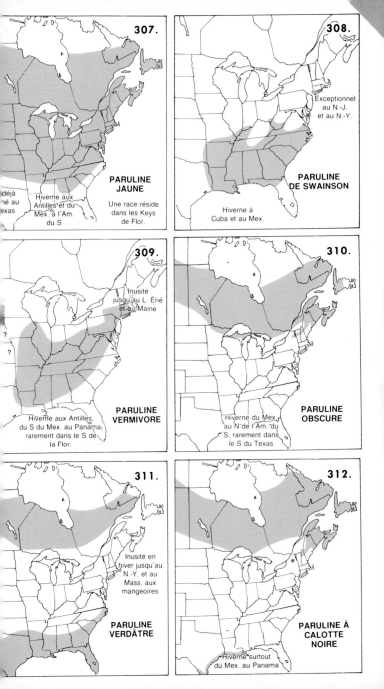

307.
PARULINE JAUNE

déjà ...é au ...xas

Hiverne aux Antilles et du Mex. à l'Am. du S

Une race réside dans les Keys de Flor.

308.
PARULINE DE SWAINSON

Exceptionnel au N.-J. et au N.-Y.

Hiverne à Cuba et au Mex.

309.
PARULINE VERMIVORE

Inusité jusqu'au L. Érié et au Maine

?
?

Hiverne aux Antilles, du S du Mex. au Panama; rarement dans le S de la Flor.

310.
PARULINE OBSCURE

Hiverne du Mex. au N de l'Am. du S, rarement dans le S du Texas

311.
PARULINE VERDÂTRE

Inusité en hiver jusqu'au N.-Y. et au Mass. aux mangeoires

312.
PARULINE À CALOTTE NOIRE

Hiverne surtout du Mex. au Panama

313.
Inusité jusqu'en N.-É. après les tempêtes d'avril et de septembre

?

PARULINE À CAPUCHON

Hiverne aux Antilles et du Mex. au Panama

31
Supplantée par la P. à ailes bleues dans certaines régions

PARULINE À AILES DORÉES

Hiverne du Guatemala à la Colombie

315.

?

PARULINE À JOUES GRISES

Hiverne jusqu'au Guatemala

31
Migre par la vallée du Miss. au printemps, surtout sur la côte E en automne

PARULINE À GORGE GR

Hiverne dans le N de l'Am. du S

317.

PARULINE TRISTE

Hiverne du Nicaragua à l'Equateur

31
Inus jusqu'er et au M

PARULINE DU KENTUC

Hiverne du Mex. au N de l'Am. du S

319. PARULINE MASQUÉE

Inusité en début d'hiver jusque dans le S de l'Ont. et en N.-É.

320. PARULINE POLYGLOTTE

Inusité en début de l'hiver jusque dans le S de l'Ont. et au Mass.

Hiverne jusqu'au Panama

321. PARULINE DES RUISSEAUX

Hiverne jusque dans le N de l'Am. du S

322. PARULINE HOCHEQUEUE

Visiteur inusité au Maine

Hiverne aux Antilles et du Mex. à l'Am. du S. inusité en hiver dans les États du g.

323. PARULINE COURONNÉE

Rare en hiver jusque sur la côte N du golfe

324. CAROUGE À ÉPAULETTES

325.

Nombreuses mentions en automne et en hiver jusqu'à la côte E

CAROUGE À TÊTE JAUNE

32

VACHE À TÊTE BRUNE

Aire de nidificatio
expansion vers le

327.

QUISCALE ROUILLEUX

32

En expansion vers l'E

Migra
inus
jusqu
Nouv.

QUISCAL DE BREW

329.

QUISCALE À LONGUE QUEUE

En expansion vers l'intérieur

Peuvent s'hybrider là où les aires se chevauchent

QUISCALE BRONZÉ

33

Inus
au N

En expan
vers le

QUISCAL DES MARA

331.

Récemment établi dans l'O de T.-N.

GOGLU DES PRÉS

Hiverne en Am. du S

332.

Sporadique en hiver dans le N

?
?

STURNELLE DES PRÉS

333.

Hybrides? En expansion localisée vers l'E

Inusité jusqu'à la côte E

STURNELLE DE l'OUEST

Aire d'hivernage mal connue dans l'E

334.

Peut hiverner dans toute l'aire; les populations du N migrent

ÉTOURNEAU SANSONNET

335.

ORIOLE DES VERGERS

Hiverne du Mex. à l'Am. du S

336.

S'hybride avec les race de l'Ouest en bordure O de l'aire

Inusité en hiver dans le N-E des É.-U. aux mangeoires

ORIOLE DE BALTIMORE

Hiverne surtout sous les tropiques; sporadique dans le S des É.-U.

337.

Inusité en hiver jusqu'à la côte E (aux mangeoires)

Au N du Texas, où l'aire chevauche celle de la race de l'Est, la plupart des individus sont des hybrides

ORIOLE DE BULLOCK

Hiverne jusqu'au Guatemela

338.

Apparu à Miami en 194● (échappé); en expansion sur la côte

ORIOLE MACULÉ

Réside du S-O du Mex. au N-O du Costa-Rica

339.

Inusité dans le S de l'Ont. et en N.-É.

Rare en migration du printemps jusqu'en Nouv.-Angl.

TANGARA VERMILLON

Hiverne du Mex. à l'Amazonie

340

Inusité en N.-É

TANGARA ÉCARLATE

Hiverne dans le N de l'Am. du S

341.

Espèce européenne introduite en 1850

MOINEAU DOMESTIQUE

342

Pas en expansion apparemment

Espèce européenne introduite en 1870 (St-Louis)

MOINEAU FRIQUET.

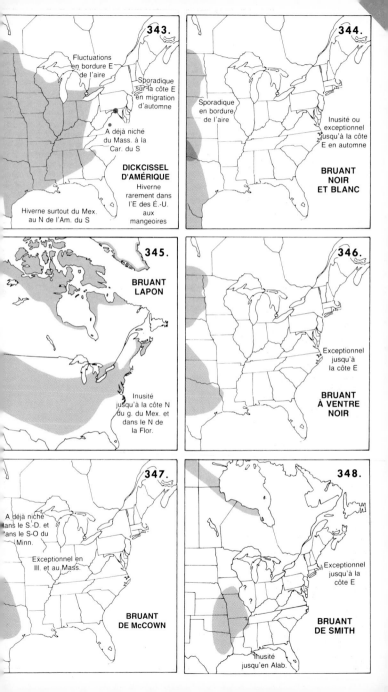

343.

Fluctuations
en bordure E
de l'aire

Sporadique
sur la côte E
en migration
d'automne

A déjà niché
du Mass. à la
Car. du S

**DICKCISSEL
D'AMÉRIQUE**

Hiverne
rarement dans
l'E des É.-U.
aux
mangeoires

Hiverne surtout du Mex.
au N de l'Am. du S

344.

Sporadique
en bordure
de l'aire

Inusité ou
exceptionnel
jusqu'à la côte
E en automne

**BRUANT
NOIR
ET BLANC**

345.

**BRUANT
LAPON**

Inusité
jusqu'à la côte N
du g. du Mex. et
dans le N de
la Flor.

346.

Exceptionnel
jusqu'à
la côte E

**BRUANT
À VENTRE
NOIR**

347.

A déjà niché
dans le S.-D. et
dans le S-O du
Minn.

Exceptionnel en
Ill. et au Mass.

**BRUANT
DE McCOWN**

348.

Exceptionnel
jusqu'à la
côte E

**BRUANT
DE SMITH**

Inusité
jusqu'en Alab.

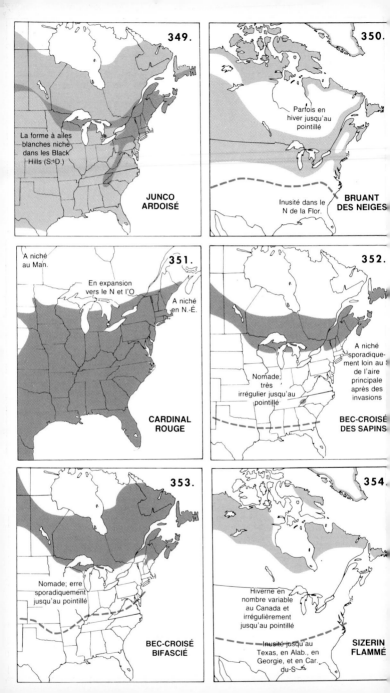

349.
JUNCO ARDOISÉ

La forme à ailes blanches niche dans les Black Hills (S.-D.)

350.
BRUANT DES NEIGES

Parfois en hiver jusqu'au pointillé

Inusité dans le N de la Flor.

351.
CARDINAL ROUGE

A niché au Man.

En expansion vers le N et l'O

A niché en N.-É.

352.
BEC-CROISÉ DES SAPINS

A niché sporadiquement loin au S de l'aire principale après des invasions

Nomade; très irrégulier jusqu'au pointillé

353.
BEC-CROISÉ BIFASCIÉ

Nomade; erre sporadiquement jusqu'au pointillé

354.
SIZERIN FLAMMÉ

Hiverne en nombre variable au Canada et irrégulièrement jusqu'au pointillé

Inusité jusqu'au Texas, en Alab., en Georgie, et en Car. du-S

355.

SIZERIN BLANCHÂTRE

Hiverne dans la majeure partie de l'aire de nidification, et, très rarement, jusqu'au pointillé

356.

Inusité au Qc et en N.-É.

Relâché à N.-Y. en 1940; expansion explosive

Originaire de l'O des É.-U.

A atteint le pointillé en 1980

ROSELIN FAMILIER

357.

Déplacements irréguliers en hiver

ROSELIN POURPRÉ

358.

DURBEC DES SAPINS

Hiverne dans la majeure partie de l'aire de nidification; jusqu'au pointillé certains hivers

A déjà niché au N.-H., dans le Maine, au N.-B. et en N.-É.

359.

Expansion récente à l'E et au S

Irrégulier en hiver; invasion considérable certaines années jusqu'au pointillé

GROS-BEC ERRANT

360.

Abondance variable en hiver

CHARDONNERET JAUNE

361. TARIN DES PINS

À niché à l'occasion jusqu'au pointillé après les invasions

Hiverne très irrégulièrement du sud de l'aire de nidification au g. du Mex.

Inusité dans les Keys de Flor.

362. GUIRACA BLEU

Inusité jusqu'aux Grands Lacs et dans les Maritimes

En expansion vers le N

Hiverne à Cuba et du Mex. au Panama

363. PASSERIN INDIGO

Inusité en N.-É.

S'hybride avec le Passerin azuré en bordure O de l'aire

Hiverne surtout aux Antilles et du Mex. au Panama

364. PASSERIN NONPAREIL

Inusité ou exceptionnel jusqu'aux Grands Lacs et la Nouv. Angl.

Inusité en hiver sur la côte N du golfe

Niche rarement sur la côte O de la Flor.

365. CARDINAL À POITRINE ROSE

Inusité en hiver jusque dans le N des É.-U. aux mangeoires

Peut s'hybrider avec le Cardinal à tête noire en bordure O de l'aire

Hiverne aux Antilles et du Mex. au Pérou

366. TOHI À FLANCS ROUX

Inusité au N.-B. et en N.-É.

367.
BRUANT
À GORGE
BLANCHE

Inusité dans
le S de la Flor.

368.
BRUANT
À COURONNE
BLANCHE

Hiverne rarement
sur la côte S-E;
inusité dans le S
de la Flor.

369.
BRUANT
À FACE
NOIRE

Rare ou inusité
en hiver jusqu'à
la côte E
aux mangeoires

370.
BRUANT
FAMILIER

371.
BRUANT
DES
CHAMPS

Inusité en
hiver dans le
S de la Flor.

372.
BRUANT
DES MARAIS

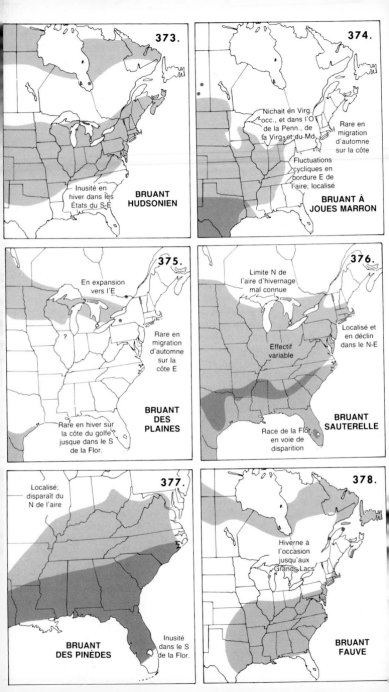

373.

Inusité en hiver dans les États du S-E

BRUANT HUDSONIEN

374.

Nichait en Virg. occ., et dans l'O de la Penn., de la Virg. et du Md.

Fluctuations cycliques en bordure E de l'aire; localisé

Rare en migration d'automne sur la côte

BRUANT À JOUES MARRON

375.

En expansion vers l'E

?

Rare en migration d'automne sur la côte E

Rare en hiver sur la côte du golfe jusque dans le S de la Flor.

BRUANT DES PLAINES

376.

Limite N de l'aire d'hivernage mal connue

Effectif variable

Localisé et en déclin dans le N-E

Race de la Flor. en voie de disparition

BRUANT SAUTERELLE

377.

Localisé; disparaît du N de l'aire

Inusité dans le S de la Flor.

BRUANT DES PINÈDES

378.

Hiverne à l'occasion jusqu'aux Grands Lacs

BRUANT FAUVE

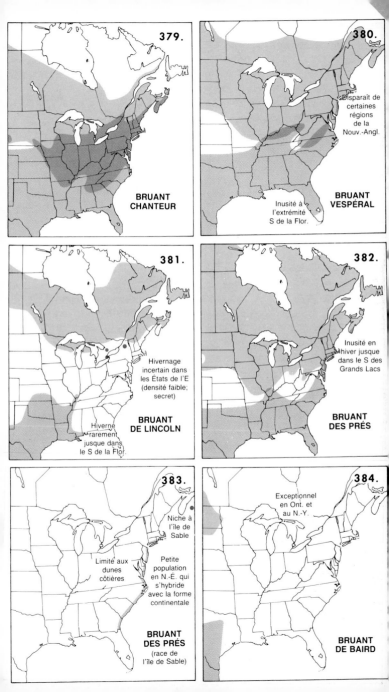

379.
BRUANT CHANTEUR

380.
BRUANT VESPÉRAL
Disparaît de certaines régions de la Nouv.-Angl.
Inusité à l'extrémité S de la Flor.

381.
BRUANT DE LINCOLN
Hivernage incertain dans les États de l'E (densité faible; secret)
Hiverne rarement jusque dans le S de la Flor.

382.
BRUANT DES PRÉS
Inusité en hiver jusque dans le S des Grands Lacs

383.
BRUANT DES PRÉS (race de l'île de Sable)
Niche à l'île de Sable
Limité aux dunes côtières
Petite population en N.-É. qui s'hybride avec la forme continentale

384.
BRUANT DE BAIRD
Exceptionnel en Ont. et au N.-Y.

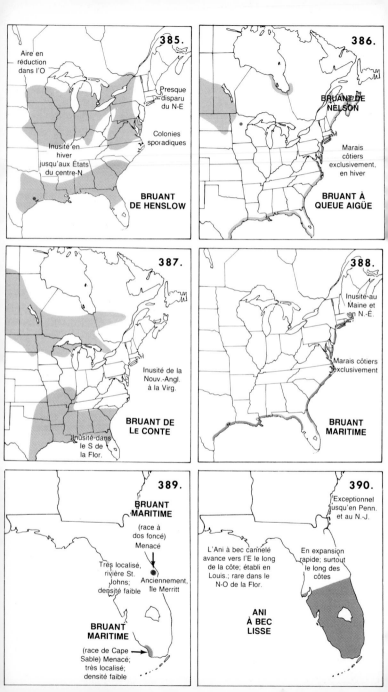

385.

Aire en réduction dans l'O

Presque disparu du N-E

Colonies sporadiques

Inusité en hiver jusqu'aux États du centre-N

BRUANT DE HENSLOW

386.

BRUANT DE NELSON

Marais côtiers exclusivement, en hiver

BRUANT À QUEUE AIGÜE

387.

Inusité de la Nouv.-Angl. à la Virg.

Inusité dans le S de la Flor.

BRUANT DE LE CONTE

388.

Inusité au Maine et en N.-É.

Marais côtiers exclusivement

BRUANT MARITIME

389.

BRUANT MARITIME

(race à dos foncé) Menacé

Très localisé, rivière St. Johns; densité faible

Anciennement, Île Merritt

BRUANT MARITIME

(race de Cape Sable) Menacé; très localisé; densité faible

390.

Exceptionnel jusqu'en Penn. et au N.-J.

L'Ani à bec cannelé avance vers l'E le long de la côte; établi en Louis.; rare dans le N-O de la Flor.

En expansion rapide; surtout le long des côtes

ANI À BEC LISSE

Index

Les noms de toutes les espèces décrites et illustrées dans ce livre figurent dans les index: les oiseaux exceptionnels de l'Ouest, énumérés en p.304, ne sont pas répertoriés. Les noms scientifiques renvoient aux pages des descriptions; les noms américains, à la description principale seulement. Sauf de rares exceptions, les noms français renvoient au texte; il est entendu que l'illustration se trouve sur la page opposée. Les chiffres précédés de la lettre C, qu'on ne trouve que dans les noms français, renvoient aux cartes de distribution regroupées à la fin du livre; ils correspondent au numéro placé dans le coin supérieur droit de chaque carte.

Accipifer
  cooperii, 152, 170
  gentilis, 152, 170
  nisus, 296
  striatus, 152, 170
Actitis
  macularia, 132, 142
Aechmophorus
  clarkii, 34
  occidentalis, 34
Aegolius
  acadicus, 176
  funereus, 176
Agapornis
  personata, 178
Agelaius
  humeralis, 300
  phoeniceus, 252
Aigle
  royal, 158, 166, C 174
Aigrette
  bleue, 100, 102, C89
  garzette, 294
  Grande, 102, C92
  neigeuse, 102, C93
  roussâtre, 100, 102, C91
  tricolore, 100, C90
Aimophila
  aestivalis, 282
  ruficeps, 280
Aix
  galericulata, 302
  sponsa, 50, 66
Ajaia
  ajaja, 110
Albatros
  à nez jaune, 290
  à sourcils noirs, 290
Albatross
  Black-browed, 290
  Yellow-nosed, 290
Alca
  torda, 36
Alectoris
  chukar, 148, 302
Alle
  alle, 38
Alopochen
  aegyptiacus, 302
Alouette
  cornue, 200

hausse-col, 200, 265, C229
Amazona
  ochrocephala, 178
  viridigenalis, 17X
Amazone
  à joues vertes, 178
  à front jaune, 178
Ammodramus
  bairdii, 286
  caudacurus, 288
  henslowii, 286
  leconteii, 288
  maritimus, 288
  nelsoni, 288
  savannarum., 282
Anas
  acuta, 50, 66
  americana, 50, 66
  bahamensis, 298
  clypeata, 52, 66
  crecca, 52, 66
  cyanoptera, 52
  discors, 52, 66
  formosa, 296
  fulvigula, 48
  penelope, 50
  platyrhynchos, 48, 68
  poecilorhyncha, 302
  querquedula, 296
  rubripes, 48, 68
  strepera, 48, 66
Anhinga
  anhinga, 40
Anhinga, 40
  d'Amérique, 40, C16
Ani
  à bec cannelé, 182
  à bec lisse, 182, C390
  Groove-billed, 182
  Smooth-billed, 182
Anous
  minutus, 98
  stolidus, 98
Anser
  albifrons, 44, 46
  anser, 296
  brachyrhynchus, 296
  cygnoides, 302
  erythropus, 296
  fabalis, 296

indicus, 302
Anthus
  rubescens, 200
  spragueii, 200
Aphelocoma
  coerulescens, 208
Aquila
  chrysaetos, 158, 166
Aramides
  cajanea, 302
Aramus
  guarauna, 108
Aratinga
  canicularis, 1 78
  chloroprera, 178
  holochlora, 178
Archilochus
  colubris, 186
Ardea
  alba, 102
  herodias, 100, 102
Arenaria
  interpres, 118, 122
Arlequin,
  plongeur, 56, 70, C37
Asio
  flammeus, 172
  otus, 172
Athene
  cunicularia, 176
Astrild
  ondulé, 302
Auk
  Great, 37
Autour
  des palombes, 152, 170, C165
Avocet
  American, 116
Avocette
  d'Amérique, 116, C115
Aymya
  affinis, 58, 72
  americana, 58, 72
  collaris, 58, 72
  fuligula, 58, 296
  marila, 58, 72
  valisineria, 58, 72

Baeolophus
  bicolor, 210

Balbuzard
pêcheur, 158, 166, C175
Bananaquit, 300
Barge
à queue noire, 294
hudsonienne, 126, 138, C128
marbrée, 126, 138, C 129
rousse, 294
Bartramia
longicauda, 130, 140
Bécasse
d'Amérique, 124, 140,C124
des bois, 294
Bécasseau
à croupion blanc, 134, 142, C147
à échasses, 128, 132, 140, C139
à long bec, 124
à poitrine cendrée, 130, 140, C138
cocorli, 132, 142
combattant, 130
d'Alaska, 134, 142, C 145
de Baird, 134, 142, C 146
maubèche, 124, 142, C127
minuscule, 134, 142, C143
roussâtre, 130, 140
roux, 124
sanderling, 130, 142, C136
semipalmé, 134, 142,C144
variable, 132, 142, C 140
violet, 132, 142, C141
Bécassin
à long bec, 124, 142
roux, 124, 142, C 126
Bécassine
des marais, 124, 140, C 125
double, 294
sourde, 294
Bec-croisé
à ailes blanches, 268
bifascié, 268, C353
des sapins, 268, C352
rouge, 268
Bec-en-ciseaux
noir, 98, C87
Bec-scie
à poitrine rousse, 62
couronné, 62
Grand, 62
Bernache
à cou roux, 296
cravant, 44, 46, C22
du Canada, 44, 46, C21
nonnette, 44, 29h
Bihoreau
à couronne noire, 104

gris, 104, C96
violacé, 104, C97
Bittern
American, 104
Least, 104
Blackbird
Brewer's, 254
Red-winged, 252
Rusty, 254
Tawny-shouldered, 300
Yellow-headed, 252
Black-Hawk
Common, 298
Blongios
Petit, 104, C99
Bluebill, 72
Bluebird
Eastern, 220
Mountain, 220
Bobolink, 256
Bobwhite
Northern, 148
Bombycilla
cedrorum, 224
garrulus, 224
Bonasa
umbellus, 144
Booby
Brown, 80
Masked, 80
Red-footed, 290
Botaurus
lentiginosus, 104
Brambling, 296
Brant, 44
Branta
bernicla, 44,46
canadensis, 44,46
leucopsis, 44, 296
ruficollis, 296
Brotogeris
jugularis, 178
versicolorus, 178
Bruant
à calotte fauve, 280
à collier gris, 264
à couronne blanche, 278, C368
à couronne dorée, 278
à couronne fauve, 280
à face noire, 278, C369
à gorge blanche, 278, C367
à joues marron, 282, C374
à queue aiguë, 288, C386
à ventre noir, 264, C346
chanteur, 284, C379
de Baird, 286, C384
de Henslow, 283, 286, C385

de Le Conte, 288, C387
de Lincoln, 284, C381
de McCown, 264, C347
de Nelson, 288, C386
de Smith, 264, C348
des champs, 280, C371
des marais, 280, 285, C372
des neiges, 266, C350
des pinèdes, 282, C377
des plaines, 281, 282, C375
des prés, 286, C382, C383
familier, 280, 283, C370
fauve, 284, C378
hudsonien, 280, C373
lapon, 264, C345
maritime, 288, C388, C389
noir et blanc, 262, C344
sauterelle, 282, 287, C376
vespéral, 284, C380
Bubo
virginianus, 172
Bubulcus
ibis. 102
Bucephala
albeola, 60, 72
clangula, 60, 72
islandica, 60
Budgerigar. 178
Bufflehead. 60
Bulbul
orpllée, 216
Red-whiskered, 216
Bullfinch
Cuban, 300
Greater Antillean, 300
Bunting
Indigo, 274
Lark, 262
Lazuli, 274
Painted, 274
Snow, 266
Busard
Saint-Martin, 152, 164, C166
Buse
à épaulettes, 156, 164,C170
à queue courte, 156, 164, 168, C172
à queue rousse, 154, 164, 168, C167
de Swainson, 154, 164, 168, C168
noire, 298
pattue, 156, 164, 168, C169
Petite, 156, 164, C171
rouilleuse, 154, 164
Buteo
brachyurus, 156, 164, 168

jamaicensis, 154, 164, 168
lagopus, 156, 164, 168
lineatus, 156, 164
platypterus, 156, 164
regalis, 154, 164
swainsoni, 154, 164, 168
Buteogallus
   anthracinus, 298
Butor
   d'Amérique, 104, C 100
   Petit, 104
Butorides
   virescens, 104

Caille
   des blés, 302
Cairina
   moschata, 52, 302
Calamospiza
   melanocorys, 262
Calcarius
   lapponicus, 264
   mccownii, 264
   ornatus, 264
   pictus, 264
Calfat, *voir* Padda
Calidris
   alba, 130, 142
   alpina, 132, 142
   bairdii, 134, 142
   canutus, 124, 142
   ferruginea, 132. 42
   fuscicollis, 134, 142
   himantopus, 128, 132, 140
   maritima, 132, 142
   mauri, 134, 142
   melanotos, 130, 140
   minutilla, 134, 142
   pusilla, 134, 142
Callipepla
   squamata, 148
Calliphlox
   evelynae, 300
Calonectris
   diomedea, 74
Calopsitte
   élégante, 178
Campephilus
   principalis, 188
Canard
   à bec tacheté, 302
   arlequin, 56
   branchu, 50, 66, C29
   brun, 48, C24
   chipeau, 48, 66, C2
   colvert, 48, 68, C26
   d'Amérique, 50, 66, C28
   de Barbarie, 52
   des Bahamas, 298

   du Labrador, 55
   kakawi, 56
   mandarin, 302
   musqué, 52, 302
   noir, 48, 68, C23
   pilet, 50, 66, C27
   roux, 60
   siffleur, 50
   siffleur d'Amérique, 50
   siffleur d'Europe, 50
   souchet, 52, 66, C30
Canavasback, 58
Caprimulgus
   carolinensis, 184
   vociferus, 184
Capucin
   à dos marron, 302
   damier, 302
Caracara
   crested, 160
   huppé, 160, 168, C178
Caracara
   plancus, 160, 168
Cardinal
   à pointrine rose, 276, C365
   à tête noire, 276
   Nothern, 268
   Red-crested, 302
   rouge, 268, C351
Cardinalis
   cardinalis, 268
Carduelis
   carduelis, 272, 302
   flammea, 270
   hornemanni, 270
   pinus, 272
   tristis, 272
Carouge
   à épaulettes, 252, C324
   à tête jaune, 252, C325
   Petit, 300
Carpodacus
   mexicanus, 270
   purpureus, 270
Catbird
   Gray, 218
Catharacta
   marccormicki, 82
   skua, 82
Cathartes
   aura, 160, 168
Catharus
   bicknelli, 202
   fuscescens, 222
   guttatus, 222
   minimus, 222
   ustulatus, 222
Catoptrophorus
   semipalmatus, 128, 138

Capphus
   gruyllle, 38
Certhia
   americana, 212
Ceryle
   alcyon, 186
Chachalaca
   Plain, 302
Chaetura
   cinereiventris, 300
   pelagica, 204
   vauxi, 204
Chanteur, *voir* Sporophile
Charadrius
   alexandrinus, 120, 122
   hiaticula, 120
   melodus, 120 122
   mongulus, 294
   semipalmatus, 120, 122
   vociferus, 120, 122
   wilsonia, 120, 122
Chardonneret
   des pins, 272
   élégant, 272, 302
   jaune, 272, C360
Chat
   Yellow-breasted, 246
Chen
   caerulescens, 42, 44, 46
   rossii, 42
Chevalier
   aboyeur, 294
   arlequin, 294
   branlequeue, 132
   grivelé, 132, 142, C142
   gambette, 294
   Grand, 128, 140, C133
   Petit, 128, 140, C134
   semipalmé, 128, 138, C132
   solitaire, 128, 140, C135
Chevêche
   des terriers, 176, C193
Chickadee
   Black-capped, 210
   Boreal, 210
   Carolina, 210
Chlidonias
   leucopterus, 292
   niger, 98
Chlorostilgon
   ricordii, 300
Chondestes
   grammacus, 282
Chordeiles
   acutipennis, 184
   gundlachii, 184
   minor, 184
Chouette
   des terriers, 176

épervière, 176, C194
lapone, 174, C189
rayée, 174, C187
Chrysolophus
pictus, 302
Chuck-sill's-widow, 184
Chukar, 302
Circus
cyaneus, 152, 164
Cistothorus
palustric, 214
platensis, 214
Clangula
hyemalis, 56, 70
Coccothraustes
vespertinus, 272
Coccyzus
americanus, 182
erythropthalmus, 182
minor, 182
Cockatiel, 178
Coereba
flaveola, 300
Colaptes
autatus, 190
Colibri
à gorge rubis, 186 C204
des Bahamas, 300
roux, 186
Colin
de Virginie, 148, C160
écaillé, 148
Colinus
virginianus, 148
Colombe
à joues blanches, 298
à queue noire, 180, C196
à tête bleue, 298
inca, 180
rouviolette, 298
Columba
leucocephala, 180
livia, 180
squamosa, 298
Columbina
inca, 180
passerina, 180
Combattant
varié, 130, 142
Condor
royal, 160
Contopus
cooperi, 196
virens, 196
Conure
à front rouge, 178
de Caroline, 178
maîtresse, 178

nanday, 178
verte, 178
veuve, 178
Conuropsis
carolinensis, 178
Coot
American, 64, 114
Caribbean, 298
Eurasian, 296
Coragyps
atratus, 160, 168
Corbeau
à cou blanc, 206
Grand, 206, C241
Cormoran
à aigrettes, 40, C14
Grand, 40, C 15
olivâtre, 40
vigua, 40
Cormoran
Double-crested, 40
Great, 40
Neotropic, 40
Corneille
d'Amérique, 206, C240
de rivage, 206, C239
Corvus
brachyrhynchos, 206
corax, 206
cryptoleucus, 206
ossifragus, 206
Coturnicops
noveboracensis, 114
Coturnix
coturnix, 302
Coulicou
à bec jaune, 182, C197
à bec noir, 182, C198
manioc, 182, C199
masqué, 182
Courlan
brun, 108, 113, C103
Courlis
à long bec, 126, 138, C130
cendré, 294
corlieu, 126, 138, 294,C131
esquimau, 126
Cowbird
Brown-headed, 252
Crake,
Corn, 114, 294
Paint-billed, 298
Crane
Common, 294
Sandhill, 106
Whooping, 106
Crécerelle
d'Amérique, 162, 170,C179
Creeper

Brown, 212
Crex
crex, 114, 294
Crossbill
Red, 268
White-winged, 268
Crotophaga
ani, 182
sulcirostris, 182
Crow,
American, 206
Fish, 206
Cuckoo,
Black-billed, 182
Mangrove, 182
Yellow-billed, 182
Curlew
Eskimo, 126
Eurasian 294
Long-biled, 126
Cyanocitta
cristata, 208
Cygne
à cou noir, 302
chanteur, 296
noir, 302
siffleur, 42, 46, C18
trompette, 42
tuberculé, 42, C17
Cygnus
atratus, 302
columbianus, 42, 46
cygnus, 296
melanocoryphus, 302
olor, 42

Damier
du Cap, 292
Daption
capense, 292
Dendrocygna
aulumnalis, 298
bicolor, 48, 68
Dendrocygne
à ventre noir, 298
fauve, 48, 68
Dendroica
caerulescens, 232, 250
castanea, 236, 248
cerulea, 232
coronara, 234, 248
discolor, 238, 248
dominica, 230
fusca, 236, 248
kirtlandii, 234
magnolia, 234, 248
nigrescens, 232
palmarum, 238, 248
pensylvanica, 236, 248

perechia, 238, 248
pinus, 238 248
striara, 232, 248
tigrina, 236, 248
virens, 230, 248
Diablotin
des Bermudes, 76
errant, 76
hérault, 292
maculé, 292
Dickcissel, 262
d'Amérique, 262, C343
Dindon
sauvage, 144, C151
Dolichonyx
oryzivorus, 256
Dove
Inca, 180
Mourning, 180
Rock, 180
White-winged, 180
Zenaida, 298
Dovekie, 38
Dowitcher
Long-billed, 124
Short-billed, 124
Dryocopus
pilearus, 188
Duck
American Black, 48
Harlequin, 56
Labrador, 55
Mandarin, 302
Masked, 298
Mottled, 48
Muscovy, 52, 302
Ring-necked, 58
Ruddy, 60
Spot-billed, 302
Tufted, 296

Wood, S0
Dunlin, 132
Dumerella
carolinensis, 218
Durbec
des pins, 270
des sapins, 270, C358

Eagle,
Bald, 158
Golden, 158
White-tailed, 296
Échasse
d'Amérique, 116, C114
Effraie
des clochers, 174, C188
Egret
Cattle, 102

Great, 102
Little, 294
Reddish, 100, 102
Snowy, 102
Egretta
caerulea, 100, 102
garzetta, 294
rufescens, 100, 102
thula, 102
tricolor, 100
Eider
à duvet, 56, 70, C39
à tête grise, 56, 70, C38
Common, 56
King, 56
Élanion
à queue blanche, I50, 170
Elanoides
forficatus, 150, 170
Elanus
leucurus, I S0, 170
Emerald,
Cuban, 300
Émeraude
de Ricord, 300
Empidonax
alnorurn, 198
flaviventris, 198
minimus, 196, 198
traillii, 198
virescens, 198
Empidonomus
varius, 300
Engoulevent
bois-pourri, 184, C201
d'Amérique, 184, C200
de Caroline, 184, C202
de Nuttall, 184, C203
minime, 184
piramidig, 184
Épervier
brun, 152, 170, C163
de Cooper, 152, 170, C164
d'Europe, 296
Eremophila
alpeslris, 200
Érismature
rousse, 60, 72,.C48
routoutou, 298
Esrrilda
astrild, 302
Étourneau
sansonnet, 256, C334
Eudocimus
albus, 108
ruber, 110
Euphagus
carolinus, 254
cyanocephalus, 254

Faisan
de chasse, 144
de Colchide, 144, C153
doré, 302
Falcipennis
canadensis, 146
Falco
columbarius, 162, 170
mexicanus, 162, 170
peregrinus, 162, 170
rusticolus, 162, 170
sparverius, 162, 170
Tinnunculus, 296
Falcon
Peregrine, 162
Prairie 162
Faucon
crécerelle, 296
des Prairies, 162, 170
émerillon, 162, 170, C180
gerfaut, 162, 170, C182
pèlerin, 162, 170, C181
Fieldfare, 296
Finch
House, 270
Purple, 270
Flamant
rose, 110
Flamingo
Greater, 110
Flicker
Northen, 190
Flycatcher
Acadian, 198
Alder 198
Ash-throated, 194
Fork-tailed, 300
Great Crested, 194
La Sagra's, 300
Least, 198
Olive-sided, 196
Scissor-tailed, 194
Variegated, 300
Vermilion, 196
Willow, 198
Yellow-bellied, 198
Fou
à pieds rouges, 290
brun, 80
de Bassan, 80, C64
masqué, 80
Foulque
à cachet, 298
d'Amérique, 64, 114, C52
macroule, 296
Francolin
black, 302
noir, 302
Francolinus

francolinus, 302
Fratercula
  arctica, 38
Fregata
  ariel, 290
  magnificens, 78
Frégate
  ariel, 290
  Petite, 290
  superbe, 78, C63
Frigatebird,
  Lesser, 290
  Magnificent, 78
Fregetta
  grallaria, 292
Fringilla
  montifringilla, 296
Fulica
  americana, 64, 114
  atra, 296
  caribea, 298
Fuligule
  à collier, 58, 72, C42
  à dos blanc, 58, 72, C40
  à tête rouge, 58, 72, C41
  milouinan, 58, 72, C44
  morillon, 58, 296
  Petit, 58, 72, C43
Fulmar
  boréal, 76, CS8
  Northern, 76
Fulmarus
  glacialis, 76

Gadwall, 48
Gallinago
  gallinago, 124, 140
  media, 294
Gallinula
  chloropus, 64, 114
Gallinule
  poule-d'eau, 64, 114, CS3
  Purple, 64, 114
  violacée, 64
Gannet
  Northern, 80
Garganey, 296
Garrot
  à œil d'or, 60, 72, C45
  de Barrow, 60
  d'Islande, 60, C46
  Petit, 60, 72, C47
Gavia
  adamsii, 32
  arctica, 32
  immer, 32
  srellara, 32
Geai
  à gorge blanche, 208, C243

bleu, 208, C242
  du Canada, 208
Gélinotte
  à queue fine, 146
  huppée, 144, C152
Geococcyx
  californianus, 182
Géocoucou
  Grand, 182, C199
Geothlypis
  rostrata, 300
  trichas, 246, 250
Geotrygon
  chrysia, 298
  monrana, 298
Gnatcatcher
  Blue-gray, 216
Gobemoucheron
  gris-bleu, 216, C262
Godwit
  Bar-tailed, 294
  Black-tailed, 294
  Hudsonian, 126
  Marbled, 126
Goéland
  à bec cerclé, 86, 90, C71
  à manteau noir, 86
  arctique, 84, 90, C69
  argenté, 86, 90, C70
  bourgmestre, 84, 90, C68
  brun, 86
  cendré, 290
  de Californie, 86, 90
  de Thayer, 86, C70
  marin, 86, 90, C73
  siméon, 290
Goglu
  des prés, 256, 263, C331
Goldeneye
  Barrow's, 60
  Common, 60
Golden-Plover
  American, 118
  Greater, 294
Goldfinch
  American 272
  European 272, 302
Goose
  Bar-headed, 302
  Barnacle, 44, 296
  Bean, 296
  Canada, 44
  Chinese, 302
  Egyptian, 302
  Graylag, 296
  Greater White-fronted, 44
  Lesser White-fronted, 296
  Pink-footed, 296
  Red-breasled, 296

Ross', 42
  Snow,42, 44
Goshawk
  Northern, 152
Grackle
  Boat-tailed, 254
  Common, 254
  Great-tailed, 254
Gracula
  religiosa, 302
Grand-duc
  d'Amérique, 172, C186
Grassquit
  Black-faced, 300
  Cuban, 300
Gravelot
  à collier interrompu, 120
  Grand,120
Grèbe / Grebe
  à bec bigarré, 34, C6
  à cou noir, 34, C5
  à face blanche, 34
  Clark's, 34
  cornu, 34
  Eared,34
  élégant, 34, C8
  esclavon, 34, C4
  Horned, 34
  jougris, 34, C7
  Least 298
  minime, 298
  Pied-billed, 34
  Red-necked, 34
  Western, 34
Greenshank
  Common, 294
Grimpereau
  brun, 212, C253
Grive
  à collier. 220
  à dos olive, 222, C270
  à joues grises, 222, C269
  de Bicknell, 222, C269
  des bois, 222, C273
  fauve, 222, C272
  litoɾne, 296
  mauvis, 296
  solitaire. 222, C271
Gros-bec
  errant, 272, C359
Grosbeak
  Black-headed, 276
  Blue, 274
  Evening, 272
  Pine, 270
  Rose-breasted, 276
Ground-Dove,
  Common, 180
Grouse,

Ruffed, 144
Sharp-tailed, 146
Spruce,146
Grue
blanche, 106
blanche d'Amérique, 106
cendrée, 294
du Canada, 106, C102
Grus
americana, 106
canadensis, 106
grus, 294
Guifette
leucoptère, 292
noire, 98, C86
Guillemot
à miroir, 38, C12
Black, 38
de Brünnich, 36, C10
marmette, 36, C11
Guiraca
bleu, 274, C362
Guiraca
caerulea, 274
Gull
Band-tailed, 290
Black-headed, 88
Bonaparte's, 88
California, 86
Franklin's, 88
Glaucous, 84
Great Black-backed, 86
Herring, 86
Iceland, 84
Ivory, 84
Laughing, 88
Lesser Black-backed, 86
Little, 88
Mew, 290
Ring-billed, 86
Ross', 84
Sabine's, 88
Thayer's, 86
Gyrfalcon, 162

Haematopus
palliatus, 116
Haliaeetus
albicilla, 296
leucocephalus, 158, 166
Harelde,
kakawi, 56, 70, C36
Harfang
des neiges, 174, C190
Harle
couronné, 62, 68, C51
Grand, 62, 68, C49
huppé, 62, 68, C50
piette, 296

Harrier
Northern, 152
Hawk
Broad-winged, 156
Cooper's, 152
Ferruginous, 154
Red-shouldered, 156
Red-tailed, 154
Rough-legged, 156
Sharp-shinned, 152
Short-tailed, 156
Swainson's, 154
Hawk Owl
Northern, 176
Helmitheros
vermivorus, 240
Héron / Heron
garde-boeufs, 102, C94
Grand, 100, 102, C88, C95
Great Blue, 100, 102
Green, 104
Little Blue, 100
Tricolored, 100
vert, 104, C98
Hibou
des marais, 172, C183
moyen-duc, 172, C185
Himantopus
mexicanus, 116
Hirondelle
à ailes hérissées, 204, C236
à front blanc, 202, C233
à front brun, 300
bicolore, 204, C235
chalybée, 300
de cheminée, 202
de Cuba, 300
de rivage, 204, C237
des Bahamas, 300
des granges, 202
gracieuse, 300
noire, 202, C232
rustique, 202, C234
Hirundo
rustica, 202
Histrionicus
histrionicus, 56, 70
Huart
à bec blanc, 32
à collier, 32
à gorge rousse, 32
du Pacifique, 32
Huîtrier
d'Amérique, 116, C113
Hummingbird
Ruby-throated, 186
Rufous, 186
Hudrobates
pelagicus, 292

Hylocichla
mustelina, 222

Ibis
à face blanche, 108, C104
blanc, 108, C105
falcinelle, 108, C104
Glossy, 108
rouge, 110
Scarlet, 110
White, 108
White-faced, 108
Icteria
virens, 246
Icterus
dominicensis, 300
galbul, 258
icterus, 302
pectoralis, 258
spurius, 258
Ictinia
mississippiensis, 150, 170
Inséparable
masqué, 178
Ixobrychus
exilis, 104
Ixoreus
naevius, 220

Jacana,
du Mexique, 298
Northern, 298
Jacana
spinosa, 298
Jaeger
Long-tailed, 82
Parasitick 82
Pomarine, 82
Jaseur
boréal, 224, C276
d'Amérique, 224, C277
des cèdres, 224
Jay
Blue, 208
Gray, 208
Scrub, 208
Junco
« ailes blanches », 226
« à dos roux », 266
ardoisé, 266, C349
Dark-eyed, 266
Junco
hyemalis, 266

Kestrel
American, 162
Eurasian, 296
Killdeer, 120
Kingbird

Couch's, 300
Eastern, 194
gray, 194
Loggerhead, 300
Tropical, 300
Western, 194
Kingfisher
Belted, 186
Kinglet
Golden-crowned, 21
Ruby-crowned, 216
Kiskadee
Great, 300
Kite
Swallow-tailed, 150
Mississipi, 150
Snail, 150
White-tailed, 150
Kittiwake
Black-legged, 86
Knot
Red, 125

Labbe
à longue queue, 82, C67
antarctique, 82
de McCormick, 82
Grand, 82
parasite, 82, C65
pomarin, 82, C66
Lagopède
alpin, 148, C158
des rochers, 148
des saules, 148, C157
Lagopus
lagopus, 148
mutus, 148
Lanius
excubitor, 224
ludovicianus, 224
Lapwing
Northerne, 294
Southern, 302
Lark
Horned, 200
Larus
argentatus, 86, 90
atricilla, 88, 92
belcheri, 290
carlifornicus, 86 90
canus, 290
delawarensis, 86,90
fuscus, 86
glaucoides, 84, 90
hyperboreus, 84 90
marinus, 86 90
minutus, 88, 92
philadelphia, 88, 92
pipixcan, 88, 92

ridibundus, 88, 92
thayeri, 86
Laterallus
jamaicensis, 114
Limmocryptes
minimus, 294
Limnodromus
griseus, 124, 142
scolopaceus, 124, 142
Limnothlypis
swainsoni, 240
Limosa
fedoa, 126, 138
haemastica, 126, 138
lapponica, 294
limosa, 294
Limpkin, 108
Lonchura
malacca, 302
Longspur
Chestnut-collared, 264
Lapland, 264
McCown's, 264
Smith's, 264
Loon
Common, 32
Pacific, 32
Red-throated, 32
Yellow-billed, 32
Lophodytes
cucullatus, 62, 68
Lovebird
Masked, 178
Loxia
curvirostra, 268
leucoptera, 268
Loxigilla
violacea, 300

Macareux
moine, 38, C13
Macreuse
à ailes blanches, 54
à bec jaune, 54
à front blanc, 54, 70, C34
brune, 54, 70, C33
noire, 54, 70, C35
Magpie
Black-billed, 208
Mainate
religieux, 302
Mallard, 48
Mannikin
Chestnut, 302
Nutmeg, 302
Marmette
de Brünnich, 36
de Troïd, 36
Marouette

de Caroline, 114, C 110
Martin,
Cuban, 300
Gray-breasted, 300
Purple, 202
Southern, 300
Martin-pêcheur
d'Amérique, 186, C205
Martinet
à croupion gris, 300
de Vaux, 204
petit-rollé, 300
ramoneur, 204, C238
Maubèche
des champs, 130, 140,
C137
Meadowlark
Eastern, 256
Western, 256
Melanerpes
carolinus, 190
erythrocephalus, 188
Melanitta
fusca, 54, 70
nigra, 54, 70
perspicillata, 54, 70
Meleagris
gallopavo, 144
Melopsittacus
undulatus, 178
Melopyrrha
nigra, 300
Melospiza
georgiana, 280
lincolnii, 284
melodia, 284
Merganser,
Common, 62
Hooded, 62
Red-breasted, 62
Mergellus
albellus, 296
Mergule
nain, 38
Mergus
merganser, 62, 68
serrator, 62, 68
Merle
d'Amérique, 220, C267
vantard, 300
Merlebleu
azuré, 220
de l'Est, 220, C266
Merlin, 162
Mésange
à tête brune, 210, C248
à tête noire, 210, C246
bicolore, 210, C249
de Caroline, 210, C247

minime, 210
Mésangeai
  du Canada, 208, C244
Milan
  à queue fourchue, 150,
  170, C161
  des marais, 150, 168, C 162
  du Mississippi, 150, 170,
  C162
Mimus
  gundlachii, 300
  polyglotttos, 218
Mniotilta
  varia, 232
Mockingbird
  Bahama, 300
  Northern, 218
Moineau
  domestique, 262, C341
  friquet, 262, C342
Molothrus
  ater, 252
Moorhen
  Common, 64, 114
Moqueur
  chat, 218, C264
  des Bahamas, 300
  polyglotte, 218, C265
  roux, 218, C263
Morillon
  à collier, 58
  à dos blanc, 58
  à tête rouge, 58
  Grand, 58
  Petit, 58
Morus
  bassanus, 80
Moucherolle
  à côtés olive, 196, C223
  à ventre jaune, 198, C225
  à ventre roux, 196
  des aulnes, 198, C228
  des saules, 198, C227
  phébi, 196, C222
  tchébec, 196, 198, C226
  vermillon, 196
  vert, 198, C224
Mouette
  à tête noire, 88
  atricille, 88, 92, C74
  blanche, 84, 92
  de Bonaparte, 88, 92, C76
  de Franklin, 88, 92, C74
  de Sabine, 88, 92,C75
  pygmée, 88, 92
  rieuse, 88, 92
  rosée, 84, 92
  tridactyle, 86, 92, C72
Moyac, 70

Murre
  Common, 36
  Thick-billed, 36
Muscovy, *voir* Duck
Myadestes
  townsendi, 218
Mycteria
  americana, 106
Myiarchus
  cinerascens, 194
  crinitus, 194
  sagrae, 300
Mynah
  Hill, 302
Myopsitta
  monachus, 178

Nandayus
  nenday, 178
Neorex
  erythrops, 298
Netta
  rufina, 296
Nette
  rousse, 296
Night-Heron
  Black-crowned, 104
  Yellow-crowned, 104
Nighthawk
  Common, 184
Noddi
  brun, 98
  niais, 98
  noir, 98
Noddy
  Black, 98
  Brown, 98
Numenius
  americanus, 126, 138
  arquata, 294
  borealis, 126
  phaeopus, 126, 138, 294
Nuthatch
  Brown-headed, 212
  Red-breasted, 212
  White-breasted, 212
Nyctale
  boréale, 176
  de Tengmalm, 176, C191
  Petite, 176, C192
Nyctanassa
  violacea, 104
Nyctea
  scandiaca, 174
Nycticorax
  nycticorax, 104
Nymphicus
  hollandicus, 178
Océanite

à ventre blanc, 292
  cul-blanc, 76, C60
  de Castro, 292
  de Wilson, 76, C59
  frégate, 292
  tempête, 292
Oceanites
  oceanicus, 76
Oceanodroma
  castro, 292
  leucorhoa, 76
Oenanthe
  oenanthe, 220
Oie
  à bec court, 296
  à tête barrée, 302
  cendrée, 296
  cygnoïde, 302
  de Ross, 42
  des moissons, 296
  des neiges, 42, 44, 46, Cl9
  naine, 296
  rieuse, 44, 46, C20
Oldsquaw, 56
Oporornis
  agilis, 244, 250
  formosus, 244
  philadelphia, 244, 250
Oriole
  à capuchon, 300
  de Baltimore, 258
  Black-cowled, 300
  Bullock's, 258
  de Bullock, 258, C337
  des vergers, 258, C336
  maculé, 258, C338
  Orchard, 258
  Spot-breasted, 258
  troupiale, 302
Ortalide
  chacamel, 302
Ortalis
  vetula, 302
Osprey, 158
Otus
  asio, 172
Ouette
  d'Égypte, 302
Ovenbird, 246
Owl
  Barn, 174
  Barred, 174
  Boreal, 176
  Burrowing, 176
  Great Gray, 174
  Great Horned, 172
  Long-eared, 172
  Northern Saw-whet, 176
  Short-eared, 172

Snowy, 174
Oxyura
  dominica, 298
  jamaicensis, 60, 72
Oystercatcher
  American, 116

Padda
  de Java, 302
Padda
  oryzivora, 302
Pagophila
  eburnea, 84, 92
Paille-en-queue
  Grand, 290
  Petit, 80
Pandion
  haliaetus, 158, 166
Parakeet
  Black-hooded, 178
  Blossom-headed, 178
  Canary-winged, 178
  Carolina, 178
  Green, 178
  Hispaniolan, 178
  Monk, 178
  Orange-chinned, 178
  Orange-fronted, 178
  Rose-ringed, 178
Pardirallus
  maculatus, 298
Paroare
  huppé, 302
Paroaria
  coronata, 302
Parrot
  Red-crowned, 178
  Yellow-crowned, 178
Partridge
  Gray, 148
Parula
  americana, 230, 248
Parula
  Northern, 230
Paruline
  à ailes bleues, 238, C306
  à ailes dorées, 242, C314
  à calotte noire, 242, 250,
    C312
  à capuchon, 242, 250,
    C313
  à collier, 230, 248, C287
  à couronne rousse, 238,
    248, C305
  à croupion jaune, 234,
    248, C295
  à flancs marron, 236,
    248, C299
  à gorge grise, 244, 250,
    C316

à gorge jaune, 230, C288
à gorge noire, 230, 248,
  C289
à gorge orangée, 236,
  248, C301
à joues grises, 244, 250,
  C315
à poitrine baie, 236, 248,
  C300
à tête cendrée, 234, 248,
  C294
azurée, 232, C293
bleue, 232, 250, C292
bleue à gorge noire, 232
couronnée, 246, C323
de Bachman, 242
«de Brewster», 238
de Kirtland, 234, C296
«de Lawrence», 242
des Bahamas, 300
des pins, 238, 248, C303
des prés, 238, 248, C304
des ruisseaux, 246, C321
«de Sutton», 230
de Swainson, 240, C308
du Canada, 234, 250, C297
du Kentucky, 244, C318
flamboyante, 236, C302
grise, 232
grise à gorge noire, 232
hochequeue, 246, C322
jaune, 238, 248, C307
masquée, 245, 246, 250,
  C319
noir et blanc, 232, C290
obscure, 240, 250, C310
orangée, 230, 250, C286
polyglotte, 246, C320
rayée, 232, 248, C291
tigrée, 236, 248, C298
triste, 244, 250, C317
verdâtre, 240, 250, C311
vermivore, 240, C309
verte à gorge noire, 230
Parus
  bicolor, 210
Passer
  domesticus, 262
  montanus, 262
Passerculus
  sandwichensis, 286
Passerella
  iliaca, 284
Passerin
  azuré, 274
  bleu, 274
  indigo, 274, C363
  nonpareil, 274, C364
Passerina
  amoena, 274

ciris, 274
cyanea, 274
Pelagodroma
  marina, 292
Pelecanus
  erythrorhynchos, 78
  occidentalis, 78
Pélican / Pelican
  American White, 78
  blanc d'Amérique, 78
  Brown, 78
  brun, 78, C62
  d'Amérique, 78, C61
Perdix
  perdix, 148
Perdrix
  choukar, 148, 302
  grise, 148, C159
Pérenoir, *voir* Sporophile
Perisoreus
  canadensis, 208
Perruche
  à collier, 178
  à tête rose, 178
  ondulée, 178
Petit-duc
  maculé, 172, C184
Pétrel / Petrel
  à ventre blanc, 292
  Bermuda, 76
  Black-capped, 76
  Cape, 292
  cul-blanc, 76
  de Castro, 292
  des Bermudes, 76
  des Kermadec, 292
  diablotin, 76
  frégate, 292
  Herald, 292
  hérault, 292
  Kemmadec, 292
  maculé, 292
  Mottled, 292
  océanite, 76
  tempête, 292
Petrochelidon
  fulva, 300
  pyrrhonota, 202
Phaethon
  aethereus, 290
  lepturus, 80
Phaéton
  à bec jaune, 80
  à bec rouge, 290
Phaetusa
  simplex, 292
Phalacrocorax
  auritus, 40
  brasilianus, 40
  carbo, 40

Phalaenoptilus
  nuttallii, 184
Phalarope
  à bec étroit, 136, 142,
  C149
  à bec large, 136, 142,
  C150
  de Wilson, 128, 136,
  140, C148
  hyperboréen, 136
  Red, 136
  Red-necked, 136
  roux, 136
  Wilson's, 136
Phalaropus
  fulicaria, 136, 142
  lobatus, 136, 142
  tricolor, 128, 136, 140
Phasianus
  colchicus, 144
Pheasant
  Golden, 302
  Ring-necked, 144
Pheucticus
  ludovicianus, 276
  melanocephalus, 276
Philomachus
  pugnax, 130, 142
Phoebe
  Eastern, 196
  Say's, 196
Phoenicopterus
  ruber, 110
Pic
  à bec ivoire, 188
  à dos noir, 192, C215
  à face blanche, 190, C210
  à tête rouge, 188, C206
  à ventre roux, 190, C209
  chevelu, 192, C213
  flamboyant, 190, C208
  Grand, 188, C207
  maculé, 190, C211
  mineur, 192, C212
  tridactyle, 192, C214
Pica
  pica, 208
Picoides
  arcticus, 192
  borealis, 190
  pubescens, 192
  tridactylus, 192
  villosus, 192
Pie
  bavarde, 208, C245
Pie-grièche
  grise, 224, C274
  migratrice, 224, C275
Pigeon
  à cou rouge, 298

à couronne blanche, 180
biset, 180
Scaly-naped, 298
White-crowned, 180
Pingouin
  Grand, 37
  Petit, 36, C9
Pinicola
  enucleator, 270
Pinson
  du Nord, 296
Pintail
  Nonhern, 50
  White-cheeked, 298
Pioui
  de l'Est, 196, C221
Pipilo
  chlorurus, 276
  erythrophthalmus, 276
Pipit
  American, 200
  d'Amérique, 200, C230
  de Sprague, 200, C231
  des Prairies, 200
  Sprague's, 200
Piranga
  ludoviciana, 260
  olivacea, 260
  rubra, 260
Pitangus
  sulphuratus, 300
Plectrophenax
  nivalis, 266
Plegadis
  chihi, 108
  falcinellus, 108
Plongeon,
  à bec blanc, 32
  catmarin, 32, C2
  du Pacifique, 32, C3
  huard, 32, C I
  imbrin, 32
Plover
  Black-bellied, 118
  Common Ringed, 120
  Mongolian, 294
  Piping, 120
  Semipalmated, 120
  Snowy, 120
  Wilson's, 120
Pluvialis
  apricaria, 294
  dominica, 118, 122
  squatarola, 118, 122
Pluvier
  à collier interrompu, 120,
  122, C121
  argenté, 118, 122, C116
  bronzé, 118, 122, C117
  de Mongolie, 294

de Wilson, 120, 122, C122
doré d'Amérique, 118
doré, 294
grand-gravelot, 120
kildir, 120, 122, C123
semipalmé, 120, 122,C119
siffleur, 120, 122, C120
Pochard
  Red-crested, 296
Podiceps
  auritus, 34
  grisegena, 34
  nigricollis, 34
Podilymbus
  podiceps, 34
Poecile
  atricapillus, 210
  carolinensis, 210
  hudsonicus, 210
Polioptila
  caerulea, 216
Pooecetes
  gramineus, 284
Poor-will
  Common, 184
Porphyrula
  martinica, 64, 114
Porzana
  carolina, 1 14
Poule-d'eau, 64
Poule-des-Prairies
  Grande, 146
  Petite, 146
Prairie-Chicken
  Greater, 146
  Lesser, 146
Progne
  chalybea, 300
  cryptoleuca, 300
  elegans, 300
  subis, 202
Protonotaria
  citrea, 230, 250
Psittacula
  krameri, 178
  roseata, 17▌
Ptarmigan
  Rock, 148
  Willow, 148
Pterodroma
  arrninjoniana, 292
  cahow, 76
  hasitata, 76
  inexpectata, 292
  neglecta, 292
Puffin
  Atlantic, 38
  cendré, 74, C55
  d'Audubon, 74
  des Anglais, 74

fuligineux, 74, C57
majeur, 74, C56
obscur, 292
Petit, 292
Puffinus
assimilis, 292
gravis, 74
griseus, 74
lherminieri, 74
puffinus, 74
Pycnonotus
jocosus, 216
Pygargue
à queue blanche, 296
à tête blanche, 158, 166,
C173
Pyrocephalus
rubinus, 196

Quail
Common, 302
Scaled, 148
Quail-Dove
Blue-headed, 298
Key West, 298
Ruddy, 298
Quiscale
à longue queue, 254,
C330
bronzé, 254, C329
de Brewer, 254, C328
des marais, 254, C330
Grand, 254
rouilleux, 254, C327
Quiscalus
major, 254
mexicanus, 254
quiscula, 254

Rail
Black, 114
Clapper, 112
King, 112
Spotted, 298
Virginia, 112
Yellow, 114
Râle
à bec peint, 298
de Caroline, 114
de Cayenne, 302
des genêts, 114, 294
de Virginie, 112,
C107
élégant, 112, C108
gris, 112, C109
jaune, 114, C112
noir, 114, C111
tacheté, 298
Rallus
elegans, 112

limicola, 112
longirostris, 112
Raven
Common, 206
Chihuahuan, 206
Razorbill, 36
Recurvirosjra
americana, 116
Redhead, 58
Redpoll
Common, 270
Hoary, 270
Redshank
Common, 294
Spotted, 294
Redstart
American, 236
Redwing, 296
Regulus
calendula, 216, 248
satrapa, 216
Rhodostethia
rosea, 84, 92
Riparia
riparia, 204
Rissa
tridactyla, 86, 92
Roadrunner
Greater, 182
Robin
American, 220
Roitelet
à couronne dorée, 216,
C260
à couronne rubis, 216,
248, C261
Roselin
familier, 270, 285, C356
pourpré, 270, 285, C357
Rostrhamus
sociabilis, 150, 168
Ruff, 130
Rynchops
niger, 98

Salpinctes
obsoletus, 214, 216
Sanderling, 130
Sandpiper
Baird's, 134
Buff-breasted, 130
Curlew, 132
Least, 134
Pectoral, 130
Purple, 134
Semipalmated, 134
Solitary, 128
Spotted, 132
Stilt, 132
Upland, 130

Western, 134
White-rumped, 134
Sapsucker
Yellow-bellied, 190
Sarcelle
à ailes bleues, 52, 66, C31
à ailes vertes, 52, 66, C32
cannelle, 52
d'été, 296
d'hiver, 52
élégante, 296
Sarcoramphe
roi, 160
Sarcorarnphus
papa, 160
Sayornis
phoebe, 196
saya, 196
Scaup
Greater, 58
Lesser, 58
Scolopax
minor, 124, 140
rusticola, 294
Scoter
Black, 54
Surf, 54
White-winged, 54
Screech-Owl
Eastern, 172
Seiurus
aurocapillus, 246
motacilla, 246
noveboracensis, 246
Selasphorus
rufus, 186
Setophaga
ruticilla, 236
Shearwater
Audubon's, 74
Cory's, 74
Greater, 74
Little, 292
Manx, 74
Sooty, 74
Shelduck
Common, 296
Ruddy, 296
Shoveler
Northem, 52
Shrike
Loggerhead, 224
Northem, 224
Sialia
currucoides, 220
sialis, 220
Siffleur, 72
Siskin
Pine, 272
Sitta

canadensis, 212
carolinensis, 212
pusilla, 212
Sittelle
  à poitrine blanche, 212, C250
  à poitrine rousse, 212, C251
  à tête brune, 212, C252
Sizerin
  blanchâtre, 270, C355
  flammé, 270, C354
Skimmer
  Black, 98
Skua
  Great, 82
  South Polar, 82
Smew, 296
Snipe
  Common, 124
  Great, 294
  Jack, 294
Solitaire
  de Townsend, 218
  Townsend, 218
Somateria
  mollissima, 56, 70
  spectabilis, 56, 70
Sora, 114
Sparrow
  American Tree, 280
  Bachman's, 282
  Baird's, 286
  Chipping, 280
  Clay-colored, 282
  Eurasian Tree, 262
  Field, 280
  Fox, 284
  Golden-crowned, 278
  Grasshopper, 282
  Harris', 278
  Henslow's, 286
  House, 262
  Java, 302
  Lark, 282
  Le Conte's, 288
  Lincoln's, 284
  Nelson's Sharp-tailed, 288
  Rufous-crowned, 280
  Saltmarsh Sharp-tailed, 288
  Savannah, 286
  Seaside, 288
  Song, 284
  Swamp, 280
  Vesper, 284
  White-crowned, 278
  White-throated, 278
Sparrowhawk
  European, 296
Spatule

rosée, 110, C106
Sphyrapicus
  varius, 190
Spindalis
  zena, 300
Spiza
  americana, 262
Spizella
  arborea, 280
  pallida, 282
  passerina, 280
  pusilla, 280
Spoonbill
  Roseate, 110
Sporophile
  cici, 300
  négrito, 300
  petit-chanteur, 300
  petit-coq, 300
Starling
  European, 256
Starnoenas
  cyanocephala, 298
Stelgidopteryx
  serripennis, 204
Stercorarius
  longicaudus, 82
  parasiticus, 82
  pomarinus, 82
Sterna
  anaethetus, 98
  antillarum, 96
  caspia, 94
  dougallii, 96
  forsteri, 96
  fuscata, 98
  hirundo, 96
  maxima, 94
  nilotica, 94
  paradisaea, 96
  sandvicensis, 94
Sterne
  à collier, 98
  à gros bec, 292
  à miroir, 292
  arctique, 96, C82
  bridée, 98
  caspienne, 94, C80
  caugek, 94, C78
  de Dougall, 96, C85
  de Forster, 96, C84
  fuligineuse, 98
  hansel, 94, C77
  Petite, 96, C81
  pierregarin, 96, C83
  royale, 94, C79
Stilt
  Black-necked, 116
Storm-Petrel
  Band-rumped, 292

British, 292
  Leach's, 76
  White-bellied, 292
  White-faced, 292
  Wilson's, 76
Stork
  Wood, 106
Streptopelia
  risoria, 180
Strix
  nebulosa, 174
  varia, 174
Sturnella
  magna, 256
  neglecta, 256
Sturnelle
  de l'Ouest, 256, C333
  des prés, 256, C332
Sturnus
  vulgaris, 256
Sucrier
  à ventre jaune, 300
Sula
  dactylatra, 80
  leucogaster, 80
  sula, 290
Surnia
  ulula, 176
Swallow
  Bahama, 300
  Bank, 204
  Barn, 202
  Cave, 300
  Cliff, 202
  Northern Rough-winged, 204
  Tree, 204
Swan
  Black, 302
  Black-necked, 302
  Mute, 42
  Tundra, 42
  Whooper, 296
Swift
  Antillean Palm, 300
  Chimney, 204
  Gray-rumped, 300
  Vaux's, 204

Tachornis
  phoenicobia, 300
Tachybaptus
  dominicus, 298
Tachycineta
  bicolor, 204
  cyaneoviridis, 300
Tadorna
  ferruginea, 296
  tadorna, 296
Tadorne

casarca, 296
de Belon, 296
Talève
 violacée, 64, 114, C54
Tanager
 Blue-gray, 260
 Scarlet, 260
 Stripe-headed, 300
 Summer, 260
 Western, 260
Tangara
 à tête rayée, 300
 à tête rouge, 260
 écarlate, 260, C340
 évêque, 260
 gris-bleu, 260
 vermillon, 260, C339
Tantale
 d'Amérique, 106, C 101
Tarin
 des pins, 272, C361
Teal, 52
 Baikal, 296
 Blue-winged, 52
 Cinnamon, 52
 Green-winged, 52
Tern
 Arctic, 96
 Black, 98
 Bridled, 98
 Caspian, 94
 Common, 96
 Forster's, 96
 Gull-billed, 94
 Large-billed, 292
 Least, 96
 Roseate, 96
 Royal, 94
 Sandwich, 94
 Sooty, 98
 White-winged, 292
Tétras
 à queue fine, 146, C155
 des prairies, 146, C156
 du Canada, 146, C154
 pâle, 146
Talassarche
 chlororhynchos, 290
 melanophris, 290
Thrasher
 Brown, 218
Thraupis
 episcopus, 260
Thrush
 Bicknell's, 222
 Gray-cheeked, 222
 Hermit, 222
 Red-legged, 300
 Swainson's, 222

Varied, 220
Wood, 222
Thryomanes
 bewickii, 214
Thryothorus
 ludovicianus, 214
Tiaris
 bicolor, 300
 canora, 300
Titmouse
 Tufted, 210
Tohi
 à flancs roux, 276, C366
 à queue verte, 276
 tacheté, 276
Toui
 à ailes variées, 178
 à menton d'or, 178
Tournepierre
 à collier, 118, 122, C118
Tourterelle
 à ailes blanches, 180
 à queue carrée, 298
 rieuse, 180
 triste, 180, C195
Towhee
 Eastern, 276
 Green-tailed, 276
 Spotted, 276
Toxostoma
 rufum, 218
Traquet
 motteux, 220, C268
Tringa
 erythropus, 294
 flavipes, 128, 140
 melanoleuca, 128, 140
 nebularia, 294
 solitaria, 128, 140
 totanus, 294
Troglodyte
 à bec court, 214, C259
 de Bewick, 214, C256
 de Caroline, 214, C257
 des forêts 214
 des marais, 214, C258
 des rochers, 214, 216
 familier, 214, C254
 mignon, 214, C255
Troglodytes
 aedon, 214
 troglodytes, 214
Tropicbird
 Red-billed, 290
 White-tailed, 80
Troupial, 302
Tryngites
 subruficollis, 130, 140
Turdus

iliacus, 296
migratorius, 220
pilaris, 296
plumbeus, 300
Turkey
 Wild, 144
Turnstone
 Ruddy, 118
Turtle-Dove
 Ringed, 180
Tympanuchus
 cupido, 146
 pallidicinctus, 146
 phasianellus, 146
Tyran
 à gorge cendrée, 194
 à longue queue, 194, C216
 de Couch, 300
 de La Sagra, 300
 de l'Ouest, 194, C218
 des savanes, 300
 gris, 194, C219
 huppé, 194, C220
 mélancolique, 300
 quiquivi, 300
 tacheté, 300
 tête-police, 300
 tritri, 194, C217
Tyrannus
 caudifasciatus, 300
 couchii, 300
 dominicensis, 194
 forficatus, 194
 melancholicus, 300
 savana, 300
 tyrannus, 194
 verticalis, 194
Tyto
 alba, 174

Uria
 aalge, 36
 lomvia, 36
Urubu
 à tête rouge, 160, 168,
  C176
 noir, 160, 168, C177

Vacher
 à tête brune, 252, C326
Vanellus
 chilensis, 302
 vanellus, 294
Vanneau
 huppé, 294
 téro, 302
Veery, 222
Vermivora
 bachmanii, 242

INDEX

celata, 240, 250
chrysoptera, 238, 242
peregrina, 240, 250
pinus, 238, 242
ruficapilla, 244, 250
Viréo/Vireo
à bec fort, 300
à gorge jaune, 228, C282
à moustaches, 226, C279
à tête bleue, 228, C285
à tête noire, 228
aux yeux blancs, 228, C283
aux yeux rouges, 226,C278
Bell's, 228
Black-capped, 228
Black-whiskered, 226
de Bell, 228, C284
de Philadelphie, 226, 250, C281
jaune-verdâtre, 300
mélodieux, 226, C280
Philadelphia, 226
Red-eyed, 226
Solitary, 228
Thick-billed, 300
Warbling, 226
White-eyed, 228
Yellow-green, 300
Yellow-throated, 228
Vireo
altiloquus, 226
atricapillus, 228
bellii, 228
crassirostris, 300
flavifrons, 228
flavoviridis, 300
gilvus, 226
griseus, 228
olivaceus, 226
philadelphicus, 226, 250
solitarius, 228
Vulture,
Black, 160
King, 160
Turkey, 160

Warbler
Bachman's, 242
Bay-breasted, 236
Black-and-white, 232
Blackburnian, 236
Blackpoll, 232
Black-throated Blue, 232
Black-throated Gray, 232
Black-throated Green, 230
Blue-winged, 238
«Brewster's», 238
Canada, 234
Cape May, 236

Cerulean, 232
Chestnut-sided, 236
Connecticut, 244
Golden-winged, 242
Hooded, 242
Kentucky, 244
Kirtland's, 234
«Lawrence's», 242
Magnolia, 234
Mourning, 244
Nashville, 244
Northern Parula, 230
Orange-crowned, 240
Palm, 238
Pine, 238
Prairie, 238
Prothonotary, 230
«Sutton's», 230
Swainson's, 240
Tennessee, 240
Wilson's, 242
Worm-eating, 240
Yellow, 238
Yellow-rumped, 234
Yellow-throated, 230
Waterthrush
Louisiana, 246
Northern, 246
Waxbill
Common, 302
Waxwing
Bohemian, 224
Cedar, 224
Wheatear
Northern, 220
Whimbrel, 126, 294
Whip-poor-will, 184
Whistling-Duck
Black-bellied, 298
Fulvous, 48
Wigeon
American, 50
Eurasian, 50
Willet, 128
Wilsonia
canadensis, 234, 250
citrina, 242, 250
pusilla, 242, 250
Woodcock
American, 124
Eurasian, 294
Woodpecker
Black-backed, 192
Downy, 192
Hairy, 192
Ivory-billed, 188
Pileated, 188
Red-bellied, 190
Red-cockaded, 190

Red-headed, 188
Three-toed, 192
Wood-Pewee
Eastern, 196
Wood-rail
Gray-necked, 302
Woodstar
Bahama, 300
Wren
Bewick's, 214
Carolina, 214
House, 214
Marsh, 214
Rock, 216
Sedge 214
Winter, 214

Xanthocephalus
xanthocephalus, 252
Xema
sabini, 88, 92

Yellowlegs
Greater, 128
Lesser, 128
Yellowthroat
Bahama, 300
Common, 246

Zenaida
asiatica, 180
aurita, 298
macroura, 180
Zonotrichia
albicollis, 278
atricapilla, 278
leucophrys, 278
querula, 278

en vol

1 HIRONDELLE RUSTIQUE
2 HIRONDELLE À FRONT BLANC
3 HIRONDELLE NOIRE
4 MARTINET RAMONEUR
5 ÉTOURNEAU SANSONNET
6 QUISCALE BRONZÉ
7 CAROUGE A ÉPAULETTES
8 MERLEBLEU DE L'EST
9 MERLE D'AMÉRIQUE
10 CHARDONNERET JAUNE
11 MOINEAU DOMESTIQUE
12 MARTIN-PÊCHEUR D'AMÉRIQUE
13 GEAI BLEU
14 PIC FLAMBOYANT
15 TOURTERELLE TRISTE
16 STURNELLE DES PRÉS
17 COLIN DE VIRGINIE
18 GÉLINOTTE HUPPÉE
19 FAISAN DE COLCHIDE
20 ENGOULEVENT D'AMÉRIQUE
21 CORNEILLE D'AMÉRIQUE
22 ÉPERVIER BRUN
23 CRÉCERELLE D'AMÉRIQUE
24 PLUVIER KILDIR
25 BÉCASSINE DES MARAIS
26 BÉCASSE D'AMÉRIQUE